Challenge Based Learning
AI 시대의
교육이 온다

Challenge Based Learning
AI 시대의
교육이 온다

이민호 미국 변호사

Challenge Based Learning
AI 시대의 교육이 온다

발행일 | 2024년 5월 17일
지은이 | 이민호
펴낸이 | 한건희
펴낸곳 | 주식회사 부크크
출판사등록 | 2014.07.15.(제2014-16호)
주 소 | 서울특별시 금천구 가산디지털1로 119 SK트윈타워 A동 305호
전 화 | 1670-8316
이메일 | info@bookk.co.kr

ISBN | 979-11-410-8546-9

www.bookk.co.kr

프롤로그

"우리는 모든 사람이 세상을 근본적으로 바꿀 수 있는 선천적인 재능을 가지고 있다고 믿습니다."

여러분은 이러한 선언에 대해서 어떻게 생각하시나요? 이것은 제가 최고의 학교로 생각하는 미국 액턴 아카데미의 핵심가치입니다. 이러한 믿음은 내 자녀가 서울대나 하버드에 갈 수 있다는 믿음과 차원이 다릅니다. 왜냐하면 이것은 우리 아이들의 소명 Calling 에 대한 믿음이기 때문입니다. 우리 아이들이 근본적으로 세상에 가치를 부여하기 위해 태어났다고 믿는다면 우리는 이를 위한 재능을 키워주는데 모든 자원을 사용하게 될 것입니다.

요즘도 가끔 자녀 자랑하시는 분들을 만납니다. '우리 아이는 영어 에세이 여러장은 거뜬히 써요', '우리 아이는 수학은 이미 고등학교 수준을 넘어섰어요. 시험은 늘 1등이니까, 큰 걱정은 안 해요', '영어가 더 편하니까 미국 대학에 가야겠죠?' 이 시대를 위한 우리 아이들의 소명은 무엇일까요? 이 세상은 학습 능력의 탁월성을 가진 사람을 기다리고 있을까요? 특별히 AI가 우리 삶에 침투하기 시작한 지금, '전통적인' 탁월성을 위한 교육은 세상을 변화시킬 재능을 길러줄 수 있을까요?

저는 우리 아이들의 시대에는 '전통적인' 탁월성을 위한 교육을 목표로 해서는 안 된다고 생각합니다. 즉, AI도 쉽게 푸는 문제를 더 잘 풀기위해 경쟁하는 교육을 하면 어느 순간 길을 잃을 수밖에 없는 것입니다. 이것은 인간 고유의 창조성과 비판적 사고력, 협업하고 문제를 함께 해결하는 능력을 기르는 것과 큰 상관이 없으며, 변화하는 시대에 점점 쓸모 없어지는 능력이기 때문입니다.

저는 오히려 이렇게 질문하고 싶습니다. 자제분은 본인이 잘 아는 것을 친구들에게 잘 전달하고 이해시킵니까? 그것이 동료들에게 동기를 부여하고 시너지를 일으킵니까? 공동의 목표를 이루고 대화와 문제 해결 능력을 키우는 것을 우선시 하나요? 에세이를 친구들과 공유하고 함께 토론하나요? 일상 속에서 내가 하고 싶은 것을 발견하고, 그것을 위해 스스로 계획, 결정, 이행, 평가하고 있나요? 친구들은 자제분을 주도적이고 독창적인 아이로 평가해 주나요? 시험이 모두 구술 방식으로 바뀌고, 친구들과 토론하는 방식으로 바뀌어도 1등을 할 수 있나요? 친구들의 비평과 지적을 잘 받아들이고, 함께 성장하고 있나요? 누군가와 함께 큰 문제를 해결해 나가는 경험을 자주 하고있나요? 나만의 탁월성 보다, 집단의 창조성을 더 신뢰하나요?

이것은 이미 OECD가 발표한 미래의 성취 기준이면서, 선진국들이 추구하는 교육목표입니다. 급격하게 변화하는 교육환경 속에서 우리가 기존에 목표로 삼고 있는 것은 이미 중요하지 않습니다. 이제 깨어나야 할 때입니다.

AI 시대가 왔습니다. 전통 교육의 시대가 끝나고 있습니다. **정형화된 문제의 정답을 많이 맞히는 시대가 끝난 것입니다. 이제 세계는 모든 문제를 비판적으로 접근하고, 창조적으로 사고하며, 커뮤니케이션을 통해 함께 문제를 해결할 수 있는 능력을 더 중요시 합니다.** 이렇게 급변하는 세계 속에서 우리의 교육은 어떤 변화를 하고 있을까요? 해외에서 일어나는 교육 분야의 혁신에도 불구하고, 안타깝게도 우리 공교육은 100여 년 동안 제자리에서 맴돌았던 게 사실입니다.

우리 교육이 개개인의 탁월성이 아닌 함께 사고하는 능력을 키우도록 하려면 많은 것이 바뀌어야 합니다. 새로운 시대를 위한 새로운 교육이 필요합니다.

이것이 제가 <천천히 아름다운 학교>를 세운 이유입니다.

저자 이민호 미국 변호사

Contents

1. 학교를 시작하기까지

1.1. 육아휴직, 새로운 눈을 열다

나는 2017년 겨울, 회사를 쉬어야 했다. 당시 첫째는 초등학교 2학년이었고 홈스쿨링을 하고 있었다. 아이를 위해 해 준 것이 별로 없었던 바쁜 아빠였지만, '왜 홈스쿨링을 시작했는지', '아이의 교육을 위한 방법이나 교육철학은 무엇인지' 물으면 뚜렷한 답이 없었다. 이것을 찾지 못하면 지금 이대로 홈스쿨링을 할 수 없다는 위기감이 찾아왔다. 다만, 내가 홈스쿨링을 시작할 때 논리는 이랬다. 아이가 약간의 장애를 가지고 있는데, 어린 시절에 상처받게 하고 싶지 않다는 것과 아이들에게 내가 다녔던, 그리고 선생님으로서 가르치던 학교의 경험을 물려주고 싶지 않다는 것.

어린 시절

어린 시절 학교 다닐 때 나는 꽤 공부를 하는 축이었다. 초등학교 1학년 때 어머니는 공부 잘하는 방법은 한 가지라고 가르쳤다. 바로, 선생님의 눈을 절대로 놓치지 않고 쳐다보는 것. 나는 착한 학생이었고, 정말 그렇게 했다. 선생님의 눈을 쳐다보면, 늘 유무형의 요구 사항이 있었고 나는 그것을 곧잘 따라 했다. 수업 시간에 선생님이 요구하는 것을 하다 보면 대부분의 중요한 내용을 파악할 수 있었다. 그러고 나서 내가 배운 것들을 다시 보는 시점은 시험을 준비할 때였다. 대부분의 지식은 단지 시험을 칠 때까지만 내 머리 속에 남아 있으면 됐다.

나는 이것이 바람직한 일이 아니라는 것을 알았지만, 일단 익숙해진 후 잘 외웠다가 시험지에 쓰는 것은 하나의 게임 방식이 되었고 나는 그 게임을 잘하는 방법을 차츰 알게 되었다. 때문에 나는 '진정한 학습'이 일어나지 않아도 아웃풋이 잘 나올 수 있다는 점을 어린 시절부터 잘 알고 있었다. 그리고 대부분의 부모들은 시험 결과에 관심이 있을 뿐, '아이들이 정말 학습하고 있는가?' 그 자체에는 관심이 없다는 사실도 이미 어린 시절에 깨달았던 것 같다. 시험이 지겨워진 나는 수능이 끝나는 날 모든 책을 버렸다.

다시 학교에서

명문대라고 불리는 대학에서 영어 교육을 전공한 나는 군대에 다녀온 후 기간제 교사를 했다. 그것도 강남과 강북의 유명한 지역에서 1년씩 중학교 영어 교사로 일했다. 당시 나는 여러 가지 일로 인해 충격을 받았다. 우선, 선생님들의 교육 방식이 15년 전 내 중학생 때나 2008년도에나 전혀 바뀌지 않았다는 점이었다. 심지어 대학 때 배웠던 액티비티 중심으로 가르치다가 시험전에 옛날 방식 문법 수업을 했는데, 학생들이 학원 선생님보다 잘 한다고 좋아했던 기억이 난다.

학교 운영도 옛날과 유사했다. 학교 구성원 누구도, 심지어 교사들도 관심이 없는 학교의 비전과 교육 목표는 여전히 매년 학교 교육과정에 실리고 있었고, 이것은 맨 첫 페이지에 있는 국가 교육과정의 목표와 동일하거나 유사했다. 수업은 수업이고 교육과정은 교육과정이었다. 물론 교육청 평가를 위해 꼭 해야 하는 것이 신선하게 추진되기도 하였는데, 대부분 수업과는 분리된 별도의 활동들이었다. 개개인 선생님의 고유한 특성을 반영하는 수업은 외부의 모든 소용돌이로부터 단절되어 있었고, 불가침의 영역이었다. 재미있는 것은 많은 선생님들이 본인이 어린 시절 배운 방식대로 아이들을 가르치고 있었다는 점이다.

또 하나, 강남에서는 학교 영어 시험을 반도 못 맞히는 다수의 아이들이 토플 책을 들고 대치동에 있는 학원을 다니고 있었다는 점이었다. 한 번은 시험 점수가 너무 안 나와서 이번 학기 중요한 포인트를 정리해 준다면서 시험 문제를 섞어서 필기를 시켰던 적이 있다. 그런데 맨 앞줄에 앉은 학생 둘이 필기는 안 하고 열심히 무슨 영어 문제를 풀고 있는 것이 아닌가? 나는 그것을 들고 이게 뭔지 물었다. 아이들은 "이거 우리 학원에서 이번 기말고사에 나온다고 나눠준 거예요!"라고 대답했다. 그 때의 민망함과 황당함이 지금도 기억이 난다.

당시 더 충격적이었던 것은, 아이들이 수업 시작 5분도 안되서 픽픽 쓰러져 잔다는 점이었다. 내가 호랑이 선생님이 아니어서 그랬을 수도 있다. 유명한 호랑이 선생님은 학기 초에 이유 없이 아이들을 혼낸다고, 그래야 한 학기가 편하다고 했다. 하지만 나는 이상주의자였고, 진정한 신뢰 관계에서만 학습이 일어난다고 믿었다. 그러나 믿었던 도끼에 발등 찍힌다고 아이들은 컴퓨터 게임하듯이 수업을 생각했고, 재미없는 시점에 언제든지 전원을 끌 준비가 되어 있었다. 나 스스로도 2명의 교사가 담당하는 한 학년에서 내가 가르치는 반만 성적이 안 나올 정도로 혁신적인 수업을 할 수도 없었다.

지금도 나는 당시 학생들의 태도는 '그러한 행동이 괜찮다고 여기는 학생들 간의 문화와 그것을 방관하는 시스템'의 문제였다고 생각한다. 그 이유는, 당시에도 신기한 반이 있었는데 주로 자기 학년과 떨어져 있는 1학년 옆 2학년 교실, 정말 맘에 드는 괜찮은 학생들이 5명 이상 있는 반 등에서는 정말 놀라운 신선함을 경험하기도 했다는 점이다. 당시 내가 하고 싶은 이상적인 수업을 할 수 있는 반은 한 학교에 1개 정도였다. 나는 동일한 이유로 'MZ 세대'라는 단어에 문제가 있다고 생각한다. 만약 '온전한 교육'을 받은 학생이 자신만 생각하는 이기적인 태도로 사회의 공동체성을 망가뜨린다면, 대학 수강신청이나 회사 지원도 엄마가 대신해 줄 정도로 자립성이 없다면, 맡은 일에 대한 책임을 다하는 마음이 없다면 그것은 교육의 실패이지 그들의 고유한 특성 때문이 아니다. 아이들은 사회가 규정하는 지능이나 외모와 상관없이 옛날이나 지금이나 무한한 가능성을 가진 희망의 씨앗이다. 그러나 환경이 엄청난 속도로 변했어도 현장은 아이들을 키워낼 텃밭으로 준비 되어 있지 않다.

회사 현장

교직 생활을 하다가 나는 뒤늦게 미국법을 가르치는 로스쿨에 갔다. 여기에서의 경험은 나중에 이야기하기로 하고, 졸업 후 나는 공기업에 미국 변호사로 취직했다. 여기서 나는 우리가 좋다고 생각하는 대학을 나온 사람들을 만났고 그들이 좋은 교육을 받고 회사에 오면 어떻게 살아가게 되는지 직접 지켜보게 되었다. 그 중에서 정말 뛰어난 사람들은 군계일학 같았다. 하지만 학교에서와 마찬가지로 회사에서는 그 누구도 자주 바뀌는 회사의 비전과 핵심가치를 기억하지 못했고, 사원들은 기존 학벌이나 배경을 버리고 회사의 문화와 관습에 적응해서 충실한 회사의 일꾼이 되어야 했다.

이때 나는 이해되지 않는 한 가지 사실을 발견했다. 우리는 중·고등학교 때 열심히 공부하고 좋은 대학에 간다. 그리고 대학을 졸업하면서 대부분의 학생들은 취직을 한다. 하지만, 많은 학생들은 회사가 어떤 곳인지 잘 모르고 4~5년에 걸쳐 회사라는 사회를 새로 배운다. 그리고 자본주의 사회는 누구든 사업에 도전할 수 있다는 점을 현실로 깨닫고, 회사의 사원이라는 존재는 '회사의 목표를 이루기 위한 도구에 불과한 게 아닐까?'하고 느끼게 되는 시점에는 이미 창조적이고 도전적인 젊은 시절은 지나가 있다. 이제 이들은 회사의 충실한 구성원이 되기를 어쩔 수 없이 선택하게 된다. 이 선택 이후가 더 살벌한데, 이제 이들은 고등학교 때보다 더 심하게 승진을 위해 경쟁해야 하고 더 높은 지위를 얻기 위해 '사회생활'이라는 것을 배운다. 그러는 사이 이들은 점점 회사와 자신을 동일화하게 되고, 높은 지위에 오른 만큼 회사와 더 동일체에 가까워진다. 그러다가 시간이 흘러 퇴직을 할 때가 돼서야 이들은 회사와 나의 정체성을 분리하는 고통스런 과정을 거친다.

모순되게도 교육은 창조적이고 독립적인 인격과, 모험가가 될 수 있는 기회를 주기보다는 오히려 기존 산업 사회의 질서에 순응하는 법을 배우게 한다. 학교는 충분히 창조적인 학생들을 그다지 필수적이지 않은 학문적인 똑똑함으로만 경쟁하게 만들고, 사회 전체를 움직이고 혁신을 가져올 수 있는 진취적이고 창조적인 똑똑함을 앗아간다. 우리 젊은이들이 시험 점수가 낮더라도 창조적인 똑똑함을 발휘할 수 있다면, 학창 시절에 모험하고, 학교 밖 과제에 도전하고, 마을을 변화시키고, 정치 활동을 할 수 있다면 그래서 세상을 변화시킬 수 있는 힘을 가지고 인생의 주인공으로 살 수 있다면 얼마나 좋을까?

아빠가 세우는 학교

나는 육아휴직 3개월 동안 매일 많은 책을 빌리고, 리서치를 하면서 우리 집의 교육과정을 만들기 시작했다. 우선 당시 노트를 보면, 내가 가지고 있던 교육 철학은 다음과 같다.

1. **아이들은 일상 생활 속에서 학습을 할 수 있다.** 우리 아이가 빵 굽는 법을 배웠다고 한다면, 그 안에 있는 열의 대류와 전도 현상, 빵 분배하는 방법, 빵이 인체에 미치는 영향, 빵의 역사, 빵이 발효되는 과정 등 배울 수 있는 것이 무궁무진하다. 나는 아이들이 활동하고 놀게하면서도 학습을 시킬 수 있다.

2. 어떤 특정한 나이 때에 가르쳐야만 하고 또 그 나이가 되면 필수적으로 알아야만 하는 과목은 있을 수 없다. **아이의 속도에 맞게 다양한 과목을 가르치되 소화할 수 있을 양만큼 천천히 간다.**

3. <하워드 가드너>에 의하면 복합지능에는 언어적 지능, 음악적 지능, 논리적 수학적 지능, 공간적 지능, 신체적 감각적 지능, 대인 지능, 내면적 지능이 있다. **어느 한 지능의 뛰어남 또는 발달 가능성을 발견한 경우 그것을 도울 방법을 찾자.** 학교 교육에서는 이러한 재능을 발견할 가능성이 적고, 발견해도 특별히 한 사람을 위해 신경을 써 줄 수 없다. 학교가 하지 못하는 것을 하기 위해 아이의 페이스에 맞추자.

4. 홈스쿨링의 최대 장점은 본인이 알고 싶은 것을 배울 수 있다는 점이다. **정말 좋아하는 것이 있으면 지원해 주고 관련된 자료와 활동 등 여러 경험을 할 수 있게 도와주자.**

5. **기본과정을 축소하자, 교육과정을 아이와 함께 만들자, 산 경험 중심의 교육을 통해 암묵지 Tacit Knowledge 를 형성하는데 힘쓰자,** 앎 자체에 집중하는 교육을 하자, 주어진 자료를 이해하고 활용하는 법을 가르치자, 리서치를 가르치자.

인간혁명
육아휴직을 할 당시 중앙일보 윤석만 기자가 연재한 <인간혁명>이라는 칼럼이 있었다. 학교에 대한 연구를 하고 있던 나에게 해당 칼럼들은 큰 영향을 줬다. 특히 <학교의 종말, 다시 '전인 교육'의 시대가 온다>는 주제의 칼럼은 인상 깊었는데 해당 칼럼은 우선 영화 <죽은 시인의 사회>에서와 같이 진정한 삶의 목표를 찾는 교육이 외면당하는 현실을 지적한다. 그리고 현대 교육의 시작을 다음과 같이 설명한다.

"근대 국가가 형성되고 산업화가 빨라진 19세기 이후에 선진국들은 앞 다퉈 전 국민을 대상으로 의무교육을 시작합니다. 토플러의 말처럼 산업혁명이 불러온 새로운 사회 구조에 필요한 노동력을 양성해야 했기 때문입니다. 아울러 국가라는 공동체의 이념을 전파하고 그들을 하나로 묶을 수 있는 제도가 필요했는데, 그것이 바로 공교육이었습니다."

현대 교육의 목적은 산업 혁명으로 인해 필요해진 노동력을 양성하기 위한 도구였다는 것이다. 더 나아가 기자는 다수가 선호하는 직업을 얻기 위해서 좋은 대학을 가야했고, 이를 위해 결국 쓸모없을 수도 있는 지식을 열심히 외우는 교육을 해 왔다고 말한다. 그러나 결과적으로 미래에는 이러한 방식이 통하지 않는다고 그는 말한다. 그리고 대학이 사라질 것이고 이는 산업의 수요를 맞추는 교육을 할 수 없기 때문이라고 말한다. 대학이 직업을 보장해주지 못한다는 말이다. 그리고 <미네르바 스쿨>의 예를 들면서 대학의 혁신과 함께 초중고교의 교육 방식도 바뀔 것이라고 예언한다. 그리고 미래학자 제레미 리프킨을 인용해 현재의 교육방식이 1차 산업혁명이 일어난 19세기와 똑같지만, 이제 세계는 노동자를 요구하지 않으며 인간은 더 창의적인 일을 위해 진보해야 한다고 주장한다. 그리고 교육은 그 본류로 돌아가 **시민의 교양을 갖춘 공동체의 구성원을 양성하고 혁신을 일으킬 수 있는 창의적인 과학자와 예술가, 철학자 등을 만들어낼 수** 있는 구조로 변화해 갈 것이라고 주장한다. 즉, AI 시대에는 산업화 시대의 인간의 역할을 AI에게 넘겨주고 인간은 전인교육에 더 집중해야 한다는 설명이다.

"아마도 레오나르도 다빈치가 알고 있던 지식의 총량은 지금 이 글을 읽고 있는 독자들보다 훨씬 적을 것입니다. 그러나 그의 상상력과 창의성은 오늘날 천재라고 불리는 사람들보다도 훨씬 뛰어날 겁니다. 다빈치가 만약 현대에서 초·중·고교를 다니고 대학을 졸업했더라면, 아마도 그가 이룩한 것과 같은 큰 업적을 남기진 못했을 겁니다.

14

...

그렇다면 미래 사회는 어떻게 될까요. 4차 산업혁명시대에는 18세기 이전과 같은 전인교육의 중요성이 더욱 커질 것입니다. 19~20세기 산업화 시대에 인간이 해야 했던 노동의 대부분을 인공지능(AI)이 대체하게 될 것이기 때문이죠. 리프킨이 '노동자가 거의 없는 세계', 노동의 종말을 이야기하고 있는 것과 마찬가지입니다. 지난 회에서 살펴봤듯 이러한 '신(新) 20대 80의 사회'에선 그동안 우리가 습득하기 위해 노력했던 도구적 기술들이 필요하지 않습니다. 결국 현재와 같은 학교 체제는 사라질 거란 이야기죠."

기자는 더 나아가 앞으로 현재의 학교 체계가 무용지물이 될 것인데, 쓸모 없는 운영상의 문제들만 논한다고 지적한다. 그러면서 시인들이 죽어 있지 않은 사회, 인간의 고유한 특성을 찾고 개인의 행복과 공동체의 이익을 조화시키는 교육을 언급하며 현재와 같은 교육은 끝나야 한다고 주장한다.

18세기 이전과 현대 교육의 비교

	18세기 이전의 교육	19세기 이후 현대 교육
대상	소수의 귀족계층	대다수의 국민
성격	선택교육	의무교육
교육 목표	교양 있는 시민 키우는 전인교육	지식습득을 통해 산업사회에 걸맞은 인재 양성
주요 과목	바른 품성을 함양하고 창의성 기르는 인문학과 예술 과목	생산 활동에 핵심이 되는 과목 (언어, 수학, 기술 등)
교육 방식	1대 1 또는 소수 대상의 토론식 수업	1대 다수의 대형 강의와 일방적 수업

시대별 주요 과목

○ 매우 중요한 필수 과목 △ 덜 중요한 과목 ✕ 중요시 여겨지지 않는 과목

과목	고대 그리스·로마	중세	르네상스·계몽주의	근대·산업화 초기	현대
그리스어·라틴어	○	○	○	○	영어·제2외국어
독해·작문	○	○	○	○	○
문학	○	△	○	○	○
수사학	○	○	○	✕	✕
음악	○	○	○	○	✕
미술	○	○	○	○	✕
철학·윤리학	○	✕	○	✕	✕
역사	✕	✕	○	○	○
수학	○	○	○	○	○
천문학	○	○	○	○	✕
화학·물리학	✕	✕	✕	○	○

자료: '21세기 무엇을 가르치고 배워야 하는가' (찰스 파델 저)

윤석만, 중앙일보 <인간혁명>에서 재인용

4차 산업혁명 시대, 교육이 희망이다

이 소제목은 미래교육학자 류태호 교수가 쓴 책 이름이다. 나는 육아휴직 기간 동안 이 책을 통해 큰 인사이트를 얻었다. 저자는 지금 우리가 4차 산업혁명을 준비하면서 중요하

게 생각할 부분으로 **"한 가지 답을 정해놓고 암기한 내용을 평가하는 것이 아니라 학생들이 수업에서 토론과 질문 과정을 통해 끊임없이 새로운 가능성을 탐구할 수 있도록 지원"**하는 교육 방식이 필요하다고 소개한다. 특히, 새로운 시대에는 **"비판적 사고를 가지고 복합 문제를 해결하는 데에서 어느 누구도 생각하지 못한 창의적인 발상을 해내는 인재"**가 필요하다는 점을 강조했다.

그리고 그가 소개한 중요한 개념이 있는데 바로 **역량 중심 학습** Competnecy Based Learning, CBL 이다. 당시 나는 신선한 충격을 받았는데, 미국 학교들도 CBL 로 전환하는 추세이고 이 방식은 과목의 시험 점수가 아닌 **역량** Competecy 을 측정하여 **숙련도** Mastery 수준을 기준으로 평가하는 체계였다. 미국의 대학들도 차츰 이러한 성적표를 받아들여 입시에 적용하고 있다는 소식도 당시엔 신선했다.

전통 성적표	
수학	97
과학	93
역사	78
영어	96
스페인어	84

역량 중심 성적표
Graduation 3.0 Honors 4.0 High Honors 4.0
수업: 3D 프린팅 마스터 수준
복합 문제 해결 능력
창의력
비판적 사고 능력

저자는 새로운 4차 산업혁명 시대가 원하는 인재상에서 시작해 그러한 인재가 되기위해 학교에서 가르칠 핵심 역량에는 무엇이 있는지 알아보고, 역량 중심 학습을 이루기 위한 방법을 소개하고 있다. 명쾌한 표들이 있어서 이해가 쉽다.

우선 저자는 **미국 노동부 직업정보네트워크** ONET 의 자료를 인용해 새로운 시대의 인재는 10가지 역량을 요구받는다는 점을 강조한다. 이는 다음과 같다.

- **복합 문제 해결 능력** Complex Problem Solving
- **비판적 사고 능력** Critical Thinking
- **창의력** Creativity
- **인적 자원 관리 능력** People Management
- **협업 능력** Coordinating with Others
- **감성 능력** Emotional Intelligence
- **판단 및 의사 결정 능력** Judgement and Decision Making
- **서비스 지향성** Service Orientation
- **협상 능력** Negotiation
- **인지적 유연성** Cognitive Flexibility

그리고 저자는 교육 분야에서 미국은 이러한 21세기형 인재를 키우기 위해 이미 2002년부터 4가지 21세기 핵심 역량을 정하고 교육에 반영해 왔다고 설명했다. 특히 **전미교육협회** National Education Association 가 주도하는 비영리 단체 〈**21세기 역량 파트너십** The Partnership for 21st Century Skills〉을 통해 이 핵심역량은 전국으로 퍼졌다. 그는 언뜻 보면 **"기술 지배적"** 사회처럼 보이는 미래 사회는 사실 가장 인간적인 4가지 C 가 필요한 **"사람 지배적"** 사회임을 강조한다.

여기서 더 나아가 저자는 미래에 학교가 디지털화된 사회가 올 것이고 더욱 학습자의 수준과 능력에 맞추는 학습 방식이 발달하게 될 것으로 예상한다. 그리고 개인별 차별화된 학습 목표가 각 개인별로 평가되며, 이들이 얼마

21세기 핵심 역량 4C

Communication
의사소통 능력

Collaboration
협업 능력

Critical thinking
비판적 사고 능력

Creativity
창의력

나 역량을 **숙련 Master** 했는지를 평가해 디지털 배지를 수여하게 될 것이라고 말한다.

그러고 나서 그는 이러한 변화된 시대를 주도할 인재를 어떻게 양성할 것인가의 주제를 던진다. 그리고 21세기 핵심 역량을 주도할 교육법으로 8가지 방법을 제시하는데, '**학습자 중심 수업, 멀티미디어 활용 수업, 수업의 개인화, 창의 수업, 역량 기반 수업, 토론식 수업, 체험 학습, 협업 학습**'이 그것이다.

핵심역량 교육법

학습자 중심의 수업은 정해진 커리큘럼의 내용을 교사가 일방적으로 전달하지 않고 기존 지식을 출발점으로 학생들이 지식을 만들어가는 수업이다. 예로 든 내용이 신선한데, 지구 온난화를 주제로 교사가 기본 지식을 제공하면, 학생이 이 주제를 통해 학습 주제를 선정하고 (예, 자동차 배기가스의 배출을 줄이는 방법) 주제에 맞는 작은 과제들을 차례로 (예, 각 나라별 자동차 배기가스 배출 현황 조사 → 자동차 배기가스를 줄이기 위해 개발된 방법들 조사 → 배기가스 감소 방안 연구 후 전문가에게 평가 요청 이메일 → 최종 내용을 유튜브로 정리하여 올리기) 수행하는 방식이다. 선생님은 학습 촉진자의 역할만 한다.

멀티미디어 활용 수업은 다양한 방식으로 멀티미디어를 통해 지식을 습득한 후 별도의 활동을 통해 배운 내용이 적용되는 과정을 만든다.

수업의 개인화는 개개인의 역량에 맞춘 수업이다. 한 교실에 너무나 다른 아이들을 모아 놓고 같은 내용을 가르친 후에 같은 시험으로 평가하는 방식은 10가지 핵심 역량을 가진 인재를 기르기에 부적합하다고 저자는 강조한다. 각자 다른 주제를 정해 과제를 수행한다면 각자 달성한 정도나 **숙련도 Mastery**를 평가해 주면 된다.

창의 수업은 다양한 답이 나와도 괜찮은 환경을 조성해서 창의력과 상상력이 극대화 되도록 하는 방식이다. 이를 위해 열린 결과가 나올 수 있는 (예, 현실에 존재하지 않는 나만의 동물을 3D프린터로 출력하기) 과제를 주고 수행한다.

역량 기반 수업은 16 페이지의 표와 같이 과제가 주어졌을 때 얻을 수 있는 역량을 책정한 후 이 역량을 얼마나 익혔는지 **숙련도** Mastery 를 측정하는 방식이다. 이는 각 학교별로 핵심 역량을 선정하고 (예, 위의 ONET의 10가지 핵심 역량) 각 과목별로 역량을 평가해서 성적을 부여하는 자율성이 기반되어야 한다. 예를 들면, 코딩 수업 과제를 준 후 결과물을 내는 과정을 보고 '복합 문제 해결 능력/비판적 사고 능력/창의력/판단 및 의사 결정 능력/ 인지적 유연성' 등을 평가해 숙련도 수준을 매기는 것이다.

토론식 수업은 위와 같은 핵심 역량을 기르는데 핵심적인 방법으로 다양한 방식으로 학생들의 생각을 이끌어 내는 것을 우선 목표로 한다.

체험 학습은 학생들이 직접 무엇인가를 하면서 학습하는 것으로, 몬테소리의 'Hands-on Learning' 과 유사한 개념으로 보인다. 저자에 따르면 이것은 학습 내용이 오래 남게 하기 위해 아래 **러닝 피라미드** Learning Pyramid 라는 개념을 적용해 능동적 학습 (즉, 토론 참여, 직접 행동으로 연습, 누군가 가르치기 등)을 통해 효과적인 학습을 구성하는 것을 의미한다. 예를 들면, 어떤 과학 개념을 익히고 직접 주변에 있는 물건을 활용해 만들어보는 활동을 한 후에 만드는 방법을 다른 사람에게 가르치는 것이다.

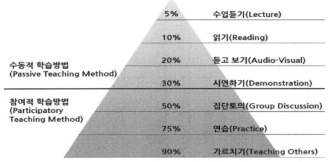

학습 방법에 따른 기억율 (출처: https://simrihak.tistory.com/90)

협업 학습은 서로 머리를 맞대고 서로의 의견을 존중하면서 합의된 결론을 내는 과정으로 새로운 시대의 문제들은 정답이 없는 경우가 많기 때문에 강조되는 방식이다. 교사는 진행을 유도하면서도 적당한 거리를 두고 지켜보는 학생 주도적인 학습 방법이다.

저자는 대학의 엄청난 변화도 예측하는데 이는 뒤에서 별도로 다루도록 하겠다. 다만, 앞으로의 고등교육은 현실 세계를 등지고 고고한 학문을 하는 것이 아니라 현실 세계의 문제를 복합적인 학문을 적용해 해결해 갈 것이라 전망한다.

나의 방향 설정

육아휴직 기간 나는 우리 아이들의 교육 방향도 잡고, 세계의 변화하는 교육 환경도 어느 정도 이해하게 되었다. 그러나 홈스쿨링을 계속해야 하는지에 대해서는 여전히 의문이 있었다. 한국의 교육 당국이 이런 변화하는 교육 환경을 모르고 있는 것이 아니었기 때문이다. <2015 개정 교육과정>에서 **핵심역량 (자기 관리 역량, 지식 정보 처리 역량, 창의적 사고 역량, 심미적 감성 역량, 의사소통 역량, 공동체 역량)**을 제시하고 '**학생의 삶 속에서 무언가를 할 줄 아는 실질적인 능력**'을 기르도록 하고 있기 때문이다. 무엇보다 이러한 역량의 많은 부분이 사회적인 소통을 통해서 형성되기 때문에 학교라는 공간에서 함께하는 것이 중요한 부분이었다. 그때부터 나는 학교라는 공간이 정말 역량 중심의 교육을 하는 곳인지, 현실 세계의 문제를 다루는지, 학습자 중심의 수업을 하는지 살펴보기 시작했다.

그리고 결과는 여전한 학교의 한계를 발견하는 것이었다. 나는 여전히 **성황인 시험 중심 학원들, 불변하는 평가 방식, 교사 주도의 수업, 조직의 논리, 교실안에 갇힌 1회성 프로젝트 학습, 단순 체험 중심, 토론 수업 부족 또는 역량 부족, 교사와 학생의 자율성 요소 부족** 등으로 학교 교육의 한계는 계속되고 있다는 생각을 한다. 이 상황을 변화시킬 힘이 학교 내부에는 없다.

한국 교육은 '자율성, 수월성, 다양성'과 '공공성, 사회성, 평등성'을 강조하는 두 무리로 나뉘어져 있지만, 모두 구 시대의 이론에 사로잡혀 있다. 이들의 목표는 모두 교육의 사회적 결과에 집중하고 있기 때문이다. 결국 <평균의 종말>에서 토드 로즈가 평균주의에 대해 지적하듯 평균을 추구하는 교육도 평균을 넘어서고자 하는 교육도 모두 사회에 기여할 평균이 있을 것이라는 함정에 빠져서 **'개개인의 존엄성을 회복하는 교육'**을 하지 못하고 있다. **그러나 새로운 시대는 학생 개개인에게 집중해야 한다. 이제는 교육이 도구가 아닌 목표가 되어야 한다. 즉, 교육은 '사회적 도구'로써 성장의 목표를 제시하는 국가 교육의 방식이 아닌, 개인의 성장과 행복을 지지하므로 개개인의 존재 자체의 의미가 발견되고 이 때문에 교육의 질이 개선되고 선순환이 일어나는 귀납적 방식을 택해야한다.**

아이들은 선생님보다 **'아이'**폰이 나를 더 행복하게 해 준다는 사실을 잘 안다. **기술은 개개인을 세상 누구보다도 존중해 준다.** 아이들은 마인크래프트 안에서 나만의 세상을 만든다. 블로그와 인터넷을 통해서 나를 표현하고 심지어 어른의 세계에 마음대로 드나든다. 유튜브 영상을 만들면 내가 아는 사람보다 더 많은 사람들이 나를 좋아하고 지지해 준다. 이들이 나만의 세상을 만들어 가는 사이, 선생님들과 부모님들은 아이들의 세상에서 배제된다. 그들의 세상을 지지해 주고, 지원해 주고, 확장해 주는 교육은 현실적으로 한국 사회에서는 존재하지 않는다. 그리고 뛰어난 핵심역량 소유자와 수능시험 상위권 학생들과의 연관성이 입증되지 않았음에도 불구하고 여전히 소수의 수능 시험 상위권 학생들만이 그들의 **역량** Competency 과 상관없이 사회에 잘 적응한 것으로 평가되고 많은 지원을 받는다.

1.2. 세 가지 질문

짧은 육아휴직을 마친 2018년 초 나는 다시 '해외를 다니며 발전소 프로젝트를 개발하는 법률 전문가'라는 본업으로 돌아가야 했다. 당장 요르단에 개발 중인 풍력 발전에 대한 엄청난 자료들이 나를 기다리고 있었다. 현업에 있으면서도 내가 교육에 대해 깊이 생각해볼 수 있었던 이유는 내가 교육에 관한한 다양한 경험을 해 봤기 때문이지 싶다.

교육자 경험

영어 교육을 전공한 후 나는 우즈베키스탄의 한 대학에서 2년간 한국어를 가르치는 경험을 했다. 당시 우즈베키스탄은 아직 우리나라 70년대의 사회 분위기를 가진 나라였기 때문에 학생들의 집중도나 수업 참여도가 매우 높았다. 선생님에 대한 존경도 있었고, 당시 유행하던 한류 때문에 가르치는 자부심도 있었다. 당시 대학에서 배운 다양한 교수방식을 직접 적용하는데 무리가 없었다는 점은 나를 고무시켰다.

그러나 한국에 돌아와서 2년간 강남과 강북의 중학교에서 1년 씩 가르치는 동안 나는 교육에 대한 회의감을 거둘 수 없었다. 아이들의 태도 그리고 교육과정 모두 엉망이었다. 물론 다른 선생님들을 통해서 다른 지역 (신도시, 학생 수준이 고른 지역 등) 에서는 정상적으로 수업이 진행된다는 이야기도 들었다. 하지만, 변하는 시대에 학교는 한참 뒤처져 있었고 아이들은 이미 저만치 다른 세상을 경험하고 있었다.

미국식 로스쿨

미국식 로스쿨에서의 경험은 나에게 다시 한 번 교육에 대한 희망을 주었다. 인간이 가진 능력을 쥐어 짜내는 듯한 무거운 커리큘럼으로 영어 판례를 수십에서 수백장 읽으며 하루 1-2시간 취침을 하던 시기에는 역시나 이건 아니라는 생각을 했었다. 그러나 교육 체계를 이해하기 시작하던 2, 3년 차 때 나는 교육의 가능성에 눈을 떴다.

우선 소크라테스식 토론법이 있다. 모든 교수님이 사용하진 않지만, 미국 로스쿨의 본연의 기능을 지키고자 하시는 분들은 소크라테스식 토론법을 진행했다. 예를들면 학생들은 수백페이지에 달하는 판례를 읽어가지만, 정작 수업에 가면 판례의 **사실관계** Facts of the Case 와 **이슈** Legal Issues 를 확인한 후 토론만 하는 것이다. 기계가 고장나서 부품을 수리하는데 부품 배달 회사가 배송을 지연하여 생긴 손해는 직접적인 손해인가 간접적인 손해인가 하는 사실관계와 이슈가 있다면, 교수는 사건에서 부품은 '중요한 부품인가 소모품인가?', '직접적인 손해란?', '간접적인 손해란?' 등 용의의 정의에 관한 질문을 한다. 그리고 나서 사건의 법리와 결론을 살짝보고 질문에 들어간다. '만약 소모품이고 주변에서 쉽지는 않지만 노력하면 살 수 있는 부품이었다면 결과가 달라졌을까?', '일반적으로 해당 기계는 대체 기계가 있기 때문에 실질적인 손해가 발생하지 않는다면?', '배송 회사가 내용물을 몰랐다면?' 등등 팩트를 변형하면서 다양한 질문을 하고, 대답에 대해 더 심화된 질문을 하면서 한 판례에서 수십개의 사건을 더 만들어 내고 결론을 다듬어 간다.

이 방식은 유명한 <정의란 무엇인가>를 쓴 마이클 센델 교수가 하버드 강의에서 쓰는 방식으로 유튜브에 강의가 공개되어 있다. 그리고 미국의 경우 MBA, 의대 등 전문직 교육에서는 거의 예외 없이 소크라테스식 토론법이 활용되고 있다. 미국 연방 대법원에서 하는 **심문** Hearing 절차도 유튜브 등에 공개되어 있는데, 방식은 9명의 대법원장이 변호사들과 소크라테스식 질의응답을 하는 방식이다.

다음으로 도제식 교육이 있다. 나는 로스쿨 1학년 때 첫 저널을 제출하고 검토받던 날을 잊지 못한다. 3장짜리 저널에 엄청난 빨간펜 표시와 유명한 <Red Book> 이라는 법률 문법책 레퍼런스가 수십 군데 적혀 있어 눈이 휘둥그레졌다. 교수님의 첫 마디는, "I don't think you are gonna pass this class." 대학 교육을 받고 영어 선생님까지 했던 나에게 당시의 부끄러움은 말할 수 없었다. 문제는 그 다음이었다. 수정해서 제출한 저널에는 또 다시 엄청난 빨간펜 표시가 있었고, 여러 차례 수정한 후에야 첫 점수를 받을 수 있었다. 이것을 하기 위해 교수님은 밤을 새셔야 하지 않았을까 싶었다.

1년 동안 동일하게 진행된 법률 문서 작성 수업에서 성과를 내지 않은 학생은 없었다. 모두 눈이 벌게져서 쓰고 고치고 쓰고 고치면서 변호사가 되어 갔다. 교수님에 대한 두려움은 경외심에 가깝게 변했었고, 변호사가 문서를 바라보는 방식을 교수님을 통해서 몸으로 체득할 수 있었다.

마지막으로 리서치가 있다. 많은 사람들이 미국 로스쿨을 졸업하면 법률박사가 되어 있을 것이라 생각한다. 큰 착각이다. 미국 로스쿨에서 가르치는 것은 소크라테스식 사고 방식으로 판례를 이해하는 입체적 시각, 문서를 작성하는 실무, 그리고 가장 중요한 리서치이다. 이슈가 발생했을 때 판례 및 관련 내용을 리서치하는 기술을 3년 내내 배운다. 정말 정교하게 한 단어, 한 이슈를 가지고 수백 개의 판례를 검색해서 같은 것, 다른 것, 같은 것 중에 조금 다른 것, 다른 것 중에 조금 같은 것 등등 머릿속에 리서치 지도를 그리는 방식을 배운다. 각 분야별 법률에 대해서는 수십 개의 판례를 읽고 생각하는 시간을 가질 뿐, 법률을 통달하도록 외우거나 법 조문을 외우는 일은 없다. 때문에 미국 변호사 1년차에게 소송 건을 가지고 가서 법리가 어떻고, 어떻게 해결하면 좋을지 물어보면 거의 모른다. 변호사 시험도 사건 스토리를 보여주고 이에 대한 적용 법리를 물어보는 객관식, 사건 스토리에 대한 법률 분석을 하는 작문 시험, 그리고 여러 가지 리서치 결과물을 나열해 놓고 법률 분석을 통해 고객이 요청하는 결과물 (편지, 보고서, 소장 등) 을 만드는 작문 시험의 세 가지로 나누어지며 법조문을 달달 외우지 않아도 풀 수 있다.

때문에, 미국의 로스쿨 교육을 받은 사람들에게 어떤 법률 주제를 물어보면 잘 모를 수 있지만, 하루가 지난 뒤 같은 주제를 물어보면 박사가 되어 있는 경우가 많다. 이유는 정교한 리서치 기술과 상황 판단력을 교육 받았기 때문이다. 이것은 미국에서 변호사가 다양한 분야에 진출해 있는 이유가 된다. 예를 들면, 기술이나 경제 전공이 아니지만 미국 **연방 에너지 규제 위원회 FERC** 의 장은 변호사 5명으로 운영되며, 이들은 모든 기술, 전력 시장, 연료 시장 등에 관한 행정 절차에 대해서 하나하나 분석하고 결론을 내서 판결문을 낸다.

회사 경험

졸업 후 나는 기업에 취직해서 '해외 발전소 건설 사업 프로젝트 파이낸싱'의 법률 지원 업무를 담당하게 되었다. 대형 프로젝트 파이낸싱은 정말 다양한 이해관계자들과의 협업이 필요하다. 때문에 나는 '법률 자문사', '금융 자문사', '함께 투자하는 회사'와 한 팀이 되어 다양한 상대방과 계약 협상, 분쟁, 건설, 운영의 전 과정에 개입하며 업무를 익혀 나갔다.

물론 로스쿨에서의 경험이 도움이 되었겠지만, 입사 후 1년이 지났을 때 나는 마치 대학 4년을 졸업할 때의 기분이었던 것 같다. 그 1년 동안 받은 이메일과 읽은 계약서 그리고 참고 서류를 합하면 대학 시절의 학습량보다 많았던 것 같다. 그 때의 팀원들과의 인간적 관계, 이슈별로 뭉치고 흩어지는 역동성, 밤낮 해외와 커뮤니케이션 하기, 협의된 내용을 문서로 만들어 내기 등등 현실적인 과제들은 모두에게 엄청난 성장의 도구가 되었다. 당시 나는 '우리 아이들이 여기에 그냥 같이 있기만 해도 얼마나 좋을까' 하는 생각을 했다. '왜 학교는 이렇게 학습하지 않을까?', '내 하루 하루의 이슈들을 도전 과제로 만들어서 아이들에게 적용할 수는 없을까?', '현실의 과제들을 아이들에게 제공할 수는 없을까?', '우리에게는 왜 영국같은 **견습** Apprenticeship 제도가 없을까' 하는 고민을 하게 된다.

세 가지 질문

이러한 경험을 바탕으로 나는 세 가지 질문을 가지고 오랜 기간 답을 고민하게 되었다.

질문 1. 왜 우리는 학교 밖 삶의 실제에 대해 배우지 않을까?

부모들은 '우리 아이는 공부 머리는 있는데, 일머리나 돈머리는 없는지 사회 적응을 못한다'고 푸념하기도 한다. 학생들은 자본주의 속에 살면서 학교에 다니지만, 학교를 졸업하면 어떤 일이 일어나는지 현실 사회를 전혀 경험하지 못한다. 학교는 어른들의 일상을 지배하는 개념에 대해서 단절되어 있는 경우가 많다. 결국 우리의 학습은 평생을 살아갈 삶의 지혜에 관한 것이어야 함에도 말이다.

공부의 방식이 바뀌고 있다. 한 개인의 탁월성이 아닌 삶의 실제 속에서 어떻게 협력하고 최선을 이끌어 내느냐가 중요한 배움의 기준이 되고 있다. 해외 많은 학교들이 **프로젝트와 도전기반 학습 및 현장 실습**을 통해 실제적인 지식을 기르도록 커리큘럼을 바꾸고 있다. 같은 책상에 하루 종일 앉아서 필기와 문제의 해답을 찾는 학습 방법으로는 미래를 준비할 수 없다. 미국의 '액턴 아카데미' (다음 장에 설명) 도 한 학교 선생님께 했던 간단한 질문에서 시작되었다. "왜 가능한 한 빨리 학교에 입학해서 하루 종일 앉아 있는 연습을 하는 게 학생에게 좋은가요?" 학생의 입학 시기를 앞당기라고 조언하던 학교 선생님은 대답을 못 했다. 아이들은 활동하고 움직이면서 몸으로 실제를 모방할 때 현실에 도움이 되는 지식을 배운다.

질문 2. 왜 우리는 나이에 따라 똑같은 커리큘럼으로 배울까?

학생들은 개인의 재능과 흥미 수준에 따라 같은 학년 내에서도 서로 다른 성취 수준을 보여준다. 그러나 겉으로 드러난 성취 수준이 그 학생의 능력이나 학력을 정의할 수는 없다. 나는 **학생들에게 충분한 시간을 주면 본인의 흥미와 재능에 따라 본인에게 적절한 시간에 목표한 성취 수준에 다다를 수 있다고 믿는다.** 따라서, 학교에는 학년이 없어야 한다. 학습의 여정에서 한순간의 절대평가를 학생의 성취 또는 역량으로 볼 수는 없다. 어느 나이 때의 점수는 그 학습자의 능력이나 학력을 규정할 수 없는 것이다. 오히려 한 학습자가

26

최선 Excellence 을 다하도록 지속적으로 동기를 부여하고 지지해 줌으로서 학생의 평생의 목표를 증진할 수 있다.

단, 학습을 증진할 수 있는 나이대의 결합은 중요하다. 구분된 나이 그룹 속에서 각 개인의 역량을 측정하고 합리적인 평가 방법을 통해 성취 수준 또는 레벨에 따른 **배지** Badge 를 부여하고, 필수 배지를 받은 경우 초등에서 중고등 단계로 승급하는 방식이 적절하다. 또한, AI 시대에 교육의 목표는 **비판적인 사고, 창조적인 사고, 효과적인 의사소통 및 협업 능력** 등 **역량 중심 교육** Competency Based Learning 을 하는 것이다. 이러한 능력은 '정량적'인 방식으로 측정할 수 없다. 따라서, 평가는 '정성적'이고 '주관적'인 방식으로 해야 한다. 이때, 미국 변호사 시험 채점에도 사용되는 <그림 1>의 **루브릭** Rubric 과 같은 방식이 적절하다. **배지** Badge 의 종류는 기존 학교의 과목을 모두 따르지 않고 시대에 필요한 필수 능력을 기반으로 구성하고, 동료 학생들의 평가를 거쳐 배지에 성취 수준을 명시한다.

MEE Grading Rubric

To score a 6: A 6 answer is a very good answer. A 6 answer usually indicates that the applicant has a thorough understanding of the facts, a recognition of the issues presented and the applicable principles of law, and the ability to reason to a conclusion in a well-written paper.

To score a 5: A 5 answer is an above average answer. A 5 answer usually indicates that the applicant has a fairly complete understanding of the facts, recognizes most of the issues and the applicable principles of law, and has the ability to reason fairly well to a conclusion in a relatively well-written paper.

To score a 4: A 4 answer demonstrates an average answer. A 4 answer usually indicates that the applicant understands the facts fairly well, recognizes most of the issues and the applicable principles of law, and has the ability to reason to a conclusion in a satisfactorily written paper.

To score a 3: A 3 answer demonstrates a somewhat below average answer. A 3 answer usually indicates that it is, on balance, inadequate. It shows that the applicant has only a limited understanding of the facts and issues and the applicable principles of law, and a limited ability to reason to a conclusion in a below average written paper.

To score a 2: A 2 answer demonstrates a below average answer. A 2 answer usually indicates that it is, on balance, significantly flawed. It shows that the applicant has only a rudimentary understanding of the facts and/or law, very limited ability to reason to a conclusion, and poor writing ability.

To score a 1: A 1 answer is among the worst answers. It usually indicates a failure to understand the facts and the law. A 1 answer shows virtually no ability to identify issues, reason, or write in a cogent manner.

To score a 0: A 0 answer indicates that there is no response to the question or that it is completely unresponsive to the question.

그림 1. 미국 변호사 시험 에세이 점수 루브릭 (출처: 워싱턴 주)

질문 3. 왜 학교에서 학생들의 의견은 들리지 않을까?

미국에서 3년을 머물다가 한국에 들어왔을 때, 깊은 생각을 하게 한 일이 있다. 학생 비즈니스 축제를 한다고 해서 가 보려고 홈페이지에 들어가 보니 그동안 한국의 시스템이 변한 것이 없었기 때문이다. 어디서 과학 축제를 한다, 학생 축제를 한다고 하면 어김없이 어른들이 완벽한 계획을 짜고 큰돈을 써서 다양한 체험 부스들이 점령을 한다. 학생들은 교사의 아이템을 준비해 와서 체험과 전시를 하지만 모두 너무 완벽하다.

미국에서 아이들을 '액턴 아카데미'를 보내면서 가장 신선한 자극을 받은 것은 어떤 학생들의 축제이든 주체는 학생들이었다는 것이다. 미국 각 동네에는 Business Fair가 자주 있다. 아이들이 상품을 개발해서 판매하는 행사이다. 이것의 준비는 학생들이 회의를 통해 진행하며 (물론 시설 준비는 어른이 도와야 하지만) 각자 고민해서 만들어낸 상품들을 판매한다. 어른들은 일절 간섭하지 않는다. 우리 아이도 레고 블록을 부품별로 사서 새로운 제품과 설명서를 만들어서 팔았던 기억이 있다. 굉장히 불완전하지만 아이들은 희망에 차 있다.

문화의 차이일까? 나는 우리가 학생들을 대하는 관점의 차이라고 믿는다. 어쩌면 우리는 아직도 학생들을 배움을 받아야 하고, 어른들의 각별한 케어가 필요한 대상이라고 생각할지 모르겠다. 우리는 아이들이 걸음마하다 넘어지면 얼른 일으켜 세우고, 좌절하면 바로 다그쳐서 힘을 내게 해야하는 조급증이 있다. 그러나 아이들은 '자기 삶의 주체'이고 '실패의 경험을 통해 스스로 천천히 이겨내는 시간'이 필요하다. 또한 학생들에게 이런 '실패할 수 있는 자유'를 주는 곳이 가정과 학교여야 한다. 아이들의 실패를 용인할 수 있는 용기, 그리고 그들에게 어릴 때부터 삶의 주인공 자리를 마련해 주는 작업은 정말 중요하다. 때문에 그들의 목소리로 계획을 세우고, 그들의 목소리로 시도해 보고, 그들의 목소리로 합의하고, 그들의 목소리로 대안을 모색하고, 그들의 목소리로 결과를 평가하는 학교가 되어야한다.

AI 시대에 지식만을 습득하는 것은 더 이상 중요하지 않다. **지식을 어떻게 의미 있게 분석하고, 자기만의 목소리를 내며, 새롭게 가공하여 주변에 의**

사소통하고 결과를 끌어내는지의 전 과정이 오히려 훨씬 중요하다. 때문에, 학습의 대부분은 의사소통과 의견 표출로 이루어져야 한다. 중요한 선택의 문제들을 토론하며, 서로 질문하고 대답하는 과정을 통해 최선의 방안을 발견해 나가는 경험이 필요하다. 아이들은 학습 시간에 조용히 있지 않아야 한다. 문제를 제기하고, 함께 토론하고, 결과를 도출해 내는 과정이 중요하다. 더불어, 중요한 이슈나 어려운 문제들이 있으면 회의 시간을 가지고 서로의 의견을 듣고 함께 해결책을 마련하도록 독려해야 한다.

1.3. 도전 기반 학습, 새로운 시대의 교육방법

학교를 세우려는 고민 중에 가장 신선하게 다가온 교육 흐름이 있었다. 그것은 최근에야 교육계의 화두가 되고 있는 **도전 기반 학습** Challenge Based Learning, CBL 이다. 그리고 CBL 에 대해 논하려면 **애플** Apple 을 언급해야 한다. CBL 의 개념은 21세기 교육 환경을 재정의 하려는 애플의 프로젝트 <Apple Classroom of Tomorrow-Today, ACOT> 에서 시작되었다.

애플 그리고 도전 기반 학습

2008년에 시작된 ACOT 프로젝트는 재미있게도 '리얼리티 티비 프로그램'에서 영감을 받았다. 애플의 교육 담당 부사장이자 베스트셀러 <교실이 없는 시대가 온다, Rewiring Education>를 쓴 **존 카우치** John Couch 는 교육은 대본이 있는 프로그램이 아니라 리얼리티 프로그램 처럼 구성되어야 한다고 주장한다.

> "대본이 있는 프로그램은 참여자들에게 좀 더 수월하다. 목적지가 주어지고 거기에 이르는 자세한 지도(대본)가 제시되기 때문이다. 말하자면 거리 이름을 암기하고 일련의 지시를 따르기만 하면 된다.이들의 행동과 대화는 예측 가능하고, 가장 큰 도전은 미리 주어진 정보를 암기하는 것이다. 반면 리얼리티 프로그램은 참여자들에게 더 큰 도전을 요구한다. 목적지는 있지만 지도도 없이 가야 할 대강의 방향만 듣기 때문이다. 그런 다음 다른 사람들과 협력해 목적지에 이르는 방법을 알아내야 한다. 교육에서 학생들은 대본이 있는 프로그램을 위한 배우로만 준비된 채 현실 세계에 내던져진다. 다시 말하자면 우리 아이들은 학교 공부에서 건강한 의미의 도전을 놓치고 있다."

애플의 의도는 분명했다. 교육의 전체 회로를 바꾸는 것이다. 이를 위해 도전 과제를 제기하고 관련된 실험, 연구 및 적용을 통해 기존의 경험을 뛰어넘도록 수업을 구성한다. 수업 과정은 대본이 쓰여져 있지 않고 예측 불가능하지만, 결국 도전 과정을 통해 학생들은 결과에 대한 분명한 이해를 하게 된다.

도전 과제에 직면할 때, 성공적인 학습자들은 경험과 내부 및 외부 자원을 활용하며, 계획을 세우고 최선의 해결책을 찾아나가기 위해 함께 노력한다. 그 과정에서는 실험, 실패, 성공, 그리고 결국 행동에 따른 결과가 있다. 학습 환경에 도전 과제를 의도적으로 제시할 때 '긴급성', '열정', 그리고 '주인 의식'이라는 기존 학교에서 발견하기 힘든 요소들이 나타나게 된다.

애플의 노력은 진지했다. 그 이유는 스티브 잡스가 모든 아이들이 컴퓨터에 접근하게 하려는 목표를 가지고 있었기 때문이었다. 그가 초기에 기부한 애플 컴퓨터만도 10만대에 달한다. 그리고 더 나아가 교사가 교실에서 가장 효과적으로 기술을 이용할 수 있는 방법을 ACOT2 프로젝트를 통해 연구하는 중에 **'도전 기반 학습 Challenge Based Learning'**을 고안해 내게 되었다. 존 카우치는 이를 위해 교육자는 "학습이 학습자에게 여전히 관련성이 있으면서도 창의성과 협력을 요구하는 동시에 학습 과정에 도전의식을 더하도록… 학습을 다소 리얼리티 프로그램처럼 만드는" 어려운 과제를 요구받게 되었다고 말한다.

도전 기반 학습은 최근에 유행했던 **'프로젝트 기반 학습 Project Based Learning'** 과 다르다. 존 카우치에 의하면 "프로젝트 기반 학습의 경우 학생들은 배정받은 프로젝트를 실행하며 배우지만 도전 기반 학습의 경우 **학생들은 협력해서 스스로 도전을 만들어내도록 격려받는다.**" 이 때 도전 과제들은 학생들의 지식 및 상황과 더욱 관련성을 가지게 되면서 학생들에게 참여의지, 동기, 주인의식을 불러 일으키는 것이다. 여기에 중요한 것이 **기술의 사용으로 기본적으로 정보 수집을 하고, 더 나아가 소통하고 참여를 북돋우는 방법을 제공**하게 된다. 도전 기반 학습은 프로젝트 기반 학습 처럼 유튜브나 홈페이지를 찾아 정보를 기록하도록 요구한다면, 도전 기반 학습은 유튜브나 블로그, 더 나아가 멀티미디어나 웹페이지, 앱 등을 직접 만들도록 요구하는 것이다. 더 나아가 도전 기반 학습은 **사회와의 연결고리를 찾도록 유도**한다. 현재 학생들이 사는 지역사회 또는 미디어의 문제들을 직접 선택해서 해결책을 제시하는 현실에 적용되는 지식을 배우는 방식을 채택한다.

이를 위해 도전 기반 학습 교실은 3단계의 과정을 거친다. **먼저, 교사는 교과 주제와 연관된 어떤 것이든 학생들이 스스로 해결하고 싶은 문제를 제안하도록 이끈다.** 학생들은 문제를 선택하고, 협력해서 어떻게 문제를 해결해 나갈지 계획을 세운다. 최근 지역사회의 현안도 좋고, 세계적인 빈곤, 기후변화, 건강 등의 문제도 좋다. **다음으로, 교사와 학생은 이 문제를 여러 개의 '핵심 질문'들로 나누어 본다.** 학생들은 토론을 통해 여러 핵심 질문 또는 주제에 대한 다양한 질문을 통해 문제를 관통하는 이슈 또는 요구사항을 발견한다. 이것은 교사의 면밀한 주도를 통해 여러 가지 오픈된 질문으로 시작하며, 학생들이 스스로 질문하기 시작하면 그 때 부터는 팀을 이뤄 계획, 조사, 인터뷰, 현장방문 등이 진행된다. **마지막 단계는 학생들이 이를 통해 분명한 실행 계획을 만들어 내는 것이다.** 이 단계에서 학생들은 시제품, 테스트, 개선을 반복하며 데이터에 기반하여 해결책을 제시하기 시작한다. 그리고 이것이 사회적 차원에서 적용되기 위한 다양한 방법을 고안해 낸다.

존 카우치가 예로 든 것은 역사 수업인데, 일반적인 수업이라면 교과서를 읽고 사실을 암기해 퀴즈를 풀고, 내용에 연계된 유물을 조사하고, 시험을 치르는 과정을 진행한다. 하지만 도전 기반 학습으로 이것을 구성한다면 학생들은 유명한 역사적 인물이 되어서 수업에 연계된 역사적 지역에서 만찬을 여는 과제를 부여 받는다. 학생들은 누구를 초대할지 초대하지 말아야할지 결정하도록 리스트를 건네 받는다. 여기서부터 학생들의 팀은 온라인 리서치, 도서관 및 박물관 방문, 인터뷰 등을 통해 역사적인 배경과 인물들의 관계, 사람들의 의견을 종합해 초대장을 만들면서 역사적인 지식을 **암묵지** Tacit Knowledge 로 내재화 하게 된다.

케오스필롯 - 러닝 아크

도전 기반 학습의 구성의 가장 좋은 예는 유럽의 유명한 비즈니스 스쿨인 케오스필롯의 커리큘럼이다. 다음 장의 **액턴 아카데미** Acton Academy 가 커리큘럼을 구성하는 방식을 이 학교에서 가져왔다. 애플이 케오스필롯을 참고했다고 보지 않지만, 의도하지 않게 서로 동일한 방향을 추구하고 있기도 하다. 이 학교의 교육과정에서 중요한 개념이 있는데 바로 교육과정 구성의 핵심 철학인 **'러닝 아크 Learning Arc' 개념**이다. 이 개념은 도전 기반 학습과 같은 현실적인 결과물을 내기 위한 커리큘럼 작성 툴로 현재 케오스필롯의 커리큘럼 구성을 용이하게 만들도록 하기 위해 프로그램화 되어 있다.

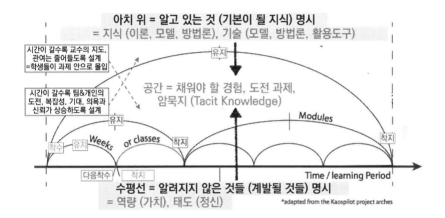

한 학기 커리큘럼을 구성한다고 상상해보자. 선생님은 러닝 아크 시스템에 들어가서 이번 학기 수업의 구성 요소를 먼저 정립한다. 수업 이름을 <비즈니스 리더쉽> 이라고 가정해 보자. 선생님은 먼저 다음 순서로 수업의 전체 그림을 그려야 한다.

① 수업 내용 정하기
- **아크명:** 각각의 아크는 그 기간을 통해 이루고자 하는 의도와 목표를 기록한다. 이것은 일, 주간 단위가 될 수도 있고, 프로젝트나 도전과제의 경우 여러 기간을 통합한 모듈이 될 수도 있다.
- **배울 것:** 배움의 구성 요소는 아래 표와 같이 4 가지로 구성된다. 이것은 매우 중요한데, 해당 기간 적용 되어야 할 이미 알고 있는 기술, 지식이 있고, 수업을 통해 채워질 태도와 역량이 있다. 이를 바탕으로 예시로 표를 채웠다. 중요한 점은 각 아치별로 (일, 주, 모듈, 학기) 기술에 따라서 지식, 태도, 역량을 각각 선택해서 적용할 수 있다는 점이다.

- ▸ **기술:** 마스터 해야 하는 결과물. 자격증 취득시 확인하는 능력과 유사.
- ▸ **지식:** 이것은 미네르바 대학의 **사고 습관** Habit of Mind / **근본 개념** Foundational Concepts 과 유사. 사고하는 방법 또는 바탕이 되는 이론.
- ▸ **태도:** 이것은 팀과 자신이 과제를 경험해 갈 때 기반이 되는 품성과 인격이 어떻게 과제에 접목되야 하는지를 제시
- ▸ **역량:** 이것은 수업에서 궁극적으로 이루고자 하는 **역량** Compentency 으로 학생이 사회에 나갈 때 가지고 있어야 하는 최종적인 능력

KNOWN		UNKNOWN	
기술 (방법론) to master	지식 (이론) to apply	태도 (정신) to embody	역량 (가치) to develop
애자일 프로젝트 관리	**Design Thinking**	**Empathy**	**Leadership**
프로젝트 범위 설정	Group Dynamics	**Motivation**	Communication
그룹 협업	**Innovation**	Awareness	**Project Management**
계약 협상	System Thinking	Curiosity	Collaboration

※ 노란색은 <애자일 프로젝트 관리> 아치에 선택된 지식, 태도, 역량의 표시

② 착수(Set)-유지(Hold)-착지(Land)

- 한 아크는 비행기가 이동하듯이, <착수-유지-착지>의 3 단계를 거친다.
- 각 아크는 선생님의 참여도가 점점 줄어들고, 도전 과제의 복잡성이 더해지면서 학생들이 스스로 결론을 찾아가는 과정으로 만들어 간다.
- 아크는 아직 **알려지지 않은** Unknown 학생들 내면의 태도와 역량을 발견해 가는 과정이다.
- 비행을 하는 스타일은 **(전통방식) 가르치고/적용하고/배우는, (경험방식) 경험/반추/학습 및 적용, (도전과제방식) 행동/배움/수용** 의 3가지 방식이 주로 쓰인다.
- '착수-유지-착지'에 필요한 툴은 다양하나 결과적으로 선생님이 본인에게 맞는 방식을 찾아가게 된다. (아래는 케오스필롯의 예)

- ▸ [착수] IDOART/PROJECT/UNBAN SAFARI, NEEDS&WISHES/ COMPETENCY MAPPING/ 4D MODEL/ CONTEXT SETTING
- ▸ [유지] POWERFUL QUESTIONS & REFLECTION/ GUIDANCE/ MIRRORING/ FISHBOWL/ INTERVENTION/ COMPLEXITY
- ▸ [착지] WHAT WORKED?/ GROUP&TEAM REFLECTION/ FLOOR MAPPING/ LEARDERSHIP

(케오스필롯 홈페이지에서 확인 가능)

• 모든 수업의 원칙은 먼저 경험/연습할 과제를 주고, 내가 무엇을 아는지 점검하게 한 후, 최소한의 이론과 방법론을 제시하고 이것과 관련된 프로젝트, 도전 과제와 이러한 과제를 요구하는 **고객** Client (가상 또는 실제)을 제시한다. 학생들은 고객을 위한 결과물을 내기 위해 지식과 방법론을 적용하고 운영하는 시간을 가진다.

• 배움의 공간은 학생들 서로간에 "**연결하고** (Connect) ➤ **현황을 파악하고** (Context) ➤ **상황을 제시하고** (Context) ➤ **내용을 제공받고** (Content) ➤ **작업 및 가공하고** (Craft) ➤ **성품을 연마하고** (Character) ➤ **확신하는** (Confidence)" 과정을 거쳐 채워져 간다.

• **가장 중요한 활동은 '착지' 활동으로**, 과제를 통해 배운 것을 정리하고 이것이 다음 과제와 어떻게 연결되는지 어떻게 다음 과제를 개선할 수 있는지 서로 공유하고 성장하는 과정이다.

③ **나의 적용**

나는 미국에서 위와 같은 '도전 기반 학습'을 총체적으로 적용한 **액턴 아카데미** Acton Academy 에 아이들을 보내면서 이 이론과 친밀해졌다. 이후 이 **교육 방법론** Padagogy 에 확신을 가지고 한국에 들어와 1년간 대안학교를 운영했다. 이 기간을 통해 나는 위와 같은 새로운 시대에 적합한 교육 방식을 몸으로 체화할 수 있었다. 도전 기반 학습을 설명하는 김에 학교를 설립한 이후 내가 이것을 어떻게 적용했는지 설명해 보겠다.

일례로, 나는 비즈니스 교육을 위한 **2달의 세션을 운영했는데 당시 3가지 비즈니스 모듈** 중 하나의 예를 들면 다음과 같다. 해당 모듈은 '기업가 정신 Entrepreneurship'을 발견하는 모듈로, 비즈니스 타입과 게임을 이용해서 학습을 진행한다. 학습을 진행하는 동안 동기 부여를 위한 '소크라테스식 질문'을 하고 각각의 미션에 대한 큰 그림을 통해서 미션에 기반한 학습을 하도록 유도한다. 궁극적으로 학생들은 비판적 사고와 효과적인 커뮤니케이션 역량을 기른다.

KNOWN		UNKNOWN	
기술 (방법론) to master	지식 (이론) to apply	태도 (정신) to embody	역량 (가치) to develop
세일즈	**Business Type**	**Motivation**	**Critical Thinking**
마켓 분석	**Gamify**	**Mission Oriented**	Creative Thinking
Entrepreneur ship	Role Modeling	Listening	Collaboration
	Research	Cooperative Mind	**Effective Communication**
평가 • 루브릭 평가 • 결과물 전시 • 2/3이상의 동의를 통해 **마스터 스킬 배지 Master Badge** 수여	비고 • 최신 비즈니스 게임 적용 • 세 가지 비즈니스 타입 (Bootstrap Tortoise, Asset Fox, MBA Hare) 적용 • 고정비, 변동비, 이익, 수익, 비용, 수익 전망 기본 이론 적용	평가 • 매주 **태도 평가 Character Trait** 진행 • 평가 결과에 따라 **태도 배지 Character Badge** 수여	평가 • **배운점 Lessons Learned** 저널 작성 • 동료 피드백 및 향후 적용 방법 토론회

(노란색은 '비즈니스 모델' 아치에 선택된 지식, 태도, 역량의 표시)

지식(이론) 툴	착수 (SET)	유지(HOLD)	착지(LAND)
Socratic Question	Q: '당신의 재능을 삶을 쉽게 사는 데 사용할 것인가, 봉사하고 모험하는 데 사용할 것인가?	Q: 내가 곧 죽는다면 오늘 하고 싶은 일은? (Motivation) Q:Shark Tank, 이 가격을 제시한 이유는?	Q: CEO에게 필요한 덕목은 무엇일까? Q: AI가 만든 작품은 내 것이라고 주장할 수 있을까?
Big Picture (아래그림 참고)	큰 그림 그리기	진행 상태 체크	완료
Rubric		• 학생들이 평가 요소 직접 작성	• 루브릭 평가
Game	• 투자 수익 게임	• 레고 게임 • 고정비/변동비게임	• 게임 성찰 페이퍼 (이익=수익-비용 (변동비,고정비))
Business Pitch	• 가상의 상품판매	• 샌드위치 만들기 • 내 상품 구상	• 판매 - 평가 (동료 비평)

(2학기) 주제: 히어로들의 동기 부여를 위해 필요한 것은?
(세션 8) 주제: 기업가 정신에 도전하라!

[세션 Book] 파리의 노틀담 (노틀담의 꼽추)
[야외수업/활동] 현충원 방문/비즈니스 견학/Business Fair.
[세션 Points] 최고 270 ~ 최저 240

1. **Entrepreneurship**
   · (필) 돈의 가치 배우기 (10)
   · (필수) Bootstrap Tortoises, Asset Foxes or an MBA Hares? (10)
   · (필수) 레모네이드 스탠드, 물건을 팔기까지! (20)
   · (필수) 비즈니스 피치! 물건 홍보하기! (30)

2. **나의 비즈니스 롤 모델**
   · (필수) 나의 비즈니스 롤 모델 선택하기(10)
   · (필수) 롤 모델을 연구하라! (10)
   · (선택) 비즈니스 모델 인터뷰 하기! (30)

3. **애국지사 소설 쓰기2**
   · (필수) 인물 이해하기/인생 장면 만들기 (20)
   · (필수) 소설 완성 하기 (30)

4. **노틀담의 꼽추**
   · (필수) 노틀담의 꼽추, 빅토르 위고, 시대 이해하기 (10)
   · (필수) 영어 대사 만들기 (10)
   · (필수) 연극 준비 및 공연(20)

5. **내 회사 세우기**
   · (필수) 법인 설립 등기 해보기 (10)
   · (필수) 정관 만들기 (10)

6. **(미술)**
   · 상품 디자인 (20)
   · 상품 패키징 (20)

7. **(학교운영)**
   · 헌법 만들기, Running Partner 선정, 팀 선정
   · 이번 세션의 구호, 부족회의 (매주 수요일)

위 그림과 같이 '**기업가 정신 Entrepreneurship**' 모듈을 시작하면, 첫 시간에 '소크라테스식 토론'을 진행한다. 주제를 제시하고 토론을 통해 동기부여와 모듈의 방향을 설정하는 시간을 가진다. 토론을 통해 동료들의 생각과 태도를 파악한다. 이후 Bic Picture 를 통해 도전 과제를 제시한다. 그리고 정기적으로 진행 상황을 점검한다. 도전 과제들은 순서대로 제시되는데 그 중 하루의 예를 들면, 레고 게임 (하버드 오리엔테이션 활동 중 하나)을 하는 경우 규칙을 설명하고 게임을 진행한다. 게임 진행 후 팀 별로 전략을 짜서 다시 시도하고, 규칙을 바꾸고 다시 시도하는 과정을 통해 이론이 현실에 어떻게 민감하게 작용하는지 깨닫게 된다.

이후 학생들은 비용에도 변동비와 고정비가 있다는 사실을 발견하기 위해 컴퓨터 게임을 한다. 게임을 하면서 학생들을 다양한 변수 (상품의 구성, 고객의 선호도, 세일즈 방식)에 따라서 수익이 달라지는 것을 경험하게 되고 이를 통해 비용에도 변동비와 고정비가 있다는 점과 각각이 수익에 미치는 영향을 체험하게 된다. 게임은 아주 간단하지만 그 내용은 매우 심오하다. 학생들은 게임을 여러 차례 수행해서 가장 이익을 많이 얻은 사람을 정한다. 이 후 학생들은 아이디어 회의를 해서 어떻게 많은 이익을 얻을 수 있는지를 고민한 후 흩어져 '이익=수익-비용(고정비+변동비)'를 주제로 저널을 작성한다.

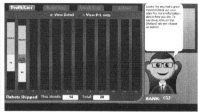

　　세션 (약 1달 반~2달) 중에 학생들은 포스트잇에 이 세션을 마쳤을 때 기술을 마스터 했다는 증거 (즉, 평가 요소) 들을 써서 벽에 붙이고 이 과정을 몇 번 반복하면서 평가 루브릭 표를 완성하게 된다. 그리고 이 표를 바탕으로 동료를 평가하고 세션이 끝나면 과정 중에 동료들의 태도를 칭찬하는 시간 (Character Trait) 을 가지며, 서로 태도 역량을 평가하여 **태도 배지** Character Badge 를 받게 된다. 동시에 학생들은 내 상품 판매, 샌드위치 판매 등을 통해 결과를 평가 받고 **마스터 스킬 배지** Master Badge 를 받게 된다.

1.4.최고의 학교를 찾다!

최근 미네르바 대학이 각종 언론에서 주목을 받았다. 설립자가 쓴 책 <Building the Intentional University, 미네르바의 탄생 교육의 미래> 를 바로 사서 읽었다. 큰 그림이 없이는 이해하기 어려운 책이라 마인드맵까지 그려가면서 읽었다. 우선 제목이 핵심이었는데, 최근 한국 번역본은 살리지 못한 것 같다. **의도성** Intentionality 은 미국 교육계의 새로운 화두이다. 제대로 번역하면 **"의도성을 가진 대학 세우기"** 정도가 아닐까 싶다.

미네르바 대학의 교육과정

의도성 Intentionality 은 미네르바 대학의 핵심이라고 볼 수 있다. 의도적인 학습을 정의하자면 다음과 같다.

> **"의도적인 학습** Intentional Learning 은 지식, 기술 및 이해를 습득하기 위한 적극적이고 목적의식 있는 접근입니다.** 목표를 의식적으로 설정하고 학습 자료에 적극적으로 참여하며 학습 과정을 반추하고 필요에 따라 전략을 조정하는 것을 포함합니다. 이 접근은 자기 주도적 학습을 강조하며 학습자의 내재적 동기에 의해 주도됩니다. 의도적 학습은 **배움의 자각** Consciousness 을 강조합니다. 그것은 학습의 내용과 그 최종 제품, 그리고 학습 과정 자체를 다룹니다." (출처: Blumschein, P.[1])

미네르바 대학이 유명해진 것은 캠퍼스에서 공부하지 않고, 잠시 모였다가 다양한 나라로 흩어져서 학습과 프로젝트를 병행한다는 방송 내용 때문이었던 것 같다. 그러나 그에 못지 않게 중요한 교육 내용이 있는데 1학년 때 그동안의 사고 방식을 완전히 바꿔놓을 목적으로 개발된 **사고 습관** Habit of Mind 와 **근본 개념** Foundational Concepts 이다. 이것은 케오스필롯의 지식(이론) 툴과 매우 유사하다. 학습의 근간이 되는 지식 습득 툴을 제시한다.

---

[1] Blumschein, P. (2012). Intentional Learning. In: Seel, N.M. (eds) Encyclopedia of the Sciences of Learning. Springer, Boston, MA. https://doi.org/10.1007/978-1-4419-1428-6_37)

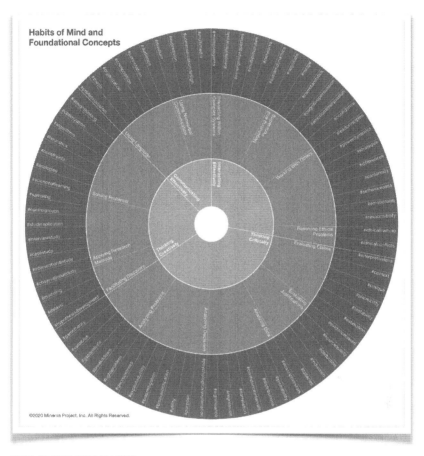

그림 1. 미네르바 1학년 핵심과정

　책을 읽으며 마인드맵을 만들기 시작하면서 학교 과정이 엄청나게 복잡하다는 것을 바로 깨달을 수 있었다. 무엇보다 핵심은, 이미 1장에서 설명한 **전미교육협회** National Education Association 의 **21세기 핵심역량**을 미네르바 대학에서 채택하고 있다는 점이다.

　미네르바 대학의 1학년 과정은 **비판적 사고** Thinking Critically, **창조적 사고** Thinking Creatively, **효과적인 의사소통** Communicating Effectively, **효과적**

인 상호작용 Interacting Effectively 을 가르치는 것을 목표로 한다. 이를 통해 **사고 습관** Habit of Mind 과 **근본 개념** Foundational Concepts 을 모든 앎에 적용해서 대학 졸업 후에도 동일한 사고 습관과 사고 개념을 가지고 살아가도록 준비시키는 것을 목표로 한다.

이를 위해 각 핵심역량 별로 2개에서 4개의 핵심 기능을 정하고 (위 표의 주황색 부분) 이것을 가르치는 수업을 둔다. 예를 들면, **비판적 사고** Thinking Critically 에는 **클레임 평가** Evaluation Claims, **추론 분석** Analyzing Inferences, **결정하기** Weighing Decisions, **문제 분석** Analyzing Problems 의 4가지 기능을 정하고 각각을 하나의 수업으로 진행한다. 해당 수업 안에는 수십 개의 개념들이 있고 (위 표의 빨간색 부분) 이것들은 각각 **사고 습관** Habit of Mind 와 **근본 개념** Foundational Concepts 중 하나의 범주에 속해 있다.

즉, 모든 학습이 **의도적** Intentionally 으로 **사고 습관** Habit of Mind 과 **근본 개념** Foundational Concepts 을 체화하도록 설계되어 있고, 이를 위해 각 수업은 온라인 기반으로 '의도적으로' 치밀하게 설계되어 수업을 통해 해당 능력이 생활 속에서 자연스럽게 발휘되도록 한다는 점이다.

미네르바 대학 수업을 직접 받아본 것은 아니나, 로스쿨 시절이 생각났다. 첫 시간부터 교수님들은 우리를 "변호사 처럼 생각하는" 사람으로 만들겠다고 공언하셨고, 실제로 그렇게 만들었다. 방법은 읽기, 말하기, 쓰기에 다르게 적용되었는데, 읽기만 언급하자면 짧은 시간에 수십 페이지에 달하는 판례를 읽고 **이슈** Issue, **법률** Rule, **분석** Analysis, **결론** Conclusion 을 (짧게 IRAC 이라고 함) 내도록 훈련한다. **"이슈"**는 미네르바의 **문제 분석** Analyzing Problems 과 비슷한데, 소설 이야기 같은 사건 내용을 읽고 주요한 이슈가 무엇인지 분별해 내는 과정이다. **"법률"**은 미네르바의 **클레임 평가** Evaluation Claims 와 비슷한데 기존 판례 법률과 실제 사건 팩트 간에 어떠한 유사성과 차이점이 있는지를 확인하는 것이다. **"분석"**은 미네르바의 **추론 분석** Analyzing Inferences 과 유사한데 판사가 어떠한 사고 과정을 거쳐 결론을 냈는지 따라가면서 나의 사고 과정과 맞춰가는 과정이다. 그러고 나서 판사의 결론을 이해하고 나의 생각을 정리하는 과정을 거치면 판례를 내 것으로 만들 수 있다.

　미네르바 대학의 교육과정과 교육내용을 분석하면서 들었던 생각은 미국의 전문직 교육기관 (로스쿨, 의전원, MBA) 의 교육과정을 광범위하게 분석해서 학부 과정에 입혔다는 생각이 들었다. 즉, 날로 빨라지고 복잡해 지는 사회에 대한 이해와 적응에 필요한 것은, 예전 대학처럼 지식을 암기하고 읽은 내용을 정리해서 발표하는 능력이 아니라는 것이다. **'이제는 사회 현상을 이해하는 전문적인 통찰력을 가지는 것이 필요하고, 이것은 토론, 도제식 수업, 의사소통, 광범위한 자료 수집 등을 통한 통합적 이해 과정을 체화하는 의도적인 설계가 있어야 한다'** 는 생각이 미네르바를 만들었다는 것이다.

　따라서, 현대 교육은 적어도 **핵심 역량을 정하고**, 그것을 성취하기 위한 과정으로 과거의 기계적 방식의 교육이 아닌 **'배움의 과정을 자각 Consciousness 할 수 있는'** 이론에 기반한 **'의도적 Intentionally 으로 치밀한 설계'** 를 필요로 한다. 그리고 그것을 적용할 수 있는, **'수준 높은 토론'**, **'지식 체험자가 전달하는 암묵적 Tacit 이고 실천적인 지혜'**, **'언제든지 의사소통이 가능한 환경'**, **'필요한 지식을 언제든 찾을 수 있는 수단'** 등의 도구가 준비된 방식이어야 한다는 것이다.

알트 스쿨 Alt School

　미네르바 대학을 연구하면서 계속 든 생각은 **'초·중·고등학교에는 미네르바 대학 같은 곳이 없을까?'** 였다. 나의 자녀들은 홈스쿨링을 하고 있었으나, 초등학교 2학년까지 계속된 **언스쿨링 Unschooling** 형태의 교육 (정해진 커리큘럼이나 스케줄이 없이, 아이들의 관심에 따라 필요한 공부를 하는 방식) 에 대한 한계점들을 경험하고 있었기 때문이었다. 아이들의 관심은 늘 제한적이었고, 환경에 갇힐 수밖에 없으며 동일한 관심을 가진 사람들을 찾는 것도 쉽지 않기 때문에 협업 능력이나 의사소통 능력을 키우기에는 부족했다.

　나는 미국의 혁신 학교들과 새로운 종류의 교육 환경을 검색하다가 **알트스쿨 Altschool** 을 발견했다. 페이스북의 주커버그가 투자한 코딩 교육 기반의 학교였고, 1장에 설명했던 역량 중심 교육과정을 반영한 것처럼 보였다. 그리고 2장에 내가 꿈꾸는 교육의 방향을 너무도 잘 실천하고 있는 것 같았다. 이렇게 완벽해 보이는 학교가 왜 폐교한다는 것일까? 내가 학교에 대한 연구를 시작했던 2017년 말에 이 학교는 결국 문을 닫았다.

쉽게 평가하기는 어렵지만, 알트 스쿨의 실패를 분석하며 개인적으로 든 생각은 과거 산업혁명 시대를 기반으로 한 교육 방식을 개혁해야 한다는 평가나, 평균화가 아닌 개인의 특성에 맞춘 교육이라는 '시대 정신'은 맞았지만 '적용 방법'이 틀렸다는 것이었다. **즉, 교육 방법에 대한 접근을 너무 머릿속에서 이론적으로만 했을 때 오히려 교육의 주체인 학생들이 소외되는 상황이 될 수 있겠다는 점이다.**

알트 스쿨 창립자는 스타트업 경험을 학교에 적용하고자 했다. 때문에, 알트 스쿨의 매우 특징적인 점은 컴퓨팅에 대한 일종의 강박이 있다는 점이다. 학생들의 활동이 빅 데이터화 및 수치화 되어야 한다는 점과 많은 프로젝트들은 컴퓨터를 통해 해결책을 발견해야 하는 코딩이나 로봇 등에 한정되어 있다는 점이 그 예이다. 그러나 이것은 미래에 필요한 교육에 대한 큰 착각이다. **역량 중심 교육은 일상을 다룬다.** 때문에 모든 학생이 컴퓨터 전문가일 필요가 없다. 1장에서 윤석만 기자의 <인간혁명>에서 언급했듯, **'인간 고유의 특성'을 찾는 것**이 새로운 시대의 교육 목표여야 한다.

그림 2. 알트 스쿨 교무실 - 스타트업 사무실 같다 (출처: 알트 스쿨)

이러한 교육은 오히려 **수사학, 철학, 미술, 음악과 같이 인간 본연의 가치에 대한 연구가 되어야 하며, 컴퓨터는 언제나 도구일 뿐이다.** 또한 교육의 주체는 언제나 학생들이기에 교육의 내용은 그들에게 맞춰져야 하고 동기부여가 되어야 한다. 특히 **학생들의 흥미가 코딩이나 교실 안 활동이나 디지털 기기 안으로 한정되어서는 안된다.** 정말 어려운 요구 사항이지만, 이러한 방식은 교사의 엄청난 헌신을 요구하는 것이 사실이다.

또 한가지는 교사의 디지털 의존성이다. 학생들은 디지털 기반 학습을 할 수 있지만, 교사는 교육이 실행될 수 있는 활동 무대를 만들어야 한다. 지식 교육은 '칸 아카데미'와 같은 컴퓨터 프로그램으로 수준별 수업을 할 수 있다. 하지만, 역량을 성장시키기 위한 '프로젝트 학습'이나 '도전 기반 학습'은 학생들 간의 상호 교류를 통해서 일어나기 때문에 디지털에 의존할수록 교육의 효과는 떨어지게 된다. **손, 발, 몸을 쓰는 가장 일상적인 방법들로 얼굴을 맞대는 방법을 대신하는 교육은 없다.**

또 하나 가장 중요한 점은 **인간은 영적 존재**라는 점이다. 교사 시절 감명깊게 읽었던 파커 팔머의 책 <가르침과 배움의 영성>은 교육에 관해 놓치지 말아야 할 부분인 '인간과 진리와의 관계', '교사와 학생과의 관계', '학생과 학생들과의 관계'에 대한 통찰을 전해 준다. **무엇보다 알트 스쿨의 가장 큰 단점은 그들이 배우고자 하는 지식이 나와 공동체에 어떤 관련이 있는지, 무엇이 아이들을 이끌어 가는 궁극적인 동기여야 하는지에 대한 고민과 성찰이 없다는 점이었다.** 아래는 <가르침과 배움의 영성>에서 뽑아낸 학습에 관한 핵심 구절들이다.

- 말할 뿐 아니라 듣기도 하는 교사, 대답을 줄 뿐 아니라 질문을 던지기도 하며 우리의 통찰을 환영하는 교사, 탐구의 끝으로서가 아니라 새로운 탐구의 시작으로서 정보와 이론을 제공해 주는 교사, 학생들에게 서로 도우며 배울 것을 격려하는 교사, 그런 교사와 함께 공부할 때 우리는 배움의 공간이 갖는 힘을 알게 된다.
- 배움의 공간에는 세 가지 주된 특징, 세 가지 본질적인 차원이 있다. 그것은 개방성, 경계 그리고 환대의 분위기다. 감정이 정직하게 표현되는 배움의 공간, 감정을 두려워하지 않고 몇몇 단순

스타트업 학교: Alt School이 꿈꾸는 맞춤형 교육 (출처: 미래교육공감연구소)

Alt school은 혁신적인 IT 기술을 기반으로 설립한 유치원과 초등, 중학교가 통합된 소규모 학교이다. 이 학교의 기반 기술은 구글의 '데이터 수집 기술'이다. Alt school에 재학 중인 학생들은 9시에 등교하여 아이패드나 크롬북과 같은 디지털기기를 활용하여 출석을 체크한다. 이후에는 15분간 아침 미팅을 진행한 후, 9시 15분부터 11시 30분까지 수학, 과학, 언어, 예술 등의 핵심 과목에 대한 학습 시간이다. 이어 오후 1시 30분까지는 점심 겸 놀이시간이다. 1시 30분부터 오후 3시까지는 개인 혹은 교실 단위의 프로젝트 학습이 이루어지며, 마지막으로 6시까지는 외국어, 음악, 체조, 코딩 등 공통 과목 학습이 진행한다.

또한 학습 과정에서 학생들은 태블릿이나 랩톱을 활용하여 Alt School에서 개발한 다양한 소프트웨어를 활용한다. (중략) Alt School이 이를 위하여 다양한 소프트웨어를 개발하였다. "playlist"라는 소프트웨어는 학생들이 달성하여야 할 목표를 "카드" 형태로 보여주는 소프트웨어이다. (중략) "Learning progression"은 학생들이 수행한 활동의 결과를 저장하는 소프트웨어이다. (중략) 또한 "AltSchool Stream"은 학교와 가정의 실시간 커뮤니케이션을 지원해주는 소프트웨어로 …(중략) 마지막으로 "AltVideo"는 수업 상황을 포착하는 시스템이다. (중략) 촬영한 영상을 통하여 학생들의 표정이나 분위기를 통하여 학습 결과를 확인하고 이를 다음 수업의 설계에 반영할 수 있다.

Alt school의 교사들은 이처럼 IT 기술을 통하여 학업성취뿐만 아니라 학생의 관심, 흥미, 강점 및 약점과 같은 학생들과 관련된 다양한 데이터를 수집할 수 있다. 교사들은 학생에 관한 수집된 정보를 종합적으로 판단하여 개별 학생의 수준과 특성에 맞춤화된 커리큘럼을 제공한다. 이처럼 Alt school은 학생 개인에게 맞춤화된 커리큘럼을 제공하기 위하여 나이나 학년 기준이 아닌 학생들의 흥미와 특성에 따라 반을 나누고 있다. 또한 교사 역시 학생들에게 맞춤형 교육을 제공하기 위하여 전통적인 학교보다 적은 수의 학생을 담당하고 있다. 최첨단 기술로 무장한 Alt School의 교육 목표는 지식, 인성, 창의성 및 현대 사회에 영향을 줄 수 있는 차세대 평생 학습자를 기르는 것이다. 이러한 목표를 달성하기 위하여 Alt School에서는 학습자 중심 접근을 취하고 있다. 즉, 학습자들이 자신의 학습을 주도하고 스스로 변화를 만들 수 있는 기회를 제공하고자 하는 것이다.

학생들은 자신의 특성에 맞춰 목표 달성을 위한 접근 방법을 스스로 결정하여야 한다. 이를 위하여 Alt School에서는 졸업할 때 달성하여야 하는 특정 지식, 기술 및 습관을 정의하고, 이에 따라 하위 단계에 대한 개인의 목표를 설정하여 개인이 학습을 달성할 수 있도록 학습 단계에 대한 데이터를 제공하여 도울 수 있다. 학생들의 개별 성장 진행 상황은 시각화된 자료로 학부모에게도 공개되며, 교사는 이 과정에서 학생들의 목표 수립 및 달성 과정을 통하여 학생을 보다 심층적으로 이해함으로써 학생에게 적합한 학습 방법을 개발하도록 돕는다.

또한 Alt School에서는 학생들이 학습 경험을 개인화함으로써 학습에 대한 흥미를 높일 수 있도록 학습을 구성한다. Alt School에서는 특별한 교육과정을 강요하지 않는다. 교사는 학습내용과 관련된 질문을 통하여 학생들의 동기를 이끌어낸다. 본격적인 학습은 프로젝트를 중심으로 전개된다. 학생들은 학습내용과 관련된 프로젝트를 수행하기 위하여 선행연구를 조사하거나 관련 영역에 관한 지식을 학습한다. 또한 프로젝트를 해결하기 위한 사고 전략을 개발하고 주요한 학습 습관을 수행한다. 이러한 학습과정을 거쳐 학생들은 학습 결과로 쓰기, 예술작품, 동작과 같은 구체적 작품을 만들어낸다. 이렇게 완성된 결과는 다른 사람과 공유하도록 한다. 이러한 과정은 학생들에게 책임감을 부여하고 도전 과제를 완성할 수 있는 동기를 부여한다. 또한 학생들의 발표를 통하여 교사는 학생의 문제해결과정을 검토함으로써 실시간으로 피드백한다.

한 기술을 사용할 줄 아는 교사에 의해 창조되는 공간에서는, 진리의 공동체가 우리 가운데 잘 자랄 수 있고 우리도 그 안에서 잘 자랄 수 있다.

▪ 우리가 연구하는 주제에 의해 오히려 우리 자신이 '발견되고 이해된다'는 느낌을 갖는 것, 진리는 그 주제 안에 살아 움직이고 있으며 우리가 진리를 찾을 때 진리가 우리를 찾아온다는 느낌을 갖는 것이다.

▪ 앎과 가르침과 배움은 깊은 인간적인 의미를 가진 활동, 위대한 인간적 목적을 가진 활동, 우리 자신과 이 세계의 변화에 기여하는 활동이다.

▪ 교사는 인식 주체와 인식 대상, 학습자와 학습 대상 사이의 중개자다.

액턴 아카데미 Acton Academy

이러한 고민을 하며 알트 스쿨에 대해서 알아보던 중, 나는 유명한 교육학자 헤더 스테이커가 쓴 <블렌디드>라는 책을 발견했다. 기술과 학습을 어떻게 조화시킬 것인가를 고민하고 현재 기술을 활용한 교육 환경을 소개하는 책이었다. 여기에서 **액턴 아카데미** Acton Academy 를 발견했다. 교육 내용이 알트 스쿨과 너무 유사해서 처음에는 큰 관심이 없었다. 그런데 학교 홈페이지를 보면서 이미 수십 개의 학교가 미국 전역에 퍼져 있다는 사실을 알고, 어떻게 똑같은 종류의 학교가 이렇게 성공했는지 궁금했다. 아래 사진과 같이 2024년 1월 현재는 270여개 학교가 26개 국에 설립되어 있다.

🏫 270+ Schools   🌐 26 Countries   💬 42 U.S States

당시 이미 액턴 아카데미는 하버드 대학의 작고한 유명한 교수인 **클레이튼 크리스텐슨** Clayton Christensen 의 '**파괴적 혁신**' 이론이 적용 가능한 교육 분야 예로 유명해져 있었다. 그리고 나의 이목을 끈 것은 학교가 '**소크라테스식 토론법**'을 사용하여 주제를 정해 토론하고 이것을 바탕으로 '**도전 기반**' 또는 '**프로젝트 학습**'을 한다는 점이었다. 다음은 당시 **크리스텐슨 연구소** Christensen Institute 가 작성한 학교에 대한 소개이다.

액턴 아카데미 Acton Academy 소개 (출처: 크리스텐슨 연구소)

제프와 로라 샌더퍼는 전통적인 교실에서 단일 교사가 일방적으로 지시하는 수업보다 자녀들에게 더 많은 것을 원했다. 전국적으로 인정받는 Acton 비즈니스 스쿨의 창립자이며 21년 이상 대학원 수준의 교사로 활동한 제프 샌더퍼는 교육 분야와 스타트업 창업에 대한 광범위한 경험을 보유했다. 로라 샌더퍼는 Vanderbilt 대학에서 교육학 석사를 취득했다.

샌더퍼 부부는 자녀들이 최고의 교육을 받을 수 있도록 하기 위해 면대면 교육, 프로젝트 기반 학습, 온라인 학습 도구를 결합한 사립학교를 설립하게 되었다. 그들은 이를 액턴 아카데미라고 명명했는데, 이는 빅토리아 시대의 정치 철학자인 Lord John Emerich Edward Dahlberg Acton (1834-1902)을 기리기 위한 것이었다.

액턴 아카데미의 임무는 "입학한 모든 아이와 부모가 세상을 바꿀 수 있는 Calling을 찾을 수 있도록 영감을 준다"는 것이다. **그들의 교육 과정의 주제는 영웅 Hero 과 콜링 Calling 이다.** 학교는 학생들이 **영웅의 여정** Hero's Journey 에 나서서 그들이 의미있는 삶을 살 수 있는 독특한 공헌 방법을 발견하게 될 것이라고 약속한다. **샌더퍼 부부는 이러한 서사가 아이들이 배우고 좌절을 극복할 용기를 찾는데 동기를 부여한다고 믿는다.** 학교의 교육 과정은 또한 **성품 Character** 을 발전시키고, **자유에 대한 감사의 마음을 불러일으키며, 학생들의 호기심을 자극**하는데 초점을 맞추고 있다.

액턴 아카데미는 2009년에 11~12명의 학생들과 함께 시작되었고, 이로 인해 그룹 프로젝트 시간에 학생들은 두 그룹으로 나뉘었다. 현재는 16명의 학생들이 있으며, 그들은 네 그룹으로 나뉜다. 완전히 완성되면, 학교는 두 명의 **도우미 Helper** 의 도움으로 36명의 학생을 가르칠 하나의 **마스터 교사 Guide** 를 두게 될 것이다. Acton 모델에서 마스터 교사는 강의하는 것보다는 소크라테스식 토론과 소그룹 활동에 의지한다. 그녀는 학생들을 학년 수준과 능력을 혼합한 그룹으로 나눈다. 그룹에서 학생들은 서로 토론하고 배우며 교사는 감독하지만 주도하지는 않는다. "학생들은 스스로를 이끌 수 있다"고 제프는 말한다. "그들은 빠르게 자기 조직을 이끌 수 있습니다."

액턴 아카데미는 여름 방학이 짧고 연중 내내 일주일간의 휴식이 자주 있어 가족이 함께 여행할 수 있도록 연중 계획을 짠다. 일반적인 하루 일정은 다음과 같다:

오전 8시부터 오전 8시 30분까지:	도착
오전 8시 30분부터 오전 9시까지:	모닝 그룹
오전 9시부터 오전 11시까지:	개인 공부
오전 11시부터 오전 11시 30분까지:	자유 야외 놀이 (주 3회)
오전 11시 30분부터 정오까지:	세계사 (주 3회)
오전 11시부터 정오까지:	체육 (주 2회)
정오부터 오후 1시까지:	점심 및 개인 시간
오후 1시부터 오후 2시까지:	미술 (주 2회) 또는 글쓰기 워크숍 (주 3회)
오후 2시부터 오후 3시까지:	그룹 작업/수업
오후 3시부터 오후 3시 15분까지:	마무리 그룹

하루 중 개인 작업 시간에는 학생들이 핵심 과목 Core Skills 에 대해 심도 있게 집중한다. 각 학생은 교사가 주간 차트를 통해 모니터링 가능한 자신만의 계획을 따라 나아간다. 학생들은 온라인 프로그램을 통해 학습하거나 몬테소리 스타일의 조작물, 워크시트, 물리 교과서 등 다른 방법을 사용할 수 있다. 현장에서 교사들은 학생들이 자신의 속도와 경로에 따라 진행할 때 필요에 따라 개별 지원을 제공한다.

많은 학생들은 일부 또는 전체 핵심 과목 Core Skills 을 배우기 위해 온라인 플랫폼을 선택한다. Rosetta Stone, DreamBox Math 그리고 Learning Today for Reading이 가장 인기 있는 프로그램들이다. 또한, 모든 학생들은 제프 샌더퍼가 원래 Acton 비즈니스 스쿨을 위해 만든 6개의 온라인 시뮬레이션을 사용하여 창업과 기업 재무에 대해 배운다. 이러한 상호작용 게임들은 Acton Sims라고 불린다.

액턴 아카데미는 도전기반 프로젝트 경험을 사용하여 기본 수업을 확장하고 맥락을 제공한다. 학교의 가장 독특한 프로그램 중 하나는 Children's Business Fair (www.childrensbusinessfair.org)를 개최하는 것으로, 이는 오스틴에서 매년 열리는 행사로, 5세부터 13세까지의 아이들이 자신들이 만든 상품과 서비스를 대중에게 판매한다. 2010년 행사에서는 81개의 부스가 설치되었고, 700명 이상의 구매자들이 참석했다.

학생들은 네 가지 방법으로 자신의 학습에 대해 책임을 진다.

첫째, 그들이 선택한 프로그램에 따른 단기 평가를 통과해야 다음 단계로 진행할 수 있다. 예를 들어, DreamBox를 사용하여 수학을 배우는 학생은 DreamBox의 LMS가 제공하는 단위 테스트를 통과해야 한다.

둘째, 액턴 아카데미는 학부모에게 학년별 역량 기준 목록을 제공하고 학생들의 작업 포트폴리오를 집으로 보낸다. 학부모는 이러한 기준에 따라 학생의 진도를 체크하고 결과를 모니터링하는 책임이 있다.

셋째, 학생들은 그룹 프로젝트에서 성공하기 위해 핵심 지식을 이해해야 한다. 그들은 동료들의 학습을 책임을 져야 하며, 팀 기반 접근법은 학생들이 기본기를 마스터하도록 동기를 부여한다.

마지막으로, 학생들은 매년 한 번 SAT 표준 테스트를 치러 종합적인 진도를 확인한다.

성취

평균적으로, 액턴 아카데미의 첫 번째 학생 그룹은 처음 10개월 동안 약 2.5학년 수준을 향상시켰다. 그들이 입학할 때 이미 자신들의 연령대보다 한 학년 수준 높았기 때문에, 대부분은 현재 자신들의 연령대보다 3.5학년 수준 높다.

액턴 아카데미의 또 다른 특징은 학생들이 매주 설문조사를 완료하고 교사의 성취가 그들의 만족도에 연결되어 있다는 것이다. 교사들은 전통적인 의미에서 학생들을 평가하지 않으며, 학부모에게 어떻게 아이들이 점수를 얻고 있는지 말하는 것이 금지되어 있다. **대신에, 학생들은 자신들의 작업 포트폴리오를 만들고, 학부모들은 학년별 역량 기준에 비교하여 자신의 아이의 진도를 검토한다.**

향후계획

내년에는 액톤 아카데미가 중학생을 포함하도록 확장될 예정이다. 샌더퍼 부부는 앞으로 몇 년 동안 36명의 초등학생, 36명의 중학생, 그리고 36명의 고등학생을 수용할 수 있는 프로그램을 구축할 계획이다. 중학교(6-9학년을 수용)는 2012년 가을에 개방될 예정이다.

샌더퍼 부부는 재료, 교육 과정, 문서를 포함하는 일련의 키트를 개발하고 있어, 이를 통해 오스틴 외부에 그들의 학교와 같은 다른 학교들의 재생산이 용이하게 한다. 그들은 액턴 아카데미를 교육과정과 디자인을 확인할 수 있는 실험실로 생각하며, 다른 기업가들이 따를 수 있는 올바른 모델을 찾아내기까지 시도하고 있다.

학교에 대해 알아갈수록 나는 흥분할 수밖에 없었다. '**개인의 수준에 맞는 학습**'과 '**역량 중심 교육**'을 하면서도 알트 스쿨 Alt School 이 실패한 부분을 정확히 보완하는 '**의도적인 학습**', '**현실에 기반한 도전기반학습**'과 '**인간 중심의 학습**'을 해 내고 있었던 것이다. 당시 내가 발견한 주요한 특징은 다음과 같다.

학교의 미션, 비전, 핵심가치가 학생의 활동을 지배한다. 그 동안 봐 왔던 학교 구성원이 만들지도 않고 기억도 못하는 미션, 비전, 핵심가치와 달리 이 학교의 미션, 비전, 핵심가치는 학교의 운영과 학생들의 생활에 녹아 있었다. 이를 정리한 내용은 아래와 같다.

MISSION
우리의 궁극의 목적은 **학습하는 법 배우기 (how to learn), 실행하는 법 배우기 (how to do), 그리고 존재하는 법 배우기 (how to be)** 를 통해 우리 학교에 들어오는 누구라도 **소명 (calling)을 발견하고 세상을 바꾸는 것**입니다.

VISION
우리는 **소크라테스식 지도**와 **경험 중심 학습**을 통해 커뮤니티의 각 구성원이 다음을 배우도록 돕습니다.
- 세상을 바꿀 영웅의 여정을 시작합니다!
- 예술, 물리적 세계, 삶의 아름다움을 배웁니다.
- 자신의 소중한 재능과 그것을 숙련하도록 헌신합니다.
- 각자의 성격을 존중하고 포용하는 법을 단련합니다.
- 호기심 많고 독립적인 평생 학습자가 되도록 돕습니다.
- 우리는 비판적인 사고, 창조적인 사고, 효과적인 의사소통 및 협업을 돕습니다.

CORE VALUE
- 우리는 모든 사람이 세상을 근본적으로 바꿀 수 있는 선천적인 재능을 가지고 있다고 믿습니다.
- 우리는 배우기 위한 학습, 실행하기 위한 학습, 존재하기 위한 학습의 힘을 믿습니다.
- 우리는 긴밀하게 연결된 학습자 가족 간의 유대가 가진 힘을 믿습니다.
- 우리는 학습자들에게 부여되는 자유가 가지는 힘을 믿습니다.

우선 **학습하는 법(how to learn), 실행하는 법 (how to do), 그리고 존재하는 법 (how to be)** 이라는 학교의 미션이 무엇인지 궁금했다. 찾아보니 이러한 카테고리는 1996년도 <유네스코 21세기 교육위원회>에서 발표한 <Learning: the treasure within> 이라는 내용을 반영한 것이다. 언뜻보면 우리나라 학교들이 교육 목표로 내세우는 '전인교육', '실용교육' 등과 유사해 보이지만, 당시 자크 들로르 Jacques Delors 가 팀을 꾸려 만든 유네스코 보고서는 21세기에 필요한 4가지 기둥에 대해 다음과 같이 설명한다. **미래에 필요한 인간을 길러내기 위한 필수적인 역량을 이미 이때 교육 목표화 한 것이다.**

UNESCO 21 세기 교육 위원회, 교육의 4가지 기둥

Learning to Live Together	의사소통 (Communication) 갈등해결 (Conflict Resolution) 문화적 민감성 (Cultural Sensitivity) 다국어사용 (Multilingualism)
Learn to Be	자존감 (Self-esteem) 감정 지능 (Emotional Intelligence) 비판적인 사고 (Critical Thinking) 문화적 자각 (Cultural Awareness)
Learn to Do	기술 (Skills) 수행 역량 (Capacity to Act) 지식 적용 능력 (Ability to Apply Knowledge)
Learn to Learn	견고한 지식 기반 (Solid Academic Base) 이해력 (Comprehension) 리서치 및 분석 능력 (Ability to Research & Analysis)

"…이러한 모든 이유로, 다른 시간과 장소에서 유연성, 다양성 및 유용성 등의 모든 장점을 갖춘 평생 교육의 개념이 널리 지지받아야 할 것으로 보입니다. 평생 교육의 개념을 재고하고 확장할 필요가 있습니다. 그것은 노동의 성격 변화에 적응해야 할 뿐 아니라, 전인적인 인간을 형성하는 지속적인 과정이어야 합니다. 즉, 그들의 지식과 능력, 뿐만 아니라 비판적 사고력 및 행동 능력을 기르는 것입니다. 이러한 배움은 사람들이 자신과 그들의 환경에 대한 인식을 개발하게 하고, 그들이 일터에서 그리고 커뮤니티에서 그들의 사회적 역할을 수행하도록 격려해야 합니다."[2]

_____

[2] Delors, Jacques. Learning: the treasure within; report to UNESCO of the International Commission on Education for the Twenty-first Century(1996). https://unesdoc.unesco.org/ark:/48223/pf0000109590

미국에서 이러한 교육의 목표는 다양한 방식으로 진화하고 변화하면서 교육 현장에 접목되었는데, **액턴 아카데미** Acton Academy 의 경우 몬테소리 교육을 기반으로 유네스코의 교육 목표를 접목하고 있었다. 여기에 독특한 점은 정해진 커리큘럼이 있어서, 그것을 성취하기 위한 절차와 방법이 있고, 결과를 평가함으로써 마무리 되는 일종의 표준적인 절차가 없었다. '**학습하는 법** How to Learn', '**실행하는 법** How to Do', 그리고 '**존재하는 법** How to Be'을 목표로한 변형 가능한 과정들이 있고, 이를 성취하기 위한 활동 과제들이 있고, 이것을 성취하면 **배지** Badge 를 받고 정해진 배지를 받으면 학년이 올라가는 방식이었다. 매우 유연한 방식이다.

교육의 영성과 내면의 깊이를 강조하고 있다. 교육의 영성이라는 말은 현재 교육 현장에 흔히 사용되는 언어는 아니다. **액턴 아카데미** Acton Academy 도 그러한 목표를 제시하지는 않는다. 그러나 분명한 것은 미국, 그 중에서도 텍사스에서 시작된 문화 및 종교적 환경을 반영하고 있었고, 학교의 미션은 "**소명** Calling **을 발견하고 세상을 바꾸는 것**" 으로 설립 시 동의되었다. 학교의 이름도 "절대 권력은 절대적으로 부패한다"는 명언으로 유명한 자유주의 정치가 액턴 경의 이름을 붙였다.

이러한 교육의 철학적·인문학적 성격은 **알트 스쿨** Alt School 에서 발견하기 어렵다. 학교는 이러한 철학을 반영해 입학 초기부터 학생들을 '**히어로** Hero'라고 부른다. 그 이유는 학교의 교육 과정의 특징을 통칭하는 용어인 '**영웅의 여정** Hero's Journey' 에서 찾을 수 있다. 학교는 전체 교육과정을 '영웅의 여정'으로 규정하고 학생들은 이 과정을 시작하는 아직 완성되지 않은 '영웅'임을 강조한다. '영웅의 여정'은 조지프 캠벨이 정리한 영웅 이야기의 서사 구조로 '천로역정'에서 부터 '스타워즈'에까지 적용된 영웅 스토리 구조를 말한다.

학교는 이러한 여정은 **홀로 떠나야 하는 개인적인 모험임을 강조하면서** (Learn to Be), 여행을 위한 개인적인 약속을 계약의 형태로 만들어 서명한다. 각자 학교와의 관계를 엄숙한 계약의 관계로 설정하는 것이다. 물론, 학교 안에는 '**종족** Tribe' 으로 불리는 학습 공동체가 있으나 '**여정의 기록** Journey Tracker' 은 매우 개인적인 학습 및 성장 기록으로 소프트웨어로 관리된다.

나의 계약

저는 영웅의 여정을 걸어가고 있습니다. 저는 어려운 시기에도 힘들어하지 않고, 용기를 가지고 이 여정을 이끌어 갈 것입니다. 나 자신과 다른 사람들에게 내가 이 여정을 어떻게 이끌고 있는지 솔직하게 이야기할 것입니다. 내가 이뤄낼 수 있는 모든 목표를 달성하기 위해 내가 최선을 다하며, 새로운 목표를 만들어 갈 것입니다. 내가 아직 해 본 적이 없는 새로운 것을 시도해 볼 것입니다. 내가 잘하지 못할 수 있는 것도 시도하여 새로운 재능을 발견할 것입니다. 다른 사람들의 여정을 응원하고 나의 도움이 필요한지 확인하겠습니다. 나를 가르치고 살아가는 데 도움이 되는 것을 관리하겠습니다. 몸, 뇌, 마음을 다스리기 위해 운동, 정보, 도전, 사랑 등 건강하고 성장할 수 있는 것들을 나에게 제공하겠습니다. 스스로 절대 포기하지 않겠습니다.

I am on a Hero's Journey. Even through hard times, I will not give up, because I have courage. I will be honest with myself and others about the way I lead this journey. I will try my hardest to reach all of my goals and I will make new goals as well. I will try new things I have never done before, even things I might not be good at, to discover new talents. I will encourage other people on their journeys but make sure they want and need my help. I will take care of the things around me that help me learn and live. I will take care of my body, my brain, and my heart by giving them the things they need to be healthy and grow, such as exercise, information, challenges, and love. I will never give up on myself.

소크라테스식 토론법을 사용한다. 이미 언급했듯이 소크라테스식 토론법은 미국의 고등 교육에 사용되는 토론 방식이다. **액턴 아카데미** Acton Academy 의 최초 설립자도 하버드 대학 MBA 를 통해 소크라테스식 토론법을 접했고, 이것의 교육적 기능에 집중했다. 학교에서는 아침 첫 모임을 소크라테스식 토론으로 시작하고, 중요한 이슈가 있을 때마다 이 방식을 사용해 해결책을 마련해 나간다. 그리고 무엇보다 학습자를 실제 도전기반 프로젝트에 몰입시키고, 비판적 사고를 기르기 위해 이 방법을 사용한다.

교실은 몬테소리 철학을 받아들여 학습자의 자유를 보장한다. 필자는 한때 <몬테소리 학교 학생의 하루>라는 영상을 보고 깊은 감명을 받은 적이 있다. 교사의 큰 도움 없이 5살 짜리 학생이 하루 종일 스스로 학습하고 식사를 준비하고 청소를 하는 학교 생활이 현실적이지 않을 만큼 놀라웠기 때문이다. 이러한 철학은 **액턴 아카데미** Acton Academy 에도 반영되어 혼합 연령 교실, 학생이 제한된 범위 내에서 자유로운 학습도구 선택, 긴 호흡의 공부 시간, 발견을 통한 학습 및 교실 내 이동의 자유 등으로 구성되어 있다.

도전기반 학습법을 통해 현실의 문제들을 해결한다. 액턴 아카데미 Acton Academy 의 가장 핵심적인 구성 요소는 도전기반 학습이다. 학교에서는 현실적인 과제 (예, 소설 써서 아마존에 판매하기, 내가 공부하고 싶은 학교 설계해서 동사무소에 전시하기)를 해결하면서 핵심 역량을 기르도록 **의도적 교육** Intentional Education 을 준비한다. **도전과제** Quest 는 학습자가 지속적인 연구, 솔루션 개발 및 문제 해결을 통해 학습하는 접근 방식이다. 이는 학습자가 현실 세계의 문제에 대한 실제적인 해결책을 개발하려는 목적으로 수행하기 때문에 교육과 학습에 굉장히 효과적이다. 도전과제는 학습자의 관심과 열정을 가장 잘 반영하는 방법으로 구성한다. 학습자는 명확한 목표를 가지고, 작업하는 과정에서 매우 유용한 스킬을 갖게 된다. 이러한 스킬은 자기 관리 능력, 문제 해결 능력, 솔루션 및 제안을 만드는 능력, 발표 능력 등이다.

이러한 교육과정은 교사의 엄청난 헌신을 요구한다. 학습의 과정은 학생의 자유로운 의사에 맡기지만, **의도적인 교육** Intentional Education 을 위한 각 스텝별 과제는 교사가 많은 연구를 통해 만들어 내야한다. 일단 **도전과제**

Quest 들이 모두 준비되면 교사는 **도전과제** Quest 시작 시 아래와 같은 큰 그림을 그려 프로젝트의 방향을 설정해 준다. 그리고 구체적인 도전 과제는 여러 개로 나눠져 별도의 공지로 전달된다. 그러면 학생들은 각자 또는 **종족** Tribe 들과 함께 스스로 문제를 풀어서 해답을 찾아 공개하거나, 실행하거나, 발표한다. 각 도전과제의 목적은 **행위를 통해 지식을 습득하는** Learning by Doing 것에 있다. 지식 암기가 학습의 목적이 아닌, 지식을 적용하는 중에 익히는 **암묵지** Tacit Knowledge 와 **숙련도** Mastery 를 목적으로 한다.

케오스필롯 Kaospilot

사실 위 모든 내용의 기본이 되는 학교는 덴마크의 **케오스필롯** Kaospilot 이라는 대학교이다. 1991년도에 우피 엘백에 의해 세워진 이 학교는 3년제 비즈니스 학교로 가히 위의 혁신적인 학교들의 모태라고 해도 손색이 없다. 이유는 기존 전통 교육의 커리큘럼의 틀을 깨고 스스로의 **교육 철학 및 방법**

론 Padagogy 를 만들어 내 성공한 독특한 학교이기 때문이다. 이미 소개한 학교들의 복잡하면서도 설립자의 철학을 관통하는 교육과정은 아무래도 이 학교의 모습을 어느 정도 모방한 것이 아닐까 생각된다. 액턴 아카데미 설립자는 본인이 케오스필롯의 커리큘럼 생성 방식을 따랐다고 언급하기도 했다.

> "학습 아크란 무엇인가요? 이것은 '실습 학습'을 통한 학습의 액션 단위로 포장된 연속 교육입니다. 일련의 도전 과제들이 있으며, 이들은 약간의 신비로 출발합니다. 이들은 매력적인 이야기에 의해서 연결되며, 실제 세계의 퍼즐, 도전과 딜레마로 가득 차 있습니다. 이것은 결과물 공공 전시로 끝나며, '성찰'과 '배운 교훈(Lessons Learned)' 정리 절차를 따릅니다. 우리는 이러한 기본 아이디어를 덴마크의 학교인 케오스필롯(Kaospilot)에서 얻었습니다." - 액턴 아카데미 설립자 (제프 센더퍼)

학교의 기본 교육과정은 아래 표처럼 **'기업가 리더십 연습** Enterprising Leadership Practice'**과 '세 가지 적용 영역** Three Domains'을 기초로 한다. 이 두 가지는 학교 교육 방법의 중요한 모태로 기본적인 사람됨을 키우는 '기업가 리더십 연습'은 **'능력 함양'**, **'품성 개발'**, **'방향 감각 연마'**의 세 가지를, 지식의 연마 방법을 배우는 '세 가지 적용 영역'은 **'프로젝트 디자인'**, **'프로세스 디자인'** 그리고 **'비즈니스 디자인'**으로 구성된다. 교육의 미션은 **"자신의 비전과 가치를 실현하는데 헌신하면서도 세상을 바꾸는 능력, 태도, 지식을 향상시키는 것에 전념하는 재능 있는 리더를 개발한다"**이다.

다음 그림의 교육 개념도를 보면 매우 추상적인 교육 과정인 것 같지만, 그 내용을 들여다 보면 매우 체계적이다. 우선 교육 과정은 이미 언급된 **'기업가 리더십 연습** Enterprising Leadership Practice'**과 '세 가지 적용 영역** Three Domains'의 4가지 범주로 구성된다. 그리고 각각의 수업은 10 학점으로 7 단계(A,B,C,D,E,F,F) 로 결과를 평가하게 된다.

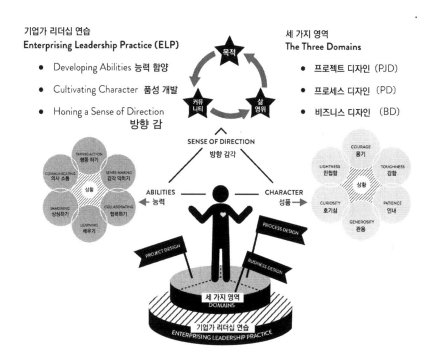

기업가 리더십 연습
Enterprising Leadership Practice (ELP)

- Developing Abilities 능력 함양
- Cultivating Character 품성 개발
- Honing a Sense of Direction
  방향 감

세 가지 영역
The Three Domains

- 프로젝트 디자인 （PJD）
- 프로세스 디자인 （PD）
- 비즈니스 디자인 （BD）

학기	프로세스 디자인 PD	프로젝트 디자인 PJD	비즈니스 디자인 BD	기업가 리더십연습 ELP
1	협업: 구성 및 창조	기본사항: 실습, 팀워크 및 가치 창조	-	기업가 리더십 연습 1
2	-	창의성, 디자인 및 커뮤니케이션	비즈니스 모델링 및 기업가정신	기업가 리더십 연습 2
3	낯선 상황에서의 조직화 및 협업	-	탐색 및 영향	기업가 리더십 연습 3
4	-	공예 및 작업	비즈니스 및 조직의 미래	기업가 리더십 연습 4
5	시스템적 리더십	복잡한 사회 변화	-	기업가 리더십 연습 5
6	기업가 리더십	-	지속 가능성 및 영향	기업가 리더십 연습 6

57

1학년 1학기로 들어가 보자. 먼저, 학생들은 강의, 수업, 실습 워크숍 등에서 시간을 보내며, 여기에는 컨설턴트, 창업가, 예술가, 학자, 활동가를 포함한 다양한 실제 전문가들이 참여한다. 그러나 어떤 경우 학생들은 개별 또는 그룹 프로젝트를 자체 개발한다.

예를 들면, 한 학생이 한 학기 '프로젝트 디자인' 수업을 듣게 되면, 학생은 프로젝트 관리의 이론과 그것을 적용하는 법을 동시에 배우기 시작한다. 이 때 구성원들은 '행함 Doing'을 중심으로 하는 실무자 그룹의 실무 워크숍과 강의를 통해 프로젝트 리더십과 프로젝트 관리를 훈련받게 된다. 그리고 프로젝트 관리 이론을 연마하기 위해 그룹 프로젝트를 선택해서 수행하기 시작한다. 여기에는 프로젝트 리더의 역할이 절대적이며 그는 목표를 설정하고 동기를 부여하며 함께 협업하도록 '존재 Being' 중심의 활동을 진행한다. 여기에 더해 개별적으로 주어지는 과제들에 대해서는 개인 프로젝트를 진행하게 되는데, 이는 '지식 Knowing'의 연마에 집중하는 방식이다. 이렇게 한 과목의 교육은 강의, 워크샵, 그리고 수많은 병렬 프로젝트를 결합해 진행된다. 교수들은 학생들의 모든 그룹 활동이 '탐구 Exploration', '행동 Action', '반추 Reflection'로 구성되도록 의도적으로 구조화 해야 하고, 이는 다음 단계로 자연스럽게 이어지는 형태로 구조화된다. 즉 모든 활동은 행동을 통해 결과를 낳도록 하고 실패하든 성공하든 그것을 되돌아 보도록 하는 것이다. 이것은 액턴 아카데미와 매우 유사하다.

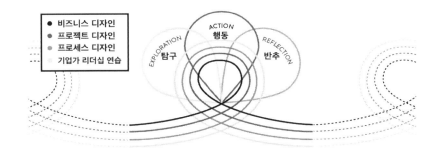

- 비즈니스 디자인
- 프로젝트 디자인
- 프로세스 디자인
- 기업가 리더십 연습

EXPLORATION 탐구
ACTION 행동
REFLECTION 반추

이미 언급했듯이 이러한 활동을 지휘하는 교수는 실무자들인 경우가 많기 때문에, 실무 워크숍이 진행되는 경우는 사회 시스템 안에서 실제로 일어나는 일을 직접 수행하기도 하고, 동료 그룹 내에서 협력을 통해 수행하는 내부 과제들도 있으며, 마지막으로 주로 많은 대학들이 요구하는 개인적인 연구 결과물 또는 리포트를 제출하는 수준의 활동이 있다. 이 모든 것은 한 수업 내에서 병렬적으로 일어나기 때문에 한 개인이 모든 일정을 관리하는 능력이 필요하다.

위에 예를 든 과목을 살펴보면 학생들은 한 학기를 마치고 '프로젝트 디자인' 수업에서 다음과 같은 (예시) 결과물을 내게 된다.

- **애자일 프로젝트 관리**: 회사 실무 가상 프로젝트 인원이 되어 그룹 단위로 실제 프로젝트를 수행
- **프로젝트 범위 설정**: 그룹으로 프로젝트 실행 범위 설정 및 이론 적용을 통한 과제 수행 후 동료 피드백을 바탕으로 평가

- **전문적인 협약과 협업 만들기**: 팀 리더가 두 팀으로 나뉘어 계약 협상 및 협상 준비 과정을 진행하고, 팀원이 우수한 팀을 선정하여 다른 리더팀과 협상 과정을 가진다
- **프로젝트 그룹에서의 협업**: 전체 그룹이 함께 공동체 훈련 및 개인 성격 파악 활동을 통해 협업 그룹을 설정하고 주어진 과제를 해결한다
- **디자인 사고**: 디자인 사고 기본 이론을 현실에 적용해 보고 피드백 리포트를 작성한다

위와 같은 결과물을 낸 다음 해당 수업의 평가는 아래와 같이 진행된다. 해당 수업은 개인/그룹/팀으로 평가 단위가 설정되며, Pass 또는 Fail 기준 평가이다. 그리고 평가는 학교 내부의 작업에서만 적용된다.

FIRST YEAR	Group size			Assessment type			Censor	
Component	Individual	Group	Team	Pass/Fail	7-Point grading scale		Internal	External
Semester 1 (1st Year Client Project) Project Design I		X		X			X	
Semester 1 (1st Year Client Project) Process Design I		X		X			X	
Semester 1 ELP 1	X		X	X			X	X

이 학교는 전통적인 의미의 교직원이 없다. 대신, 외부 전문가들이 다양한 기간 동안 그룹의 학습에 기여하도록 초대된다. 때문에 가장 도전적인 역할은 팀 리더로, 학생 스스로 직접 수업의 지휘자가 되어 학교 교육과정을 '모듈', '실습 활동', '고객', '프로젝트'로 만들어 내는 역할을 한다. 학교의 운영은 일종의 학생들의 **자치 Self-government** 형태로 진행된다. 다만 학교에는 학생들에게 개별적인 지원과 멘토링 지원을 제공하는 코치들을 보유하고 있다.

조직은 수평적이고, 스태프와 학생들 사이에 지속적인 상호 작용이 있다. 학생들은 어떤 질문이든지 총장에게 직접 할 수 있다. 학생들은 2학년 동안 다른 국가에서 프로젝트를 수행하는 4개월을 보낸다. 어떤 학생은 이 기간 동안 요르단의 사막 지역에서 토양을 비료로 가공하는 유기적 농법을 개발한 경우도 있다.

교수나 팀 리더가 진행하는 프로젝트나 현실적인 과제 연습은 아래 6가지 영역을 고루 고려해야 한다. 즉, **균형 잡힌 시각과 온전한 인격을 형성하기 위해 6가지 범주를 정하고 골고루 이 분야가 발달할 수 있도록 현실에 접목한 지식과 활동으로 지원해 주는 것이 이 학교의 큰 그림인 것이다.**

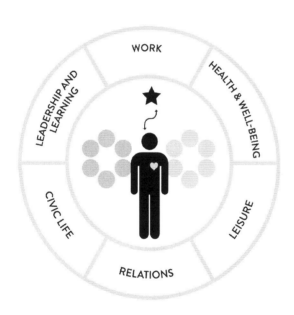

1.5. 액턴 아카데미 & Courage to Grow

액턴 아카데미에 푹 빠진 나는 설립자에게 이메일을 보냈다. 우선은 학교에 대해 더 알아보고 싶은 마음과 해당 학교를 한국에 설립할 수 있을지 알아볼 목적이 있었다. 그리고 추가로 설립자가 쓴 책 <성장을 위한 용기, Courage to Grow>를 번역해서 출판하고 싶은 마음이 있었다.

첫 번째 이메일 (2017년 12월 4일)

친애하는 샌더퍼 여사,

안녕하세요. 방금 아마존 e-book 버전의 당신의 책 <Courage to Grow>를 읽고 나서 매우 감동받아 제 이야기를 적어 보내게 되었습니다. 멋진 작품을 써주셔서 감사합니다.

먼저, 저를 소개하겠습니다. 저의 이름은 이민호로, 전통적인 경쟁과 엘리트 중심의 현대 교육이 50년 이상 문화로 자리 잡은 한국에서 태어나고 자랐습니다. (실제로 이것은 미국 선교사들에 의해 도입되어 지금까지 잘 운영되고 있습니다) 저는 그 문화에서 일종의 승자로서 한국의 명문 대학 중 하나를 졸업했습니다. 저의 전공은 영어 교육이었습니다. 그 후, 저는 우즈베키스탄으로 가서 Peace Corps 와 유사한 일을 하게 되었습니다. 두 해 동안 저는 우즈베키스탄의 부하라 대학에서 한국어를 가르쳤습니다. 학생들이 순수한 학습에 대한 사랑과 공동체를 사랑하고, 외국인인 저를 존중해 주는 환경은 너무 좋았습니다. 소비에트 연방의 교육이 공동체와 종교 기반의 교육을 포함한 많은 것들을 파괴했음에도 불구하고 그들의 문화는 건드리지 않았고, 그들은 역사와 문화 교육을 통해 그들의 정신을 회복하고 있었습니다.

그런 다음, 한국에 돌아와서 저는 서울 강남의 학교에서 영어 선생님으로 일하기 시작했습니다. 그곳은 대부분의 엘리트들이 학원이라고 불리는 학교 외적인 교육자들에 의해 만들어지는 곳입니다. 그 때 저는 일본이 시작한 공립 교육에서 변하지 않은 학교들의 현 교육 시스템의 실패를 발견했습니다. 이 시스템은 표준화된 시험의 점수를 통해 엘리트를 구분해 내고, 그들을 사회의 리더로 키웁니다. 때문에, 여기서 소외된 학생들은 그들의 목표와 꿈을 잃게됩니다. 학교 외부의 학원들은 시스템에 적응한 아이들을 표준화된 시험에서 얻을 수 있는 가장 좋은 점수까지 이끌어 좋은 대학에 진학시킵니다. 내 교실은 전체적으로 실패했습니다. 그런 문화로부터 나오는 무시와 분노가 학교를 압도했습니다. 그 2년의 경험 후, 저는 그 직업을 그만두고 로스쿨에 입학했습니다.

이 로스쿨은 세상을 변화시킬 변호사들을 만들기 위해 미국의 변호사들에 의해 시작된 곳이었으므로 저에게 큰 매력이었습니다. 저는 3년 동안 미국의 법률을 공부했고, 2012년에 워싱턴 D.C.에서 변호사 자격을 얻었습니다. 이것은 다른 사람들이 보면 현대 교육의 환상적인 성공처럼 보였지만, 저는 이것이 새로운 유형의 교육 (소크라테스식 교육 방법과 학습 공동체의 유대감과 사랑)과 교수들의 헌신의 결과라고 생각했습니다.

이후 저는 미국에서 일자리를 찾아보려고 노력했지만, 경제 상황은 저에게 유리하지 않았습니다. 여러 번의 시도 끝에, 저는 한국의 전력 회사 중 하나에서 일하기 시작했습니다 (실제로 저는 당신의 남편에 관심이 있었는데, 그는 제가 읽은 것으로 보아 에너지 분야에서 일하고 있었던 것 같습니다) 지금 저는 전 세계적으로 발전소 개발 프로젝트에 대한 법적 지원을 담당하고 있습니다. 이제 5년째입니다.

이제 아이들에 대한 이야기를 시작할 수 있을 것 같습니다. 저는 9세와 6세의 남자아이와 여자아이가 있습니다 (우리는 엄마의 배에서 나이를 세기 때문에, 당신의 나라에서는 7세와 4세입니다). 저는 그들의 나이가 어릴 때부터 홈스쿨링을 하기로 결정했습니다. 지금 홈스쿨링은 부모들이 변화를 원하기 때문에 전국적으로 확산되고 있습니다. 우리는 매주 홈스쿨러들의 모임에 참여하고 있습니다. 그러나, 홈스쿨링의 동기는 미국적인 특징과는 많이 다릅니다. 한국에서 많은 홈스쿨러들은 정치적이지도 않고 종교 지향적이지도 않습니다. 많은 이들은 이 시대의 교육에 대한 불만이 있습니다. 사실, 서울의 대학교에 입학하지 못하면 학생들은 그들의 삶이 희망이 없고 실패라고 생각하고, 이런 분위기는 초등학교 수준에서 시작됩니다.

최근에, 저는 아들이 수술이 필요해서 3개월간의 육아 휴직을 시작했습니다. 이 기간 동안 그가 따뜻하고 사랑받는 느낌을 가질 수 있도록 하고 싶었습니다. 그 기간 동안, 저는 좋은 책들을 통해 교육 철학을 만들기 시작했습니다. 저는 Charlotte Mason 부터 Deborah Meier, Machel M. Apple까지의 다양한 책을 읽어 아이들을 위한 장기 계획을 세우려고 했습니다. 그리고 나서, 당신의 학교와 당신의 책에 초대받았을 때, 저는 <블렌디드, Blended>라는 책을 읽고 있었습니다.

지금 저는 당신의 이야기에 매우 관심이 있고, 만약 가능하다면 학교를 시작하고 싶습니다. 로스쿨을 마친 후에도 아직 많은 빚이 남아 있어 일하는 것이 필수적이지만, 가능하다면 저는 육아 휴직을 더 연장하고 당신의 학교에 대해 더 배우려고 노력하겠습니다. 당신의 일 중에서 제 비전을 그려주는 것 중 하나는 당신이 시도한 '자유로운 교육'이 한국인뿐만 아니라 아시아에도 혁명적인 변화를 가져올 것이라는 것입니다. 만약 많은 한국인들, 그리고 결국 북한을 포함한 아시아 사람들에게 받아들여진다면 변화는 근본적이고 빠를 것입니다. 그래서, 지금 저는 몇 가지 질문이 있습니다.

1. 귀하가 귀하의 책에서 종교를 고의적으로 생략한 것처럼 보입니다 (단, 저는 당신의 홈페이지에서 그것을 볼 수 있습니다). 당신의 학교에서 기독교에 대한 당신의 태도는 무엇인가요? 당신의 종교적 기반 때문에 당신의 학교를 방해하는 것이 있나요? 저는 당신과 당신의 남편이 매우 영적이고 비전 지향적이라고 생각합니다.

2. 영어를 사용하지 않는 국가에서 인터넷 학습 컨텐츠가 잘 준비되지 않은 경우에는 어떻게 귀하의 학습을 적용하겠습니까? 저는 그런 경우에는 영어 학습이 핵심 부분이어야 하며, 이것이 인터넷에서 다른 과목을 배우기도 전에 많은 에너지를 소비하는 것이라고 생각합니다. 다른 국가의 다른 학교들은 어떻습니까?

3. 귀하의 학교는 전일제 학교만 적용합니까? 우리의 경우, 초기 관심을 끌기 위해 일주일 중 일부만 체험을 위해 사용해야 할 수도 있습니다. 시작하기 전에 전일제에 대비하는 것이 더 나을까요?

4. 당신의 핵심 가치와 원칙이 종교적 원칙과 같은 더 중요한 원칙으로 인해 타협될 수 있습니까? 우리의 학부모 중 많은 사람들이 유대인 부모의 교육이 옳고 어느 정도 엄격함과 올바른 원칙을 가르치는 것과 관련이 있다고 생각합니다. 만약 우리가 모이게 된다면, 아마도 당신이 학생들에게 주는 '학교에서의 자유'가 가장 매력적이면서도 모든 사람들에게 가장 불안한 문제가 될 것입니다 (한국 엄마들은 서양 엄마들보다 아이들에게 더 많이 연결되어 있고, 당신이 예상하는 것보다 훨씬 더 그러합니다)

5. 현재 아무도 연락하지 않았다면. 제가 당신의 책을 한국어로 번역하여 한국인들이 관심을 가지고 당신의 운동에 참여하게 할 수 있을까요?

답변 이메일 (2017년 12월 5일)

······ (생략) ······

1. 귀하가 귀하의 책에서 종교를 고의적으로 생략한 것처럼 보입니다 (단, 저는 당신의 홈페이지에서 그것을 볼 수 있습니다). 당신의 학교에서 기독교에 대한 당신의 태도는 무엇인가요? 당신의 종교적 기반 때문에 당신의 학교를 방해하는 것이 있나요? 저는 당신과 당신의 남편이 매우 영적이고 비전 지향적이라고 생각합니다. **(답변) 좋은 질문이십니다. 저와 저의 남편은 기독교인이지만, 우리 학교 방식의 일부는 어린이들에게 답을 말해주는 대신 자신의 질문에 대한 답을 찾도록 하는 것입니다. 나의 아버지는 장로교 목사이며, 그는 항상 나에게 의문을 가지고 의심을 두려워하지 말라고 가르쳤습니다. 이것이 내가 부모님의 믿음을 그냥 받아들이는 것이 아니라 직접 찾게 도와주었습니다.**

2. 영어를 사용하지 않는 국가에서 인터넷 학습 컨텐츠가 잘 준비되지 않은 경우에는 어떻게 귀하의 학습을 적용하겠습니까? 저는 그런 경우에는 영어 학습이 핵심 부분이어야 하며, 이것이 인터넷에서 다른 과목을 배우기도 전에 많은 에너지를 소비하는 것이라고 생각합니다. 다른 국가의 다른 학교들은 어떻습니까? **(답변) 이것은 훌륭한 질문입니다! 현재 다른 국가의 Acton도 영어를 사용하고 있습니다. 우리는 아직 우리의 작업 (즉, 모든 교육 과정) 을 다른 언어로 번역하지 않았으며, 가까운 미래에 그럴지 여부를 모릅니다. 이것은 우리에게 큰 질문입니다. 우리는 페루에 Acton을 개설할 여성이 있고, 그녀는 그녀의 학교를 위해 우리의 작업을 번역할 것입니다.**

3. 귀하의 학교는 전일제 학교만 적용합니까? 우리의 경우, 초기 관심을 끌기 위해 일주일 중 일부만 체험을 위해 사용해야 할 수도 있습니다. 시

작하기 전에 전일제에 대비하는 것이 더 나을까요? **(답변) 저희는 파트타임 프로그램을 하는 학교의 한 가지 사례를 가지고 있습니다. (Acton Imprimus)** 저는 그들이 한 주에 세 번 (월요일/수요일/금요일) Acton에서 있고, 한 주에 두 번 (화요일/목요일) 집에서 공부한다고 생각합니다. 이것은 귀하의 선택이 될 수 있습니다.

4. 당신의 핵심 가치와 원칙이 종교적 원칙과 같은 더 중요한 원칙으로 인해 타협될 수 있습니까? 우리의 학부모 중 많은 사람들이 유대인 부모의 교육이 옳고 어느 정도 엄격함과 올바른 원칙을 가르치는 것과 관련이 있다고 생각합니다. 만약 우리가 모이게 된다면, 아마도 당신이 학생들에게 주는 '학교에서의 자유'가 가장 매력적이면서도 모든 사람들에게 가장 불안한 문제가 될 것입니다 (한국 엄마들은 서양 엄마들보다 아이들에게 더 많이 연결되어 있고, 당신이 예상하는 것보다 훨씬 더 그러합니다) **(답변) 우리의 근본 원칙은 '자유'입니다. 이것은 제 생각에는 개별 인간에 대한 사랑으로 번역될 수 있습니다. 우리의 모델은 모든 사람에게 맞는 것이 아닙니다 (예를 들어, 귀하가 설명한 부모님들) 그리고 우리는 우리의 프로그램에 참여하는 부모님들을 매우 선별적으로 받아들입니다. 그들 역시 같은 종교나 정치 철학이 아니더라도 동일한 근본 원칙과 신념을 고수해야 합니다. 우리는 개인의 가치, 경제적, 종교적 그리고 정치적 자유 그리고 정직, 친절 그리고 책임 있는 노동 윤리에 기반한 덕행을 믿습니다. '영웅의 여정'은 아이들과 부모님들을 '모든 사람 안에 세상을 돕기 위해 사용할 수 있는 능력'이 있다는 생각에 기반한다고 생각합니다. 교육적인 여정은 실제로 그 능력들을 찾아내고, 읽고, 쓰고, 문제를 해결하고, 의사소통을 통해 세상에 나눠주기 위한 기술을 습득하는 내면의 여정입니다.**

5. 아무도 지금 연락하지 않는다면. 저는 귀하의 책을 한국어로 번역하여 한국인들이 관심을 가지고 참여하도록 유도할 수 있을까요? **(답변) 제 책이 한국어로 잘 번역될 것이라고 생각하십니까? 저는 귀하의 언어에 대해 아무 것도 모르며, 귀하가 원하신다면 그 일을 잘 해낼 수 있을 것이라고 믿습니다! 저는 그 노력에 전혀 도움을 드릴 방법이 없습니다. 우리는 우리의 모든 학교 작업을 한국어로 번역하는 것이 불가능하므로, 이것이 실제로 작동하려면 영어를 할 수 있는 가족들이 필요할 수도 있습니다. 액턴 아카데미를 시작하는 데 필요한 요건은, 비즈니스나 프**

로젝트 관리에서 성공적인 배경을 가지고 있어야 하며, 그리고 귀하의 자녀들이 학교에 있어야 합니다. 귀하는 또한 저의 책에 제시된 우리의 아이디어로 귀하의 학교를 만들 수도 있습니다. 하지만 만약 귀하가 우리 네트워크의 공식적인 일부가 되길 원한다면, 귀하는 우리의 웹사이트에 가서 귀하의 답변을 제출해야 합니다. 과정은 어렵지 않고, 저는 귀하가 **훌륭한 일을 해낼 것이라고 생각합니다!**

감사합니다. 계속해서 질문을 해주세요! 우리는 다음 12일 동안 국외에 있고 인터넷에서 멀리 떨어져 있을 것입니다. 좋은 일이 있기를 바랍니다!

사랑을 담아,
Laura

글을 번역하면서

번역을 시작하면서, 나는 학교에 대해 더 깊이 이해할 수 있게 되었다. 특히, 로라 센더퍼 씨가 **"우리의 근본 원칙은 자유입니다"** 라고 말한 이유를 알게 되었다.

<1장 액턴 아카데미의 하루>

"제가 보기에, 우리가 그날 액턴 아카데미를 처음 관찰했을 때 저를 놀라게 한 참신한 점이 두 가지 있었어요. 첫째는 제가 봐온 다른 어떤 학교보다 먼저 온라인 학습의 파괴적 혁신이 아이들의 능력을 근본적으로 제고하는 방식을 통해 학생들을 통제한다는 점을 당신이 발견한 것이죠. 만약 아이들이 온라인으로 전해지는 지시를 통해 배우는 능력을 가지고 있다면, 어른들을 학습과정에서 배제하고 학생들 스스로 해내도록 도와주면 안 될 이유가 없죠! 저는 당신이 그런 아이디어를 얼마나 편견 없이 받아들였는지에 놀랐고, 또 그게 작동한다는 점에도 놀랐죠. 가이드들은 학습을 개시하도록 거들었지만, 아이들은 성인이 동기부여를 해서 진행하도록 하지 않아도 나머지 부분을 수행하는데 익숙해져 있었어요. 아이들을 자유롭게 놓아주는 것과 권한을 부여하는 방법은 숨이 막힐 정도로 아름다웠죠."

"둘째로, 저는 당신의 환경에 놀랐어요. 그 집의 모든 구석구석이 아이들의 호기심, 실험 그리고 즐거움을 채워 넣기 위해 디자인 되었어요, 주방 도구로부터 독서실, 로봇 연구실, 뒷뜰에 있는 집에서 만든 훌라후프 까지도요. 그건 요즘 찬사를 많이 받는 핀란드식 학교처럼 보였어요. 우리는 우리 아이들을 전통적인 학교에 더 이상 그대로 둘 수 없었죠. 전통적인 수업, 전통적인 운동장 시설들, 아이들이 한 줄로 서 있는 동안 조용히 시키려고 침으로 방울을 만들어 보라는 식의 가르침은 더 이상 받아들일 수 없었어요. 통제권이 없는 아이들에게 통제권을 분배하는 혁신은 교육 분야 전반을 바꿨고 당신은 이것을 액턴 아카데미에서 발견했죠, 그것도 현 수준보다 10년은 먼저 말이죠."

헤더 스테이커는 혁신적인 교육의 세계에 관한 전문가였다. 캘리포니아 어바인에서 고3이었을 때, 그녀는 주정부 교육위원회에서 활동했다. 그녀는 하버드 비즈니스 스쿨에서 클레이턴 크리스텐슨 (Clayton Christensen) 에게서 배웠으며, 궁극적으로 2010년 후반 교육에서의 최신의 혁명인 온라인 학습에 대해 그리고 학교는 어떻게 학생들을 돕기 위해 기술을 활용하는지에 대해 공동으로 보고서를 쓰기 위해 그와 함께 일했다. 그 보고서를 쓰는 중에 그녀의 리서치의 일환으로, 그녀와 그녀의 동료 공동저자인 맥 클레이턴 (Matt Clayton)은 액턴 아카데미에 관해 인터뷰하려고 제프에게 전화했다. 이 전화가 몇 달 후 스테이커 가정의 텍사스 방문의 계기가 될 줄은 누구도 알지 못했다.

…

그러나 나는 남들이 무엇을 원하는지에 관해 생각하고 있지 않았다. 나는 단지 액턴 아카데미에서 매력적이고 도전적인 배움의 여행을 만들어내는데 더 집중하고 있었다. 우리의 작고 사랑스러운 집의 내부에서는 무엇인가가 일어나고 있었다. 그것은 즐거운 배움이었다. 우리가 이것을 꼭꼭 담아서, 안내서 안에 다른 사람들이 사용할 수 있도록 담아낼 수 있다고? 나는 이런 일에 대해 생각해 본 적이 없었다. 아침 소크라테스식 토론이 막 시작하는 중이었다.

리비는 신문 기사를 크게 읽는 것을 마치고 그녀 주위를 원으로 둘러싸고 바닥에 앉아 있는 동료 학생 그룹을 바라봤다. 그녀는 이슈에 대한 완전한 그림을 그려주기 위해 다양한 자료에서 엮어낸 오늘의 소크라테스식 토론을 위한 전제를 설명하고 있었다.

북극 지방의 빙하 안에 고래들이 갇혀 있다. 고래들에게는 숨을 쉴 수 있는 작은 구멍만 있을 뿐이고 구멍은 작아지고 있는데 얼음이 다시 얼고 있기 때문이다. 열린 해양은 고래들에게 너무 멀어서 한 숨에 닿을 수 없다. 고래들은 그들 위에 있는 빙판이 굳자마자 익사할 수 있다. 3명의 상선들도 얼음에 갇혀 있는데, 선원들은 거의 아사 직전이고 저체온증이 있다. 그들도 갇혀 있고 얼음위로 움직여 안전한 곳으로 갈 수도 없다. 근처에는 도와주기 충분한 거리에 쇄빙선이 있지만, 시간이 없어서 고래와 선원들 모두를 살릴 수는 없다.

"만약 너희들이 쇄빙선의 구조대원이라면 어떻게 해야 할까?"

리비가 물었다.

"너희들은 구조대원을 배를 구하러 보낼래, 아니면 고래를 구하러 보낼래?"

어린 학생들은 찬반을 표현하며 자기 의견의 이유를 자세히 설명했고 서로의 의견을 보충해 가면서 서로 의견을 물었다. 만약 구조대원이 충분히 빠르게 움직인다면 모두 구할 수 있을 가능성에 대해 중론이 모아지고 있었다.

리비는 토론을 심화할 준비가 되었다.

"한 가지 중요한 정보가 더 있어. 날씨가 갑자기 나빠지고 있어. 이런 상태에서는 고래와 인간 둘 다를 구할 수 있는 가능성은 없어. 누구를 구할래?"

어느 한 쪽을 구하는 것이 더 나은지의 윤리에 관한 토론은 점점 감정적으로 변했지만 여전히 존중하는 태도와 명료함은 유지하고 있었다.

"세상에는 수많은 인간이 있어" 엘리가 말했다.

"고래를 살리는 것이 더 중요하지 않을까?"

"우리가 사람을 죽도록 내버려 둔다고?" 크리스가 질문했다.

"이 고래들은 멸종 위기 종 목록에 포함되어 있다고" 칠판을 가리키며 아냐가 말했다.

그 그룹에는 36명의 학생들이 있었다. 리비는 논의를 멈추고 투표를 했다. 거의 반반이었다. 반은 고래를 구하기 원했고 다른 반은 인간을 구하기 원했던 것이다. 논쟁은 계속됐다.

완벽한 소크라테스식 형식으로 리비는 멈추지 않았다. 그녀는 더 많은 정보가 주어진다는 표시로 그녀의 손가락을 들고있었다.

그녀는 말했다. "20마리의 고래가 얼음 속에서 아직 살아있고, 1000명의 사람이 배에 있어."

이것이 그룹을 결론으로 몰아가는 것처럼 보였고, 토론의 에너지는 가라앉았다.

리비는 논쟁의 강도를 높이기 위해 계속해서 열기를 높여갔다.

"이 고래들은 세계에 남은 유일한 20마리의 회색 고래들이야" 그녀가 말했다.

학생들은 고민에 빠졌다. 이 정보가 모든 것을 바꿨다. 그러고 나서 그녀는 마지막 펀치를 날렸다.

"그리고 너희들의 가족이 그 배에 있어."

실제 상황에 기반한 허구인 도덕적인 딜레마를 만들어내는 리비의 질문은 정확히 소크라테스식 방식이 해내려고 하는 것이다. 어려운 선택을 강요하기, 정보의 분석에 기반한 생각의 변화. 그리고 주의 깊은 경청의 기술과 정확하고 목적이 있는 의사소통을 서서히 주입하는 것. 5분간의 열띤 그러나 명료한 논쟁 후에, 리비는 시계를 보았다. 순전히 소크라테스식 원칙에 입각하여, 그녀는 지금이 논쟁을 마무리할 시간임을 알았다.

"자 마지막 투표. 인간을 살리려는 사람 손 들어 봐." 그녀는 숫자를 셌다.

"고래를 구할 사람?"

명료했다. 이번에는 인간이 이겼다.

"참여해 줘서 고마워. 두 사람이 왜 생각을 바꿨는지와 논쟁을 통해 배운 교훈에 대해 나눠줄 시간이 남았어."

만족의 옅은 미소를 지으며 그녀는 정시에 그룹 토론을 마무리했다. 학생들은 그녀에게 박수갈채를 보내며 일어섰다. 그녀는 전문가의 우아한 기풍으로 거칠지만 지적이면서도 감정적인 영역으로 학생들을 끌고 들어갔다. 학생들 또한 만족했다. 모두는 각자의 독립적인 학업 시간을 시작하기 위해 책상으로 흩어졌다.

리비는 그 때 9살 이었다. 리비가 토론을 이끌 때, 방에는 주제를 정해 주고, 그녀에게 조언해 주고, 리서치를 모으거나 질문을 써낸 선생님이나 성인은 없었다. 둘러앉은 아이들의 나이의 범위는 6살에서 10살이었다.

...

제프와 나는 배움의 미래가 어떤 모습일지 확신할 수 없었지만 과거에 어떤 것이 유용했는지에 관한 로드맵을 가지고 있었다. 미국에는 언제나 초대형 교육산업이 존재하진 않았다. 사실 교육은 통합된 원룸식 학교와 실용적인 도제 교육에서 시작되었다.

19세기 후반에 이르러 미국은 중앙 집권화된 교육 시스템이 없이도 지구에서 가장 강한 나라가 되었다. 읽기, 쓰기 그리고 수학은 원룸식 학교에서 가르쳐졌고, 여기는 모든 연령의 아이들이 전반적으로 서로에게서 배우는 곳이었다. 허레이쇼 엘저 (Horatio Alger)의 이야기 안에 '빈털터리에서 부자가 되는 모험담'들은 개인의 수고의 의미를 미국의 DNA로 녹여내었고, 세계의 위대한 영웅의 이야기들은 인성에 관한 우화를 통한 교육으로서 당시 교육의 주요한 기둥이 되었다. 젊은이들은 도제식 시스템 안에서 문제에 대처하는 법을 배웠다.

반복하고 기억하는 암기된 지식의 습득과 같은, 앎을 위한 배움 (learning to know)은 가치가 있었는데, 특별히 이것은 책이 비싸고 구하기 힘들었기 때문이었다. 그러나 행동하기 위한 배움 (learning to do)과 존재를 위한 배움 (learning to be) 또한 가치 있게 여겨졌다. **정리하자면, 역량 (competence)과 인성 (character)이 단순히 지식보다 더 중요했다.** 공립과 사립 학교들이 복잡하게 발달하고 발전하면서, 더욱 더 학습내용의 표준화가 필수화되었고, 학습을 증명하기 위해 테스트에 의존하는 것과 테스트 점수에 따라 아이들을 분류하는 것이 진행되었다. 우리는 이 과정에서 잃어버린 것들을 회복하는 것이 가능할지 궁금했다.

<제 2장 행동으로의 부르심>

그 (액턴 아카데미 설립자) 가 테이트를 데리러 학교에 갔을 때, 그는 그녀의 수학 선생님과 우연히 이야기하게 되었다. 그는 선생님에게 우리가 샘과 찰리를 위해 일반 학교에 편입할 옵션들을 찾고 있다고 했고, 아이들은 지금까지 몬테소리 학교에서 하루 동안 어떤 놀이를 할지 선택할 수 있었고, 몸을 움직일 기회도 많다고 설명했다.

제프는 물었다. "얼마나 빨리 아이들을 보다 전통적인 학교로 옮겨야 할까요?"

선생님은 대답했다. "할 수 있는 한 빨리요."

제프가 왜냐고 묻자 선생님이 대답했다.

"한 번 그렇게 많은 자유를 가지게 되면, 그 애들은 책상에 묶여서 하루 종일 말을 듣는 걸 싫어하게 될걸요?"

제프는 이해할 수 없었다.

"저는 그런 아이들을 비난하지 않을걸요!"

선생님은 바닥을 바라보았고 제프는 그가 그 선생님을 불쾌하게 했을가봐 걱정이 되었다. 그가 다시 제프를 바라볼 때 그 선생님의 눈에는 눈물이 고여있었다.

학교에서 최고의 선생님으로 알려진 이 선생님이 말했다. "저도 그래요."

제프는 고개를 돌려 나를 바라보았다.

"로라, 이제 끝났어요."

그가 말했다.

"찰리와 샘은 하루종일 책상에 갇혀 있지 않고도 배울 수 있어요. 우리는 다른 대안을 찾아야 해요. 우리는 우리가 학교를 다닐 때보다 세상이 얼마나 많이 변했는지 이야기 했잖아요. 우리는 홈스쿨을 하거나 아니면 우리 스스로 학교를 만들어야 해요."

...

여기서부터 "액턴 아카데미"를 위한 핵심 가치가 천명되기 시작했다.

첫째, 아이들을 신뢰하라

건국의 아버지(Founding Father)들은 아이들에게 보호막, 멘토 그리고 적법한 권위가 필요하지만, 또한 그들은 오늘날 많은 교육 행정가들이 상상하는 것보다 훨씬 많은 책임을 아이들에게 부여 할수 있음도 알고 있었다는 것은 사실이다. 적어도 우리가 경험해 왔던 대로는 말이다.

아이들에 대한 신뢰에 관해서라면 제프와 나는 잘 이해한다. 나는 그것을 부모님에게 배웠다. 부모님은 내 어린 시절 동안 우리 가족을 이쪽 해안에서 저쪽 해안으로 데리고 다녔다. 잘 알려진 목사님인 아버지와 존경받던 과학 선생님인 어머니는 최고의 배움은 세상을 자유로이 탐험하는 것에서, 진짜 직업을 이른 나이에 구하는 것에서 그리고 멘토들에게 깊은 질문을 던지는 것에서 얻어진다는 것을 알았다. 그들은 우리 3자매와 나를 매우 어린 시절부터 신뢰했다.

수가타 미트라 교수의 이야기들과 연구를 경청하면서 제프는 똑같은 교훈을 배웠다. 그것은 아이들은 어른의 참견 없이 홀로 둘 때 스스로를 가르친다는 것이었다. 아이들에게 '자유와 책임을 부여한 후 끝까지 신뢰한다'는 간단한 아이디어는 액턴 아카데미의 비밀 재료가 되었다.

그리고 나서, 아이들이 스스로 분투하게(struggle) 둬라

아이들이 고민하는 문제들을 엄마의 손과 발로 해결해 주는 것보다 아이들이 각자의 문제를 풀기위해 분투하도록 놔두면 객관적으로 생각하기가 더 쉽다. 내가 내 아이들이 상처받고 있는 것을 볼 때, 나의 모성 본능은 비뚤어질 수 있고 나는 곧바로 낚아채 문제를 고쳐줄 수 있다. 아이들이 스스로 해결할 수 있다는 것을 알 때 조차도 말이다.

제프와 나는 지성의 차원에서 또 실제적인 배움과 성장의 측면에서 아이들이 스스로 분투하는 것이 가치있다는 것을 안다. 우리의 새로운 학교 문화는 실패를 피하지 않고 그것으로부터 배우는 것의 가치를 받아들일 필요가 있었다. 우리 학교는 "모두를 칭찬해 주자"는 식이 되어서는 안 된다. 그런데 우리는 아이들이 성장하기 위해 분투하고, 실패하고, 고통받기까지 하도록 내버려두는 부모들을 찾을 수 있을까? 아니 내가 그런 종류의 부모가 될 수 있을까?

마델린 레빈 (Madeline Levine)은 그녀의 책 특권의 가치 (The Price of Privilege)에서 다음과 같이 썼다. "아이들의 문제 해결을 위한 시도를 지원하는 부모와는 반대로, 자기 아이에게 지속해서 간섭하려 드는 부모들은 유소년기와 청소년기의 아이들에게 가장 중요한 작업을 방해하는 것이다. 그것은 자아감(Sense of Self)의 개발이다."

내가 스스로 할 수 없다면 어떻게 다른 부모들이 물러서도록 요청할 수 있을까? 이 진리는 엄마로서의 나의 일과의 일부가 되어야할 필요가 있고 그래야만 액턴 아카데미에 입학할 다른 아이들을 더 잘 도울 수 있다.

그리고 항상, 모험을 시도하라!

질문, 호기심, 신뢰, 분투. 이것들은 진짜 모험의 궁극적인 특성이다. 퍼즐 조각들이 맞춰져 가면서 우리는 액턴 아카데미가 최고의 재능을 발견하고 세계의 원대한 경이를 발견하는, 학교를 넘어서는 탐험임을 깨달았다. 이것은 우리가 영웅의 여행 (Hero's Journey)에 대한 더 깊은 이해를 추구하도록 인도했다.

인간 문명의 시초부터, 삶은 자신을 발견해가는 모험이라고 확언하는 훌륭한 신화는 모든 시대의 영혼들에게 영향을 미쳤다. 조셉 캠벨 (Joseph Campbell)의 작업은 이러한 신화 속의 진실을 실제로 이뤄냈고. 조지 루카스와 디즈니는 그것을 주제로 잘 사용했다. 스타워즈로부터 라이온 킹과 미녀와 야수까지, 그들의 이야기는 어린 아이들일지라도 인생을 바꾸는 질문에 이끌린다는 진실에 연결되어 있다.

- 나는 정말 이 일에 맞는 사람일까?
- 나는 위험을 극복할 수 있을까?
- 내 친구들은 누구지?
- 내게 주어진 도전에 맞설 용기와 능력이 내게 있을까?

우리 각자는 단지 평범한 사람이다. **그러나 만약 어렵고, 상처가 나고, 실패가 있는데도, 우리가 흔쾌히 새로운 경험에 대해 긍정하고 계속 앞으로 나가려고 하는 의지가 있다면 우리 모두는 그 여행 속의 영웅인 것이다.**

우리는 결정했다. 액턴 아카데미는 실제적인 삶의 영웅의 여행 (Hero's Journey)으로의 초대가 될 것이다. 여행에 대해 '예'라고 말하는 용기는 모든 아이들과 부모들에게 출발점이 될 것이다.

···

수가타 미트라

수가타 미트라는 기술의 힘이 어떻게 성인 교사가 아이들 앞에서 지식을 전달하는 것 없이 아이들을 자유롭게 배우도록 했는지 알고 있기에 우리의 생각을 가장 사로잡은 사람일 것이다. 그는 아이들을 신뢰했고 아이들의 호기심이 그들을 지배할 것이라는 걸 알았다. 그는 또한 아이들이 서로를 인도하고 통제할 수 있음을 알았다.

제프는 존 템플턴 제단 (John Templeton Foundation) 이 박애주의적인 혁신가들을 기념하기 위해 주최한 모임에서 미트라 박사를 만났다. 그의 박사 학위는 비록 물리학이었지만, 미트라 박사는 인지 과학과 교육 기술학의 분야에서의 발명과 혁신으로 더 잘 알려져 있다.

켈거타의 슬럼가에서 아이들이 어른의 감독 없이 배움을 시작했다는 그의 이야기는 놀라웠고, 또 우리에게 잘 이해되는 부분이었다. 그는 단순하게 컴퓨터 박스를 마을에 만들어 놓고 아이들이 자유롭게 가지고 놀도록 그냥 두고 떠났다. 그는 카메라를 설치해서 무슨일이 일어났는지 볼 수 있었다.

몇 시간 내에, 아이들은 컴퓨터를 어떻게 사용하는지 알아냈고, 접속이 막혀있음에도 디즈니 웹사이트에 침투했다. 몇 주 후에, 이 아이들은 컴퓨터를 사용하려고 서로를 올라타고 있었다. 20살인 어떤 소녀가 상황을 정리하고 그룹을 지정하기까지 혼란 그 자체였다. 곧, 그들은 DNA 복제에서부터 영어까지 모든 것을 배우고 있었다. 성인이 책임지지 않았는데도 말이다.

미트라 박사는 '간섭을 최소화한 교육 (Minimally Invasive Education)' 이라는 이름을 짓고 오늘도 이런 실험들을 계속하고 있다.

"간섭을 최소화한 교육. 우리 아이들에게 원했던 바로 그거예요!" 나는 제 프에게 말했다.

"그러면 아이들은 자기에게 주어진 문제들을 해결하면서 자유롭고 즐겁 게 탐험할 수 있을 거예요."

"그리고 저는 다른 아이들 중 하나가 먼저 나서기까지 아이들이 혼돈 속 에 빠지도록 놔둘 수 있는 용기를 가지길 원하고요. 저는 수가타 미트라 처럼 용감해지길 원해요."

나는 이것을 실천하려면 갈 길이 멀다는 것도 알았다.

두 번째 이메일 (2018년 1월 3일)

친애하는 Laura,

먼저, 새해 복 많이 받으시고 이번 연도에 하시는 모든 일에 하나님 의 축복이 함께하기를 바랍니다!

오랜만에 연락드리는 것 같습니다. 첫 번째 편지를 보낸 후 이야기 를 나눌 적절한 시기가 된 것 같아요.

당신의 책의 4장을 번역을 끝내고, 아내가 그것을 읽어보니 잘 되었 다는 평가를 받았습니다! 일부를 수정해야 할 것 같은데, 그것은 나머지 장들을 다 끝낸 후에 할 예정입니다. 번역 작업을 하는 동안, 당신이 처한 분위기와 상황을 많이 느꼈고, 학교에 대한 당신의 아이디어를 이해할 수 있었습니다. 그것이 제 집에서의 홈스쿨이든 Acton 코리아든 상관 없 이요. 그리고 Acton과 비교하면서, 저도 몇 차례 선생님으로서의 경험 을 떠올렸습니다. 그래서 제 이야기를 나누고 싶었습니다.

장면 1.
2005년 5월, 저는 우즈베키스탄에서 부하라 대학교 학생들에게 한 국어를 가르치고 있었습니다. 그들은 대부분이 학교를 일찍 다니기 시작 하고, 우리보다 학교를 짧게 다니는 편이라 대체로 매우 어렸습니다. 그 당시 안디잔 지역에서 민주화 운동이 일어나 많은 사람들이 군인들의 총격으로 목숨을 잃었습니다. 그것은 엄청난 사건이었고, 모든 외국 자원봉사자들이 안전을 위해 대피했지만, 학생들은 진실을 알지 못하고 그들을 테러리스트로 생각했습니다. 저는 많은 말을 할 수 없었지만, 그들에게 이렇게 물었습니다. "그럼, 자유란 무엇인가요?"

그들은 대답했습니다. "제가 원하는 대로 말하는 것 아닐까요?" 또 다른 학생은 "잘 모르겠지만, 제가 원하는 곳에 언제든 갈 수 있는 것 아닐까요?" 이것은 사실이었는데, 저는 그 대학에서 근무하는 동안 감시당했고 여러 곳에서 그 사실을 알게 되었습니다. 저항의 일환으로, 저는 한국과 그 민주주의 역사에 대해 많은 이야기를 했습니다. 그리고 그들에게 많은 한국 드라마와 이야기를 보여주었습니다. 저는 문화에 대한 노출이 그들이 얻을 수 있는 자유에 대한 교육이라고 생각했습니다.

장면 2.

2008년, 저는 한국 강남의 중학교에서 교사를 하고 있었습니다. 강남은 제가 이전 이메일에서 언급했듯이 유명한 지역으로, 교육은 사립 서비스의 손에 의존하고 있습니다. 이 지역에서 학생들은 그들이 원하는 대로 할 수 있는 자유를 가졌습니다. 그들의 부모님들이 대부분 CEO, 전문직, 변호사, 유명한 스타 등이었기 때문입니다. 반면, 이 지역에서는 독특하게 고아나 빈곤한 학생들도 있었습니다. 공공 교육체계는 이러한 환경의 아이들을 어떻게 다룰지에 대해 아무런 단서가 없었습니다. ADHD를 가진 학생이 어느 날 화를 제어하지 못해 교실의 모든 창문을 깨뜨렸습니다. 저는 기도하며 그를 교실로 들어오게 진정시켰습니다. 다음 날, 그의 아버지인 한 회사의 CEO는 모든 것을 정리하고, 사과의 표시로 선생님들에게 비싼 케이크를 보냈습니다. 그 학생은 몇 달 동안 자유롭게 지내다, 고등학교 교육을 위해 미국으로 갔습니다. 그 학생의 부모님들은 사업을 운영하는데 바빴고, 그는 관리되지 않은 자유를 누렸습니다. 그러나 그의 자유는 방향성이 없었습니다. 당시 그런 학생들이 많았고, 저는 도울 방법을 모른채 몇 번의 중요한 사건 후에 교사가 되는 꿈을 포기했습니다. 선생님들은 존경 받지 못했고 학생들은 집에서와 같은 자유를 원했습니다.

이것들은 단지 제 경험일 뿐이고, 지구의 어느 곳에서든 교사가 되는 것에 대해 많은 좋은 점들이 있다는 것을 알고 있습니다. 특히, 저는 <

아이들이 가진 생각의 힘>을 쓴 데보라 W. 메이어의 경험을 좋아했습니다. 하지만, 저는 제가 가르치는 동안 '교육에 필요한 자유'를 이해하지 못했던 것 같고, 이제 당신과 같은 여러 친구들로부터 배우고 있습니다. 번역을 통해 액턴에서는 '아이들에게 주어지는 자유'라는 단어의 올바른 위치를 찾는 고민을 하고 있다는 것을 이해하게 되었고, 당신은 지금까지 훌륭한 일을 해왔습니다. 수가타 미트라 교수가 인도 슬럼가에서 시행한 <벽에난 구멍> 실험에서 아이들에게 주어진 '모험을 향한 자유'가 얼마나 생산적인 결과를 가져오는지를 인용한 내용은 인상깊었습니다. **한국의 경우 교육에 이러한 개념은 없습니다. 모두가 동일한 환경에서 교육을 받아야 한다는 측과, 시험에서 더 나은 성적을 받은 아이들은 더 나은 교육을 받을 수 있다는 측이 나뉘어 있지만 정작 아이들 개개인의 특성에 따른 교육과 개인의 수준에 따른 '성취의 자유'를 인정하는 교육은 존재하지 않습니다.**

지금 저는 제 생각의 일부를 공유하여 제 생각의 변화를 나누고 싶습니다.

먼저, 학생들에게 자유는 직접 배워야 하는 것이라고 생각합니다. 때때로 자유는 사회적 문제입니다. 우즈벡에서 학생들은 가을마다 국가에 의해 밭에서 면화를 거둬들이는 강제 노동을 해야 했음에도 불구하고 자유롭다고 생각했습니다. 이것을 '파흐타'라고 불렀습니다. 그들이 배워야 할 자유는 매우 비쌀 수 있습니다. 누군가의 희생이 필요할 수도 있습니다. 하지만, 그 당시 저는 코리안 드림이 정작 아이들에게 자유를 주는 도구가 아니라는 것을 몰랐습니다. 그들은 교수들이 A+ 성적을 위해 돈을 원할 때 저항할 힘이 없었고, 가족 간 강제 결혼의 압박에도 저항할 수 없었습니다. 그들은 한국 드라마를 사랑했지만, 결국 원치 않는 남자와 결혼해 사라져 버렸습니다.

다른 때에는, 자유는 내적 고민입니다. 새로운 길을 찾는 것은 불안하고 고통스럽기 때문에 우리는 다른 사람들을 생각 없이 따르고 싶어하는 경우가 많습니다. 우리는 너무 소중한, 생각하고 논의하는 시간을 건너뛰고 단순히 전통을 따릅니다. 특히 한국에서는, 전통을 따르는 것이 우리가 많은 일들을 하는 방법입니다. 전통에 반대하는 것은 외톨이가 되는 것과 매우 유사합니다. 홈스쿨러의 부모로서, 여전히 매우 이상하게 여겨지는 나의 여정, 그것이 영웅의 여정이라고 불리던 새로운 길을 여는 것이던, 매우 불안하고 고통스러운 선택이 될 것입니다.

중요한 한 가지는 한국인들이 민주주의를 배웠지만 개인의 자유에 익숙하지 않다는 것입니다. 우리는 국가에서 독립된 개인으로서의 정체성을 배우지 못했습니다. 우리는 일본을 폭격한 미국으로 인해 독립을 얻었습니다. 하지만 우리는 독립의 아버지들의 모험과 그들의 정신을 상속받지 못했습니다. 그것은 실제로 영웅의 여정이었고, 그들 사이의 많은 헌신과 토론을 요구했습니다. 우리는 일본의 교육을 비롯 다양한 문화를 자연스럽게 받아들였지만, 일본은 영웅적인 이야기를 포함한 많은 전통을 지웠습니다. 우리는 우리의 아버지들에 관한 이야기를 기억하는 데 어려움을 겪었습니다. 이것이 제가 **당신이 말한 '보통 사람들이 얻어낸 자유'라는 개념이 우리 아이들에게 배워져야 한다고 진심으로 기대하는 이유**입니다.

세 번째로, 저는 자유는 공동체와 함께 누려야 한다고 생각합니다.

강남의 학생에 대한 사건은 우리가 미숙한 자본주의로부터 배운 사려 깊지 않은 자유의 반영이었습니다. 한국은 마지막 기차를 잡는 추종자로서 3차 산업 혁명을 이뤘던 독특한 나라입니다. 우리 아버지들은 자신들보다 아이들이 자유로워지게 하기 위해 매우 열심히 일했습니다. 그들은 우리가 발전해야 한다면 국가의 통제가 필수적이라고 생각했습니다. 그런 생각은 '보통 사람들의 자유'보다 일부 특별한 사람들에게 편중된 자유를 허용했는데, 그 기준은 인간의 보편적 기본권이나 성숙한 민주사회가 부여하는 것과는 차이가 있었습니다. 지금 당신의 학교 운영을 보면서 저는 그 때 제가 일했던 학교에서 대부분의 학생들이 일부 학생들의 무분별한 자유의 희생자였다는 것을 깨닫습니다. **우리는 '보통 사람들의 자유'를 증진하는 공동체가 아니었고, 저는 그들에게 우리가 어떻게 공동체가 될 수 있는지 가르쳐 주지 못했습니다.**

장면 3.

2003년 한 추운 겨울에, 저는 중국으로 여행을 갔습니다. 제가 간 곳에는 한국어 사용이 금지되지 않은 한국 마을들이 아직 남아 있었습니다. 저는 한국어를 완전히 이해할 수 있는 한 지역의 학생들에게 영어를 가르칠 기회가 있었습니다. 저는 말했습니다. "자유란 무엇인가요?" 그들은 매우 수줍었고 조용했습니다. 저는 물었습니다, "천장에 닿을 수 있나요?" 그들은 말했습니다, "아니요! 우리는 충분히 키가 크지 않아요!" 그런 다음 저는 말했습니다, "여러분은 할 수 없습니다. 그러나, 여러분이 다르게 생각한다면, 당신은 언제든지 천장에 닿을 수 있습니다! 그냥 의자를 사용해서 올라가세요! 당신은 그것을 할 수 있습니다! 누군가 당신을 억압하면 기분이 상하지 마세요, 항상 의자가 있습니다. 상황을 극복할 도구는 당신의 친구일 수 있습니다. 그것은 당신이 결코 예상하지 못한 무언가일 수도 있습니다. 그러나 도움이 올 것이고 당신은 이 상황을 극복하기 위해 그것을 사용할 것입니다! 의자의 사용은 당신의 선택입니다. 당신은 자유를 가지고 있습니다!" 저는 어떻게 그런 격려하는 말을 할 수 있었는지 이해할 수 없었습니다. 그러나, 저는 그 때 순수했고 더욱 강했다고 생각합니다.

…… (중략) ……

많은 도움 주셔서 감사하며, 여러분의 답장을 기다리겠습니다.

감사합니다,
민호

두 번째 답변 (2018년 1월 4일)

친애하는 민호님,

귀하의 흥미진진한 이메일에 감사드립니다. 귀하의 이야기는 강력합니다. 귀하의 상황에 대해 좀 더 이해하고자 이 응답을 짧게 유지하기로 결정했습니다.

첫째, 한국에서의 온라인 학습에 대해 말씀드리겠습니다. 우리가 사용하는 주요 자료 중 하나는 Khan Academy를 통해 수학을 배우는 것입니다. 그것은 한국어 번역이 있습니다. (https://ko.khanacademy.org/) 이것은 무료 자원입니다. 단지 노트북이 필요합니다 (우리는 학생들에게 값싼 구글 크롬북을 사용합니다.) 이 프로그램을 한국에서 사용할 수 있으신가요? 이것은 젊은이들이 많은 것을 배우고, 자신의 속도로, 선생님 없이 배울 수 있는 훌륭한 방법입니다. 이것은 학습에 자유감을 불어넣습니다.

둘째, 액턴 아카데미를 개설하는데 관심이 있다면, 우리의 "오디션" 과정을 거쳐야 합니다. 매우 쉽습니다. 단지 우리 웹사이트의 단계를 따르면 됩니다 (https://www.actonacademy.org/launch) "여정을 시작하세요" 섹션의 단계를 따르세요. 우리는 귀하가 자신의 학교에 자신의 아이들을 두고, 사업이나 프로젝트 운영에 대한 경험이 있는지에 대한 기본 기준을 가지고 있습니다. 또한, 귀하가 더 많은 학생들을 데려올 수 있는 작은 네트워크를 가진 사람들을 모집할 수 있는지를 살펴봅니다. 가장 좋은 것은 매우, 매우 작게 시작하는 것입니다. (5-7명의 학생들) 그런 다음 매우 천천히 성장합니다. 우리는 이 때문에 "마이크로 스쿨"이라고 불립니다. 이것은 $10,000의 투자이며, 우리의 모든 교육과정과 세계 각지의 유사한 생각을 가진 부모들로 이루어진 네트워크에 접근할 수 있습니다. 이 네트워크에서는 이메일 그룹 포럼에서 자유롭게 아이디어를 공유합니다. 귀하가 원한다면 이 과정을 시작할 수 있습니다. 대안은 우리로부터 배워서 액턴 이름을 사용하지 않고 자신의 것을 하시는 것입니다.

제 책의 번역판 출판에 대해 확실하지 않습니다. 그에 대해 좀 더 생각해봐야 할 것 같습니다. 시작하는 용기에 감사드립니다!

···

당신은 진정한 영웅입니다.

1.6. 미국에서의 3년, 액턴 팰러타인 (시카고)

이메일을 주고받을 당시 나는 미국에서 **액턴 아카데미** Acton Academy 에 내 아이들을 보내리라고는 상상도 할 수 없었다. 나는 바쁜 회사원이었고, 해외 출장이 있기는 했지만 미국과 같은 선진국에 프로젝트가 있을리 없었다. 그러던 중 2018년도에 정말 신기하게도 미국에 프로젝트를 하는 붐이 일어나고 있었다. 여러 미국 프로젝트를 보면서, 나는 출장이라도 한 번가면 좋겠다 생각했는데 정말 프로젝트가 잘 되면서 미국에 출장이 잦아졌다. 미국에 발전소를 짓는 일이었는데, 정말 잘 진행되는 드문 케이스였다. 그리고 본격적으로 건설이 시작되자, 현지 법률을 잘 아는 사람을 보내야 한다는 이유로 내가 파견되게 되었다.

2019년도 초 파견이 결정되었을 때, 내가 맨 처음 한 일은 Laura 에게 이메일을 쓰는 일이었다. Laura 로부터 시카고 지역에 3개의 액턴 아카데미가 있다는 소식을 들었다. 한 개는 도시 지역이라 너무 멀었고, 나머지 하나는 가톨릭 계열인데 가톨릭 신자만 받는 곳이었다. 그래서 마지막 연결된 곳이 바로 시카고 교외 팰러타인에 있는 액턴 아카데미였다. 나는 이곳에서 10분 거리로 원을 치고 그 안에 있는 집을 구했다. 첫 이메일 이후 1년이 조금 더 지난 시점이었다. 정말 기적같은 일이 일어나고 있었다.

첫 방문

나는 파견 한 달 전에 이메일을 써서 학교 방문을 계획했다. 입국하자마자 아이들을 보내야 했기에 최대한 빨리 몇 가지를 알고 싶었다.

저는 대한민국 출신이며, 최근에는 시카고의 발전소 사업에 참여하고 있습니다. 사업이 빠르고 잘 진행되어서, 저는 3년 동안 버팔로 글로브의 자회사에 파견될 예정입니다.

그래서, 제 아이들에게 잘 맞는 학교를 찾고 있습니다.

사실, 저는 작년부터 액톤 아카데미에 관심이 있어서 로라에게 제가 그녀의 책을 한국어로 번역할 수 있는지 연락해 보았습니다. 이제 거의 작업을 마쳤지만, 제 아이들을 그 학교에 보낼 수 있다면 그리고 새로운 교육 스타일을 한국에 소개할 수 있다면 더 좋을 것 같습니다.

문제는 제 아이들, 10살의 남자 아이와 7살의 여자 아이가 영어를 못 하는데도 불구하고 학교에 입학할 수 있는지의 여부입니다. 그들은 지금까지 공공 교육에 참여한 적이 없으며 홈스쿨링을 하고 있습니다. 5월 2일 토요일에 어떻게 방문할 수 있는지 알려주시기 바랍니다. 참고로, 작년에 로라와 나눈 대화를 첨부합니다.

감사합니다,
이민호

민호님,

Acton Northwest Chicago에 관심을 가져 주셔서 감사합니다!

안녕하세요! 저는 Acton Northwest Chicago의 공동 창립자 Melissa Wzorek입니다. 항상 제 아이들이 전통적인 학교에서도 괜찮을 거라고 생각했습니다. 하지만 저에게 가장 큰 고민이었던 것은 전통적인 학교나 홈스쿨링이 제 아이들에게 제공할 수 있는 최고의 교육인지에 대한 것이었습니다. 그저 '괜찮은' 것에 만족하고 싶지 않았습니다 - 저는 최고를 원했습니다. 제 마음속에서 더 나은 방법이 있어야 한다고 믿었습니다. 숙제, 자주 보는 시험, 하루 종일 교실에 앉아 있고, 학교의 의제에 순응하는 것들은 제 아이들의 시간을 낭비하고 그들의 잠재력을 제한하는 것처럼 느껴졌습니다. 몇 년 동안 홈스쿨링을 선택한 후, 저희는 아이들에게 동료들과 성인 멘토들이 있는 교실 환경이 정말 필요하다고 느꼈습니다. 아이들이 홈스쿨링에서 벗어나야 할 시기가 되었음에도 불구하고 제게는 어떤 학교 옵션도 확신할 수 없는 상황에 놓여 있었습니다. 이러한 고민 속에서, 저는 "어떻게 학교를 창립하나요"라고 구글에 검색했습니다. 이 검색이 우리 가족을 인생을 바꾸는 모험으로 이끌어 줄 줄은 몰랐습니다.

다행히도, 저희는 부모들이 전 세계적으로 학교를 개설하는 데 도움을 주는 비영리 재단인 액턴 아카데미를 찾았습니다. 액턴의 공동 창립자인 Jeff와 Laura Sandefer는 거의 10년 전에 텍사스 주 오스틴에 첫 Acton을 개설하여 자녀들에게 더욱 견고한 교육을 제공하고자 했습니다. 그들은 자신들의 최고의 실천법과 학습 철학을 가지고 있으며, 비슷한 생각을 가진 다른 가족들이 전 세계에서 학습 실험실을 열도록 돕고 있습니다.

만약 당신이 가족의 교육을 새롭게 바꿀 준비가 되었다면, 저에게 전화하거나 투어를 예약하는 것을 권장드립니다. 당신의 가족을 만나는 것을 기대하고 있습니다.

3월 2일 토요일 오전 9시부터 10시 30분까지 열리는 오픈 하우스에 초대하고 싶습니다. 그리고 Laura Sanderfer의 책, Encourage to Grow의 복사본을 보내드리는 것을 기쁘게 생각합니다.

평화,
Melissa Wzorek

당시 나는 출장으로 시카고 지역에 있었기에 토요일 학교 방문은 너무나도 당연한 일이었다. 알고보니 학교는 정기적으로 오픈 하우스를 하고 학교 학생들 3~4명이 참가자들의 질문에 답하고, 최종적으로 설립자가 설명을 해 주는 시간을 가지고 있었다. 가장 좋은 인상은 설립자의 아들이 너무도 성실하게 모든 질문에 답변해 주는 모습이었다. 나는 무엇보다 영어를 못하는 아이들이 학교에 적응할 수 있는지 알고 싶었다. 설립자 멜리사의 아들 로긴의 첫마디는 문제없다는 것이었다. 영어를 못하는 아이들이 몇 번 왔었고 시간이 지나면서 아무 문제없이 친구가 되었다는 것이었다. 영어가 큰 문제가 아니고 학교가 잘 맞는지가 더 중요하다고 답변했다. 어린 나이로 보였는데 당찬 답변이 너무 맘에 들었다.

학교 소개

학교의 운영 방식은 책으로 봤던 것과 동일했다. 우선 미션, 비전, 핵심가치를 매우 중요하게 생각하고 있었고, 이것은 모든 프랜차이즈 학교들에 동일해 보였다. 다만, 액턴 팰러타인의 설립자 멜리사는 대부분의 학교 운영에 대해서 설립자의 자율성이 인정되는데, 각 설립자들이 원하는 만큼 텍사스 본교의 내용을 가져와서 적용해 볼 수 있다고 했다.

핵심 단어들

소개 책자는 학교는 새로운 환경이며 기존 학교와도 다름을 강조했다. 그리고 다음과 같은 단어가 새롭게 사용될 것이라고 했다.

- HERO'S JOURNEY (영웅의 여행): 역사상 가장 위대한 많은 이야기와 신화의 줄거리는 영웅의 여행 구조입니다. 이런 구조는 한 영웅이 여정에서 거치는 단계를 설명합니다. 스토리의 설정된 패턴을 따르는 이 구조는 우리 학교 모델의 핵심 원칙입니다.
- HERO (히어로): 학교의 아이들을 부르는 호칭입니다. 이들은 스스로 목표를 세우고 성취하고 공유하는 높은 품격을 가진 아이들입니다. 이들이 소명을 발견함으로써 나라와 세상에서 영웅이 될 것을 믿습니다.
- TRIBE (종족): 우리는 학교 구성원 그룹을 "~족" 이라고 부릅니다. 종족의 이름은 학생들이 정합니다. 이유는 우리의 교육은 동료간 깊은 신뢰와 우정을 필요로 하기 때문입니다. 종족으로 불리는 집단 안에서의 협력과 의사소통은 모든 문제를 해결해 나가는 힘의 원천입니다.
- CORE SKILLS (핵심 기술): 읽기, 쓰기, 수학과 같은 기본 학문들을 개개인들이 각자의 학습 속도에 따라서 적합한 어플리케이션으로 진행하도록 합니다.

- **QUEST (탐구/도전기반 프로젝트):** 퀘스트는 도전기반 기반 학습입니다. 이는 팀단위로 상당한 양의 학습과 완료해야 할 높은 수준의 숙달을 요구합니다.
- **JOURNEY TRACKER (학습 이정표):** 학교의 특별한 목표 달성표를 기반으로 작성한 개개인의 학습을 기록하는 시스템입니다. 이것은 학생들의 교육 계획, 일정 및 기록을 담는 시스템입니다. 부모님들에게도 공유됩니다.
- **JOURNEY MEETING (여정 회의):** 부모와 선생님 간의 정기 모임입니다.
- **LAUNCH (토론모임):** 학교 첫 시간은 소크라테스식 대화를 통해 깊고 의미있는 생각들과 도전들을 맞닥뜨리게 합니다. 학교의 하루는 이 모임으로 시작하고 끝납니다.
- **SOCRATIC DISCUSSION (소크라테스식 토론):** 이것은 참가자가 자신의 입장이나 주장을 명확하게 표현하도록 정의된 개념이나 질문에 기반한 토론을 진행하는 것입니다. 소크라테스식 토론에서 리더의 역할은 참여자들이 점점 더 깊이 이해하도록 돕는 개방형 질문을 하는 것입니다.
- **GUIDE (가이드):** 액턴에서는 선생님을 가이드라고 부릅니다. 우리 학교는 순수한 자기 주도 학습을 추구하기 때문에, 히어로들에게 성취 수준에 따른 자유를 부여하고 몬테소리 학교의 방식대로 교사에 의존하는 수업을 최소화 합니다.

핵심 질문들

우리가 전인 교육을 한다고 하지만, 나는 학생 자신에 대한 정말 심각한 질문들을 하고 그것에 답하도록 노력하는 학교를 보지 못했다. 이미 설명한 **존재를 위한 배움** Learning to Be 의 의미를 액턴 팰러타인 학교를 다니면서 알게 되었다. 우선, 학교는 정기적으로 몬테소리 형식의 명상 시간을 갖고 아이들이 조용한 가운데 아래 "인생 마지막 세 가지 질문"을 하게 한다. 그리고 평소에 아래의 질문들을 통해 동료들을 독려하고, 동료들이 이 질문을 가지고 **영웅의 여행** Hero's Journey 하는 것을 칭찬하는 쪽지를 써서 박스에 넣는다. 매주 금요일에는 이 쪽지를 공개하는 시간을 가지고, 각자가 얼마나 여행을 잘 해내고 있는지 독려하는 시간을 가진다. 쪽지를 넣는 행위는 'Learning to Be' 배지를 받는 중요한 행위이기도 하다. 그리고 세션 말에는 각자 'Learning to Be'에 대해 성장한 부분을 가지고 배지나 성품 조약돌을 준다.

또한 'Learning to Be' 는 학년 성취에 중요한 부분이기 때문에 구체적인 실천 과제들을 추가로 수행하면 (예, 리더쉽을 발휘하는 행동 리스트 수행, 아침 토론 리딩, 학교에 개선할 점을 건의하고 실행 등) 배지를 추가로 받고, 학년 동안 성장해 온 과정을 확인하고 다음 학년으로 진급할 수 있다. 참고로, 진급은 나이와 상관없이 성취할 최소 배지 기준을 달성하면 동료들과 가이드들의 추천에 의해 진행된다.

- **■ 인생 마지막 세 가지 질문**
  - 나는 의미있는 일에 헌신했는가?
  - 나는 선한 삶을 살았는가?
  - 나는 누구를 사랑했고, 누가 나를 사랑했었는가?

- **■ 나는 누구인가?**

  나의 재능, 기술, 열정 그리고 다음 단계는 무엇일까? 내가 배움을 얻는 최선의 방법은? 나에게 동기를 부여하는 것은 무엇일까? 나의 내면의 성장과 건강을 촉진하는 방법은 무엇일까?

- **■ 나는 어디에 속해 있을까?**

  나는 세상에 대한 깊은 이해를 하고 있을까? 역사, 경제, 정치 그리고 지리적인 모든 배움을 바탕으로 나는 어디에서 살고 어떻게 적응하며 나의 재능을 드러낼까?

- **■ 나의 소명은 무엇일까?**

  내 인생의 다음 모험은 무엇이고, 세상의 긴급한 필요를 충족시키기 위해 나는 나의 재능과 열정을 어떻게 사용할까?

- **■ 나는 리더로서 누구를 섬겨야 할까?**

  나는 최고의 리더가 되고, 건강한 관계를 형성하며, 분쟁을 토론하고 해결하기 위해 어떤 질문을 하고, 도구를 사용하며, 기술을 배워야 할까?

학사 일정

액턴의 학기는 보통 8월말에 시작되어 5월초에 마무리 된다. 6월은 Summer Camp가 열리기도 하는데 이때는 기존 액턴 학생 뿐 아니라 외부인도 캠프에 참여할 수 있다.

액턴의 학기는 **세션 Session** 으로 나눠져 있는데 보통 5~6주 정도 한 세션이 진행되고 1~2주 정도 방학을 한다. 보통 미국 공휴일이 있는 주에 방학 일정이 맞춰져 있어서 가족 여행이나 활동이 가능하다.

2020년도 학사 일정을 살펴보면, 다음과 같다.
1세션 - 8(월).27(일) ~ 10.11
2세션 - 10.14 ~ 11.22
3세션 - 12.2 ~ 12.18
4세션 - 1.6 ~ 2.14
5세션 - 2.24 ~ 3.20
6세션 - 3.30 ~ 5.8

3세션 이후에는 조금 긴 방학을 가졌는데, 이때를 겨울방학이라고 생각하면 된다. 3개월 이상의 방학을 갖는 여름에 비해 겨울방학은 3주 정도로 짧다. 여름에는 특히 중학생 이상은 관심이 있는 직업 세계에 직접 연락해서 1주에서 여러 주 인턴의 형태로 참여하는 **견습 Apprenticeship** 활동이 진행된다. 중학생 이상은 필수로 견습을 마쳐야 학년이 진급된다. 학생들 중에는 아마존, 구글, 테슬라 같은 곳에서 경험을 쌓은 아이들도 있다. 한국의 경우 학생 실습을 받으려면 안전, 책임 등 많은 이유로 거절을 당하지만, 미국이나 영국의 경우 어린 시절에 직업 세계를 경험하는 것을 중요시 하기 때문에, 지역 자영업자들이나 대형 사업장 등에서 **견습 Apprenticeship** 을 하는 것이 쉽다. 생각보다 부서 단위의 결정권이 크기 때문인 듯 싶다.

세션별로는 '도전을 요청하는 큰 주제'가 정해져 있다. **예를 들자면 "중세 시대의 왕이 되어보기"**, **"내가 선정한 위인이 되어 나의 업적을 소개하기"**, **"우주를 탐구하고 나만의 탐험 결과 보고하기"** 등등의 큰 도전 과제들이 정해져 있고 이 과제를 한 세션을 관통하는 소크라테스식 질문으로 열게 된다. 예를 들면 **"중세 시대의 왕이 나을까 현대의 평범한 시민이 나을까?"**, **"내가 에디슨이라면 웨스팅하우스와 협업했을까?"**, **"우주의 끝에는 무엇이 있을까?"** 같은 질문을 계속 확장해 가면서, 도전 과제가 단계별로 순차적으로 주어지고 팀이나 개인으로 탐구와 조사를 하고 결과를 나누며 피드백을 받고 직접 최종 자료들을 취합해 결과물을 만드는 과정을 진행한다. 그 진행 과정들을 세션이 마무리 되는 마지막 주에 가족들을 초청해 함께 나누는 장을 가진다.

매일 일과

학교의 일과는 매우 유동적이다. 가장 중심에 있는 것은 세션 주제에 맞춘 **도전과제** Quest 를 수행하는 프로젝트 시간인데 보통 오후 시간을 사용하지만, 오전 시간을 사용하기도 한다. 그리고 **도전과제** Quest 는 읽기와 쓰기에 연관되어 있기 때문에 오전에 **작문 시간** Writer's Wokrshop 이 진행되는 경우 **도전과제** Quest 와 관련된 글쓰기를 하는 경우가 많다. 각 시간은 지도하는 시간보다 직접 하는 시간이 많다.

8:00-8:25	자유 시간
8:25-8:45	아침 시작 토론: 녹색 깔게 위에서 원으로 모임
8:45-9:00	팀빌딩 활동: 뒷 놀이마당에서 모임
9:00-11:00	핵심 기술 시간: 읽기 또는 온라인 수학- 학생 선택
11:00-11:15	청소 및 정리 작업
11:15-11:30	그룹 토의: 각자의 학습을 반영하여
11:30-12:00	점심
12:00-12:15	식사 후 정리
12:15-12:45	자유시간 - 기계류 작업 금지
12:45-2:45	프로젝트 시간: 사업가 활동
2:45-3:00	스튜디오 정비
3:00-3:15	그룹 정리

참고: 체육과 예술은 화요일 및 목요일에 8:30-10:30에 진행 됨

어떤 활동을 할 때 가장 인상적인 점은 학생들이 이론을 배우기 보다 아래 그림처럼 활동의 큰 그림을 그려주고, 직접 하면서 배우도록 구성한다는 점이다. 예를 들면, 이번 주 '**물질의 연소**'에 대해서 배운다면 '**물질의 연소**' 다음은 '**물과 얼음**', '**모래와 흙**'이라는 과정이 차례로 나열되고, 구체적인 탐구 내용이 아래 그림처럼 전달된다. 그리고 세션 전체의 주제는 '**그리스 사람들은 왜 세계가 물, 불, 공기, 흙으로 구성되었다고 생각했을까?**'가 될 수 있다. 이 큰 그림을 그려 준 후에, 선생님은 아이들에게 오늘의 도전 과제인 '**어떤 물질이 가장 오래 탈까?**'를 제시한다.

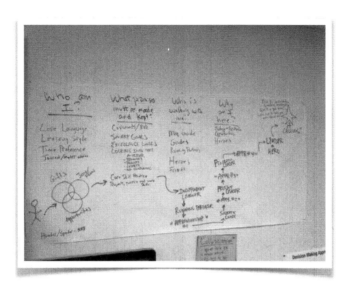

　이후 선생님은 스스로 또는 오늘의 Quest 리더에게 도전 과제 및 지시사항을 알려주고 아이들은 바로 활동으로 들어간다. 예를 들면, **여러 재료들 중에 3개만 택하게 하고 안전 지침을 읽어 준 후 그것을 가지고 안전한 장소에서 태워보고, 가장 오래 태운 팀을 고르는 식**이다. 그리고 나서, 그 주에 학생들은 **불과 관련된 책을 읽고, 불과 관련된 글을 쓰며, 불에 관한 지식을 리서치하거나, 추가로 좀 더 수준 높은 Quest 를 하면서 '그리스인들이 불에 대해 어떤 생각을 했을까?'라는 세밀한 주제를 탐구**한다. 학교에서는 이렇게 세심하게 학습 간의 연관성을 만들고 학생들이 바로 참여할 수 있는 과제를 만들어 주는 작업을 **의도적 교육** Intentional Education 이라 부른다.

　그리고 이러한 주제는 Launch 라고 불리는 아침 첫 모임인 토론 시간에서부터 다루어진다. 아침 토론 시간은 이미 이전 장들에서 설명한 **'소크라테스식 토론법'**으로 진행되며 세션이 거듭될수록 학생들이 주도해서 진행된다. 예를 들면, 그 세션의 주제를 담아서 '그리스인들의 역사, 세계관, 문화' 등이 주요 토론 주제가 되기도 하고, 학생들이 관심 있어 하는 주제나 'Learning to Be'와 관련된 태도, 성품, 동기 부여, 관계 문제 등과 관련된 주제도 정기적으로 다룬다.

그러나 모든 활동이 Quest 중심이라고 해서 일반 과목을 공부하지 않는 것은 아니다. 아침 시간의 대부분은 아래 그림과 같은 학생들이 스스로 세운 계획 (종이 또는 Journey Tracker 라는 프로그램) 을 성취하는데 사용하는데 수학, 읽기, 쓰기 등은 아이들에게 가장 맞는 컴퓨터 프로그램을 찾아서 아이들 스스로 계획을 세우도록 하고, 성취 수준에 따른 레벨을 정해 **배지 Badge** 를 주는 형식이다. 이것을 **핵심 기술 Core Skills** 이라고 부른다. **이들의 좋은 점은 성취도를 확인할 수 있고, 자기 수준에 맞게 학습할 수 있다는 점이다. 단점은 약한 부분을 다시 하도록 정교하게 구성되어 있지는 않아서 부족한 부분은 학생 스스로 별도의 책이나 과정을 통해 보완해야 한다는 점이다.**

Core Skills 컴퓨터 프로그램의 예 (일부만 기록)

- **수학**: 칸 아카데미, IXL, ALEKS, ST Math
- **읽기**: ClickN READ, Lexia, IXL
- **문법, 스펠링, 쓰기**: NoRedlnk, Typing Club, ClinckN SPELL
- **외국어**: Duolingo, Rosetta Stone
- **게임 기반 학습**: ChessKid, Codecacademy, Robo Rush 등

학습 중에 좋은 프로그램을 발견하면 가이드와 상의하고 스스로 시작하는 아이들도 있고, 컴퓨터 기반 학습이 잘 맞지 않는 아이들은 종이로 된 과정을 선택하기도 한다. 우리 둘째 아이의 경우 학습을 매우 느리게 하는 편이었기 때문에 몬테소리 기반 활동 프로그램인 Waseca 를 하고, 이후 홈스쿨링 교재를 하면서 영어가 늘었던 기억이 있다.

Joon's Session 5 Goals											
What are you Working Towards?	Program	Goal: Week 1	Actual by Week 1	Goal: Week 2	Actual by Week 2	Goal: Week 3	Actual: Week 3	Goal: Week 4	Actual: Week 4	Goal: Week 5	Actual: Week 5
Math	Khan	35%	35%	37%	39%	40%	44%	42%	45%	45%	48%
Reading	40 Books	Finish Narnia book 2	--	Finish Narnia 5	N 1 - page 98	Finish Narnia 7	Narnia Book 2 page 90		Narnia 2	Finish 2 book	Narnia 2
Writing and Communication	IXL Vocabulary	U.2	U.1	V.5	V.2	W.5	W.4	IDK 'cause W.5 is the end	FINISHED	IDK	FINISHED
	One True Sentence	Week 15	Week 13	Week 20	1 - Week 15	2-Week 5	1- Week 19	2-Week 10	2- Week 3	2-Week 15	2- Week 6
	IXL Grammar	Z.4	Z.2	AA.4	AA.2	AA.9	AA.6	BB.4	CC.1	DD.2	DD.8
	KWT	--	--	--	--	--	--	--	--	--	--
Additional (Learn-To-Be)	Servant Leader Badges										

유명한 교육학자이자 <블렌디드>라는 책을 쓴 **헤더 스테이커** Header Staker 는 연구의 일환으로 액턴 아카데미를 경험하려 방문했다. 그때 그녀는 액턴 아카데미에 반해서 캘리포니아에 동생을 통해 학교를 세웠는데 그 이야기는 설립자가 쓴 책 <성장을 위한 용기, Courage to Grow>에 다음과 같이 나와있다.

헤더 스테이커는 혁신적인 교육의 세계에 관한 전문가였다. 캘리포니어 어바인에서 고 3이었을 때, 그녀는 주정부 교육위원회에서 활동했다. 그녀는 하버드 비즈니스 스쿨에서 클레이턴 크리스텐슨 (Clayton Christensen) 에게서 배웠으며, 궁극적으로 2010년 후반 교육에서의 최신의 혁명인 온라인 학습에 대해 그리고 학교는 어떻게 학생들을 돕기 위해 기술을 활용하는지에 대해 공동으로 보고서를 쓰기 위해 클레이턴과 함께 일했다. 그 보고서를 쓰는 중에 그녀의 리서치의 일환으로, 그녀와 그녀의 동료 공동 저자인 맥 클레이턴 (Matt clayton)이 액턴 아카데미에 관해 인터뷰하려고 제프에게 전화했다. 이 전화가 몇 달 후 스테이커 가정의 텍사스 방문의 계기가 될 줄은 누구도 알지 못했다.

...

"아이들은 휴식 시간에 어떤 게임을 해야 할지 또 하지 말아야 할지 소크라테스식 토론을 하고 있었어요. 올린 손들, 잘 짜여진 생각들, 그리고 놀랍고도 조용한 긴장감... 그것은 모두 Four Square 게임 같은 사소한 것에 관한 대화였어요." 그는 계속해서 말했다. 그는 그들이 본 것을 계속해서 묘사했고 그것은 그의 기억에 또렷이 새겨져 있었다.

"몇 분간 이렇게 지속됐어요. 놀라웠죠. 나는 그룹으로 모인 아이들이 그렇게 할 능력이 있다는 것을 알지 못했어요. 나는 그 사이에 가이드로부터 매우 적은 조언이 있었고, 나머지는 학생들 간의 제안과 양보의 대화뿐이었죠. 그리고 나서 그 일은 끝났어요."

"토론 후에 가이드는 학생들을 프로젝트 시간을 위해 해산시켰죠. 저는 여기서 무엇을 기대했었는지 몰랐어요, 그렇지만 그 다음에 일어난 일은 아주 흥미로웠죠. 학생들은 조용히 일어섰고, 2명 씩 짝을 지어서 어른들로부터 약간의 간섭도 없이 (또는 압박

없이), 짝끼리 다른 위치로 이동했어요. 그보다 더 잘 연출하기는 힘들 정도로, 한 쌍은 작은 책상에 앉아서 감자 시계를 만들러 갔고, 다른 짝은 레고 마인드스톰 쪽으로 가서 그들이 프로그래밍하던 로봇에 관한 일을 계속했어요. 다른 짝은 나란히 앉아서 랩톱 컴퓨터를 열고 그들이 작업하던 프로젝트에 관한 무엇인가를 유튜브 비디오에서 찾기 시작했어요. 다른 짝은 칸 아카데미에 접속해서 수학 학습을 시작했고요. 각자는 완전히 다른 활동들을 하고 있었어요! 그리고 그것도, 조용하고, 행복하고, 자기주도적인 방법으로 말이죠."

"가이드들이요? 그들은 이 모든 것이 완전히 정상인 것처럼 행동했어요. 그들은 서 있었고 그 쇼를 그저 지켜보고 있었어요. 저는 실험복을 입고 있는 학생들도 기억나요. 실험복은 부엌의 고리에 모두 걸려 있었죠. 제 생각에 우리 기억에 각인된 세부 사항 중에 하나였는데, 이 아이들은 토마스 에디슨의 실험실을 흉내내고 있었어요!"

"그 작은 집의 모든 방이 빛으로 가득차 있었고 교육적인 선의로 아름답게 채워져 있었죠. 하지만 절도 있게 말이죠. 미스터 로저스의 이웃 (Mister Rogers' Neighborhood)의 무대 세팅 담당자들이 리얼 심플 (Real Simple) 잡지를 위해 배치 작업을 하듯이 말이죠. 글러브, 장난감 그리고 금붕어, 책들… 손수레만 빼고 모든 것들이 말이죠."

"모든 방이 그저 앉아서 배우고 싶은 그런 곳처럼 느껴졌어요. 그곳은 아이들이 하루하루를 보내기 완벽한 곳이었죠. 학교 부지의 울타리를 따라서 아이들이 그린 벽화가 있었죠. 형형색색으로, 즐거움과 행복함이 가득했어요."

평가

아마 이 학교의 가장 흥미로운 부분을 찾자면 평가가 아닐까 싶다. 나는 이미 1.2장에서 루브릭에 대해 설명한 바가 있다. 최근에 학교 학습이 수행 평가 중심으로 옮겨가면서 루브릭을 사용하려는 다양한 시도가 있다. 필자도 수전 M 브룩하트의 <루브릭 어떻게 만들고 사용할까?>라는 책의 도움을 많이 받았다. 루브릭은 원래 미국에서 작문을 평가하는데 많이 쓰였으며, 어떠한 작문에 필요한 핵심 요소들을 수준별로 나열하고 각 요소들 마다 어느 수준에 도달했는지 평가하는데 도움을 준다. 언급했듯이 변호사 시험 에세이 평가도 루브릭을 가지고 변호사들이 앉아서 채점하는 방식이다. 이러한 루브릭의 장점은 역량 중심 학습을 할 때에도 각 역량의 성취 수준을 평가하는데 도움이 된다는 점이다. 다만, 문제는 역량의 특성상 표준화 된 평가 기준을 마련하는 것이 쉽지 않다는 점이다. 3D 프린터로 상상 속의 동물을 만든다고 했을 때, 비판적 사고 능력이 높다는 기준을 어떻게 제시할지 고민해 보면 알 수 있다.

그런데, 액턴 아카데미의 경우 매우 루브릭을 재미있게 적용하는데, 언급했듯이 어떠한 활동의 큰 그림을 그려 준 후에 각각의 세부 **도전과제** Quest를 진행할 때 세계 최고의 기준이 되는 작품이나 결과물들을 보여 준 후, 학생들이 함께 우리가 만드는 결과물의 평가 요소들을 만든다는 점이다. 예를 들면, 범인을 추리하는 **도전과제** Quest 를 한 후에 추리 소설을 쓰게 된다면, 쓰기 전에 좋은 추리 소설의 예를 서로 토론하고 **최선** Excellence 을 다한 결과물은 어떤 특징을 가지게 되는지 결정해서 요소별로 평가 기준을 마련한다는 점이다. 학생들이 하기 때문에 굉장한 루브릭이 아닐 수도 있지만, 시간이 갈수록 정말 향상된 루브릭들을 가지고 활동을 하는 것을 봤다.

그리고 해당 활동이 끝난 후에 아이들은 모여서 **비평** Critique 시간을 가진다. 비평은 따뜻한 비평을 먼저 한 후에, 차가운 비평을 하게 된다. 학생들은 비평을 하며 그것을 듣고 받아들이는 연습과 다른 사람을 설득하며 말하는 연습을 동시에 하게 된다. 결과적으로 비평을 받아들여서 내 결과물을 수정하고 더 나은 결과를 낼 수 있는지가 핵심이다. 그리고 결과적으로 해당 활동을 마무리한 후에 해당 학생이 **배지** Badge 를 신청하게 되면, 학생들과 가이드로 구성된 평가단이 배지 부여 여부를 결정하는데 비평 과정을 통과하는 학생의 태도를 중요하게 생각한다.

액턴 아카데미의 미션이 커리큘럼을 관통한다고 설명한 적이 있는데, 그것을 잘 나타내는 방법이 배지 시스템이다. 배지는 **학습하는 법** How to Learn,

실행하는 법 How to Do, **그리고 존재하는 법** How to be 이라는 학교의 미션에 대해 각각 다양하게 구성되어 있으며, 각 분야별 **숙련도** Mastery 기준을 정해 이를 충족하고 정해진 숫자의 배지를 받는 경우에 다음 학년으로 올라간다. 이러한 모듈식 배지디자인과 학생에게 주어진 목표 달성에 대한 자유로 인해 학생들은 학습을 자기에 맞추고 자신의 속도에 맞춰 모든 활동을 진행할 수 있다. 학생들이 세션 동안 배지를 획득할 때 마다 축하를 받고 높은 동기 부여와 호기심을 유지한다.

전체적으로 시간을 스스로 관리하고 장기적인 목표를 설정해야 하는 요구 사항은 때때로 어렵게 느껴지지만 이러한 습관은 배지 시스템이 성취하고자 하는 가장 중요한 습관이다. 또한, 배지를 사용하면 학생과 학부모가 개별 학습을 추적하고 결과를 모니터링하기가 더 쉽다. 학교의 모든 과정은 Journey Tracker 를 통해 관리되며, 부모님이 함께 볼 수 있다. 아래는 배지 시스템을 설명하는 그림이다.

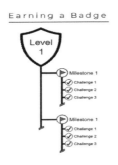

- 1번 에서 5번 심까지 5개 이상 뱃지 받으면 이동 (3가지 분야별 최소 1개)
- 최종 레벨에 다다르면 종합적인 판단을 통해 고등단계 승급
- **Character Traits:** 매 세션 (학기) 각 분야 최고의 성격을 보여준 학생 시상 (학생 추천)
- 매 세션 (학기) 6개 삶의 기둥별 큰 진보가 있는 학생에게도 시상

이 모든 과정을 관통하는 한가지 중요한 단어가 있는데 바로 **최선** Excellence 이다. 학교의 모토 중 하나는 "How you do anything is how you do everything" (작은 일을 어떻게 하느냐가 당신이 모든 일을 하는 방식이다)

이다. 학교는 절대적이거나 상대적인 점수를 측정해서 수월성을 평가하거나 학습 목표를 성취하지 않는다. 가장 중요한 것은 동료들과 협업을 해서 최선 Excellence 을 다한 결과를 내고, 그 학생을 가장 잘 아는 동료들이 그러한 우수성을 인정해 주는 것이다. 그것을 위한 일련의 질문지가 있고, 동료들의 평가 결과가 배지 수여 여부를 결정한다. 이것은 결과적으로 대학이 요구하는 성적표로 대체될 수 있고, 액턴 아카데미는 그동안 그렇게 해서 학생들을 대학에 보냈다.

무슨 일이 일어났을까?

액턴 아카데미에 다니는 동안 아이들에게는 무슨일이 일어났을까? 나는 아래 한 장면으로 모든 설명이 된다고 본다. 미국 생활 마무리 전에 나는 아이들에게 강의를 하기 위해 방문한 적이 있었다. 아침부터 학생들의 생활을 참관할 기회도 있었는데, 아래 장면은 한 아이가 '컴퓨터 게임을 해야할까?'라는 주제로 토론을 리딩하고 있는 장면이다. 아이들은 자기 의견을 너무나 표현하고 싶어했고 토론은 정말 자유롭게 진행이 되었다. 나에게는 중학생들이 스스로 모여서 아침마다 토론한다는 그 자체가 기적이었다. 나에게 이것은 한국에서 경험하기 힘든 일이었기 때문이다. '중학생들이 자기들끼리 토론을 한다니!?'

더 놀라운 일은, 내가 30분 동안 강의를 할 때 일어났다. 나는 <인프라 건설·금융 분야 변호사가 생각하는 돈이란 무엇일까?>라는 주제로 강의를 했는데, 질문을 할 때마다 답할 기회를 못 가진 아이들이 너무 아쉬워 하는 것이

었다. 내가 10년 간 했던 수많은 강의 중 가장 즐겁고 편안한 강의였다. 아이들의 생각이 표현되면 내가 그에 맞춰서 내용을 설명하고, 필요한 다른 정보들도 가미하면서 풍성한 강의가 되었다.

학교를 다니면서, 두 아이의 활동 사진이나 내용은 늘 공유가 되고 있고 어떤 프로젝트를 하는지 무슨 학습을 하는지는 모두 확인이 되었지만, 아이들이 과연 '영어를 잘 할까?', '적응은 잘 하고 있을까?' 하는 실제적인 궁금증이 커졌다. 설립자와 대화도 하고 참여도 하고 하던 중 첫째 아이가 소설을 어떻게 파느냐고 물어봤다. 이런 저런 이야기를 하던 중, 이번 세션은 우주에 관한 탐구를 하는데, **도전과제** Quest 중에 우주에 관한 글을 쓰는 게 있는데 친구랑 이야기 하다가 소설을 같이 쓰게 되었다는 것이었다.

나는 궁금해서 소설을 전달해 달라고 했다. 벌써 2권째 쓰고 있는데 1권을 공유해 주겠다고 보내준 내용이 아래와 같았다. 아이들이 자유롭게 Quest 에 대해서 이야기하고 해결책을 제시하고 함께 활동하도록 열려있는 공간에서 함께 쓴 소설. 그 내용이 너무 재밌어서 놀랐고, 아이가 영어를 하는 수준이 단시간에 너무 높아져서 놀라기도 했다. 당시 시간이 좀 더 있었으면 출판하도록 지원해 주었을텐데, 아직까지 아쉽다.

was also independent south of Joon's descendant. So the JSJ split as four. Simon II attacked the capital of Joon JSJ.

After the SIMON JSJ - JOON war, Simon JSJ took over the capital of Joon JSJ. Also, half of Joon JSJ was taken by Simon JSJ at that time. Simon JSJ's capital was Simonstown. Joon II moved the Joon JSJ capital to Joonland. Simon II renamed Simon JSJ to Simon Empire. Simon II attacked Lapocu, and after that was over, Simon II

had taken over Lapocu. Simon II's army had become the biggest and strongest army in all of Midron.

So Joon II had no choice but to attack Simon's dependence, it was a big war it waged on for 1 year until it was over. Joon's descendants had won, the only survivors were Simon II, his son Simon III, and 1000 more people. Simon's Descendants knew if they were to show their faces again they would be killed, so they ran away, the land that they had was still Simon Descendance but there was nobody there.

첫째가 가장 좋아했던 세션은 '내가 다니고 싶은 액턴을 건축하자!'를 주제로 한 세션이었다. 어린 시절부터 찰흙 놀이를 좋아해서 매일 2시간 이상 도시도 만들고 건물도 짓고 하던 아이였기에 '아이디어 만들기 (학교에 대한 생각 토론 및 글쓰기) → 측량 (주변 물건 측량, 큰 건물 크기 측량법 등) → 안전 (무게 버티는 다리 만들기 대회) → 설계 (평면도, 측면도, 조감도 그리기) → 학교 만들기'의 순서로 진행된 Quest에 엄청난 열의를 보였다. 마침 아이에게는 ES (초등) 마지막 세션이었고, 설립자도 아이가 이 분야에 재능이 있다는 것을 알았기 때문에 아이의 학교가 최고의 작품으로 선정되기를 원했었다. 그리고 부모님께 결과물

을 발표하는 날, 동료들은 이 학교를 최고의 학교로 선정해 주었고 큰 레고를 선물로 받았다. 아직도 이것은 좋은 기억으로 남아있다.

둘째에게 학교는 놀이터였던 것 같다. 공부에는 관심이 없었지만, 친구들

을 좋아했던 둘째는 정말 되지도 않는 영어를 구사했지만 늘 친구들이 많았다. 특히 인상적이었던 부분은 스파크라고 불리는 유치원 수준에서 ES라고 불리는 초등으로 올라가서 한동안 공부에 적응을 못하자, 상의해서 다시 스파크로 간 일이었다. 학년

이나 수준에 구애받지 않고 아이에게 최선을 찾는 곳이었기 때문에 이것이 가능했고, 여기서 몇 개월 더 기초 영어와 몬테소리 기반 Waseca 학습을 한 후에 초등으로 다시 올라왔다. 인상 깊었던 것은 아이가 철자를 많이 틀렸는데도 수정하지 않고 **학부모 배움 발표회** Celebration of Learning 때 전시하고 설명하도록 해 주었다는 점이다. 부모님께 보여주기 위한 전시회는 한 번도 없었고, 아이가 얼마나 자기 수준에서 **최선** Excellence 을 다했는지 평가하고 세션을 마무리하면서 배지와 성품 조약돌 등을 받았다. 마지막 떠나기 전에는 **학부모 배움 발표회** Celebration of Learning 에서 앞에 나가 질의응답도 하고, 친구들과 마지막 날에 눈물의 작별을 하는 것을 보면서 함께 하는 시간이 얼마나 중요한지, 그리고 실패하고 서툴기도 하지만 동료들이 지지해 주고 함께 결과를 만들어 갔던 경험이 얼마나 중요한지 새삼 깨달았었다.

핵심 기술 Core Skills 로 불리는 주요 과목 공부는 장단점이 있었다. 학생중에 이것이 잘 맞지 않는 경우도 있었기에 액턴 팰러타인 설립자의 경우 아이들의 선택을 존중해 주었다. 학생들마다 빠른 진급으로 상급 과정을 빨리 하고 싶어하는 경우 (상급 과정에는 리서치, 외부 활동, 과학 레포트, **견습** Apprenticeship, 코딩 등 좀 더 현실적인 과제들이 많음) 컴퓨터 기반으로 모든

과목을 마스터 하기도 했고, 꼼꼼하게 쌓아가며 공부하는 성격을 가진 친구들은 외부 학습지들을 활용해 과목별 성취를 하기도 하였다.

둘째는 여기서 중등 과정을 하다가 돌아왔는데, 고등과정도 있었다. 중등 과정을 올라가면서 **도전과제** Quest 는 좀 더 무겁고 복잡해진다. 특이점은 글쓰기에 무게가 실린다는 점이었다. 활동과 리서치들이 복합적으로 진행된다음 글을 쓰고, 그것을 동료가 수정해 주면서 최종 저널이 나오면 동료들과 공유하고 평가를 받는 방식이다. 결과물은

I. Lab-Grown Meat
   A. Hook
   B. Thesis Statement

II. What is Lab-Grown meat?
   A. What is it?
   B. The process to make them
   C. History of it

III. Why do we need them?
   A. Why do we need them?
   B. Environmental pollution by cow

IV. Are they safe?

V. Are you ethically okay?

VI. Conclusion

설명: 목차 리뷰중인 글의 예시

게시판에 붙이고 서로 스티커를 붙이면서 점수를 주고, 이러한 결과들이 모여서 배지를 받게 된다. 특히 저널을 쓰는 과정은 갑자기 훨씬 어른스러워 지는데, '(팀활동)리서치-(팀활동)목차정리-가이드리뷰 (정해진 시간에 사무실에 가서 빨간펜 리뷰)-초안완성-동료리뷰-1차완성-가이드리뷰-2차완성-게시판게재-리뷰-평가/비평'의 복잡한 과정을 반복하면서 다양한 주제를 탐구하게 된다. 이것은 **도전과제 Quest** 와 별도로 고도화 되는 과정이다. 물론 **도전과제 Quest** 의 내용이나 결과물, 보고서 작성 등의 양이나 질이 높아진다.

설명: 동료들의 수정을 받으면서 최종 레포트를 쓰는 과정

Lab-Grown Meat

Joon L.
March 30

Introduction

What if you could create meat? Well, it's possible! Lab-Grown Meat is about creating meat! It sounds like scient fiction but it's real! Lab-Grown Meat can be helpful to the environment and animals. it required a huge amount of money but it's getting easier to make, so it would come to us soon. This paper will be explaining about them.

What is Lab-Grown Meat?

What is it?

Lab-Grown Meat is also known as cultured meat. It's a technology that makes meat without killing animals. The way to make meat is to grow stem cells in a liquid that has nutrients for them to grow. This technology used to require a huge amount of money, but now it's getting cheaper. We might gonna be able to eat them soon. Now, let's discover about this interesting technology.

How to make Lab-Grown Meat?

The process to make them is to cultivate stem cells in a culture medium. The culture medium is FBS or ACF. This process takes 2~8 Weeks. However, it's much faster than actual meat, Isreal's company called Future Meat made a factory that produces 500 kilograms of meat every day. Lab-Grown Meat is about 20 times faster than normal meat to make.

History of Lab-Grown Meat

Lab-Grown Meat was invented in the early 2000s. America's upside food made meatballs that were $18000/pound in 2016. Who wants to buy one pound of meat for $18000? It was too expensive, but in 2017, the price of it dropped to $2400/pound from $18000, and many people invested in the technology. In 2019, a company called Mosa Meat made a new culture medium, and the price of Lab-Grown Meat dropped to about $100/pound. Before that was invented, people used FBS to make Lab-Grown Meat. It was quite expensive because it required a fetus of a cow, so it required killing a pregnant cow or the fetus of it, so it's really expensive and it's ethically not the right thing to do. In 2021, Company called Upside Food named the new culture media ACF. Also in 2021, Korea's company called Seawith made technology to grow Lab-Grown Meat in seaweed tissue. It made the Lab-Grown Meat's price drop to only $7.5/pound.

Why do we need them?

Do we need them?

Well, killing animals is not the right thing ethically. Lab-Grown Meat was also not ethically right before ACF was invented, but now it's ethically much better than killing.

Environmental pollution by animals?

18% of green gas in the world is occurred by the livestock industry. Gases in cow poop, fart, and burp gives a negative effect on the earth. New Zealand tried to make a fart tax because of cows but it didn't pass because the farmers were repulsed about paying the tax. Methane gas and 27KG of carbon dioxide occur to make 1KG of beef when we raise cows. So, this technology could be great for the earth.

Are Lab-Grown Meat safe?

It could be safer than normal meat and solve problems like antibiotics. Lab-Grown Meats also uses antibiotics, however, it uses much less.

To make Lab-Grown Meat, the stem cell has to be added continuously, so it requires extracting the cell from animals continuously. However, there's a cell that does not need to add continuously, but it's a kind of cancer cell, so this would be a safety problem for Lab-Grown Meat. Well this problem does not happen when we use normal cells, but it requires extracting cells from animals many times, so it could be painful to animals. Whatever of course it's much better than slaughter.

Are Lab-Grown Meat ethically okay?

It was definitely not when this technology was using FBS(Fetal Bovine Serum, explanation in History of Lab-Grown Meat section), but now, it looks completely okay ethically in human view. However, this could be wrong religiously. It could be trying to go over God's ability.

And something that's a scary and ethical problem in my opinion about Lab-Grown Meat is, that it can even create human meat. It sounds mad to do it but people are trying it.

Interesting Fact- This technology is also used in medical

This technology can be used medically. It might make human organs, and it would help many people. It doesn't need another person for the organ transplant.

Conclusion

So, what do you think? Would you eat this or not? I guess this technology would be quite helpful. There are several disadvantages to this but so far it looks like there are more advantages. This helps the environment and animals, and also supplies meat low price. I think some people would avoid this preoccupation. But I think this is a great solution for animal slaughter ethical issues and the environment. However, this sounds ethically wrong a bit. I hope you enjoyed reading this.

1.7. 학교에 영향을 준 사람들

한국에 들어와서 나는 회사를 그만 두었다. 아이들이 **액턴 아카데미** Acton Academy 의 교육을 계속 받고 싶다는 요구도 있었고, 나도 더 이상 예전의 꿈을 미루면 안 되겠다는 생각이 들었기 때문이었다. 액턴 아카데미의 경험과 함께 내가 세우고 싶은 학교에 대한 생각들도 많이 성장해 있었다. 그동안 여러가지 책과 영상들이 교육의 변화를 요구하고 있는 것을 보면서 한국에도 변화의 바람이 불겠다는 생각도 들었다. 그래서 입국 후 6개월 동안 아이들과 액턴 아카데미식 교육을 하면서 내 생각도 정리해 보기 시작했다. 미국에서의 액턴 아카데미 경험 이후 학교를 세우기 까지 내 생각에 영향을 미쳤던 사람들을 정리하면 다음과 같다.

로베르타 골린코프 Golinkoff | 최고의 교육 Becoming Brilliant

얼마 전 어떤 드라마를 소개 받은 적이 있다. 인공지능 로봇을 사고 팔 수 있는 시대에, 로봇이 인간의 감정을 느끼게 되면서 인간과 벌어지는 충돌과 화해를 다루는 이야기였다. 이 정도는 아니지만, 우리 주변에는 이미 AI라는 이름으로 인간의 영역을 대체하고 있는 보이지 않는 존재가 있다. 우리가 아무 생각없이 살아가는 매일의 삶 속에 이미 이것들은 자리를 잡고 있다. 그리고 심지어 미래학자들은 앞으로 AI가 일자리의 70% 이상을 대체하고 그것이 인간보다 더 탁월하게 일을 해낼 수 있다는 단언을 한다.

과연 이러한 시대에 우리는 어떻게 인간의 가치를 유지할 수 있을까? 우리가 지금 하는 일들을 10년 안에 로봇이 하게 된다면, 우리는 무엇을 하며 살아갈까? 어른들은 어떻게든 지금의 삶의 형태를 유지한다고 해도, 정말 이 문제를 심각하게 받아들여야 할 우리의 아이들은 어떻게 다가오는 삶의 근본적인 문제를 대해야 할까? 지금 우리 아이들이 받는 교육은 이러한 시대를 위한 충분한 준비를 하도록 해 줄까?

이런 의문에서 시작해서, 도움을 받을 책을 찾다가 발견한 것이 <최고의 교육, Becoming Brilliant> 이라는 책이었다. 이 책이 정확하게 지적하는 부분은 미래의 성공의 개념은 과거와 다르다는 점이었다. 저자는 '**현재의 교육으로는 미래의 인재들에게 요구되는 중요한 역량을 기를 수 없다**'고 단언한다. 미래의 인재에게 필요한 교육은 오히려 인간의 창의적인 잠재력을 발휘하면서도 더불어 사는 능력을 키울 수 있는 능력을 기르는 것이며, 그것은 6C 라 불리는, **협력** Collaboration, **의사소통** Communication, **콘텐츠** Contents, **비판적 사고** Critical Thinking, **창의적 혁신** Creative Innovation, **자신감** Confidence 을 단계적으로 개발하는 과정을 통해 이루어진다고 한다.

책을 읽어가면서, 놀라운 점은 어린시절 동네에서 술래잡기를 하면서, 친구들과 모여서 동네 탐험 놀이를 하면서, 친구들과 연극 공연을 준비하면서 했던 활동들이 책에서 묘사하는 교육방법과 매우 유사하다는 점이었다. 미래에 성공하는 인재는 좀 더 **협력하고 창의적이며 의사소통을 잘 하는 사람이라면, 우리가 좀 더 아이들을 놓아주고 아이들 스스로 방법을 발견해 가면서 그들 안에서 길러지는 삶으로 배우는 지식**들이 정말 아이들이 세상을 살아갈 힘이 된다는 사실을 깨닫게 된다. 우리가 기대하는 자녀들의 성공은 생각보다 가까운 곳에서 좀더 자율적인 방향으로 시작되어야 할지도 모르겠다.

역량과 각각의 발달 단계

(단계)	협력 (Collaboration)	의사소통 (Communication)	콘텐츠 (Content)	비평적 사고 (Critical Thinking)	창의적 혁신 (Creative Innovation)	자신감 (Confidence)
4	함께 만들기	공동의 이야기하기	전문성	증거 찾기	비전 품기	실패할 용기
3	주고 받기	대화하기	연관 짓기	견해 갖기	자신만의 목소리 내기	계산된 위험 감수하기
2	나란히	보여주고 말하기	폭넓고 얕은 이해	사실을 비교하기	수단과 목표 갖기	자리 확립하기
1	혼자서	감정 그대로	조기학습과 특정 상황	보는 대로 믿는	실험하기	시행착오 겪기

(출처: 최고의 교육)

105

토드 로즈 Todd Rose | 평균의 종말 The Myth of Average

우리 나라는 아직도 교육에 관해서 조차 이념의 대립이 심하다. 이미 서구 사회는 평균의 허상을 극복하고 교육의 **개개인성 Individuality** 에 집중하고 있는데 말이다. **우리가 결과의 평등이냐 기회의 평등이냐 엉뚱한 논쟁을 하고 있는 와중에도, 서구의 교육 환경은 우리가 생각하는 평등의 기준인 평균화 및 표준화 평가의 결과는 허상이라는 이론이 넓게 자리잡았다.** 즉, 평균적인 점수가 있고 그것을 성취하기 위해 모두에게 기회를 줘야 한다는 생각이나, 평균적인 점수 이상을 받은 사람에게는 더 나은 기회를 줘야 한다는 생각이나 모두 오류가 있다는 것이다. 모든 학생이 똑같이 추구할 평균적 목표가 있다는 가정 자체에 오류가 있다는 것이다.

토드 로즈는 이 상황의 배경에는 '평균적 인간'이 있다는 가정을 열심히 추구한 케틀레라는 학자와 그의 이론을 받아들인 테일러라는 학자가 있었다고 말한다. 그는 프레더릭 테일러라는 학자가 경영 시스템의 효율성에 집중한 결과 "시스템을 개개 고용인에게 맞춰서는" 안되고 모든 경영이 효율화 될 수 있도록 "평균적인 인간을 고용해야 한다"고 선언하면서, 산업계의 **표준화 Standardization** 가 시작되었다고 정리한다. 때문에 기업에서는 기업의 상황에 맞는 표준화된 정책, 계획, 절차에 따라 일하는 개개인이 "번득이는 착상에 따라 일하는 천재들로 이뤄진 조직" 보다 낫다는 이론을 펼치게 된다.

> "미국의 공장들은 테일러의 표준화 원칙을 받아들이면서 부랴부랴 작업 규칙을 게시하고 표준 작업 절차를 담은 책자를 발간하고 작업 지시 카드를 발행하는 식으로 직무 수행에 반드시 따라야 할 방식을 제시했다. 한때 창의적인 장인으로 추앙받던 근로자들은 이제 자동 인형으로 전락하고 말았다."

다음으로 토드 로즈는 학교에도 이러한 '표준화 이론'이 적용되게 한 사람으로 '테일러 주의'의 신봉자 에드워드 손다이크를 지목한다. 토드는 손다이크가 교육을 표준화 시스템화 하려는 의도에서 더 나아가 학교에서 등급화 시스템을 만들기를 독려했는데, 이는 성적 상위층 학생들이 성공할 가능성이 높다는 신념 때문이었다. 여기서 현대 교육의 비극이 시작된 것이다. **더 나은 학생을 선별해 내기 위해 만들어진 표준화된 시험이 사회의 오래된 가치와 기대 역량을 반영하지 못한다면, 게다가 한두번의 시험으로 그 사람의 성공 가능성 여부가 판단된다면, 그 사회는 몇 세대를 지나면서 어떻게 바뀔까?**

> "손다이크에게는 학교의 목표가 모든 학생을 똑같은 수준으로 교육시키는 것이 아니라 학생들을 타고난 재능 수준에 따라 분류하는 것이었다. 교육 역사상 가장 영향력 높은 인물에 들었던 사람이 교육은 학생의 실력을 변화시키는 데 할 수 있는 역할이 별로 없으며 따라서 우월한 두뇌를 타고난 학생들과 열등한 두뇌를 타고난 학생들을 구분하는 것으로 그 역할이 한정돼 있다고 믿었다니, 참으로 아이러니하다."

저자는 손다이크가 성공했다고 말한다. 마치 가축의 등급을 매기듯이 사람을 등급매기는 방식은 전 사회에 퍼져서 그러한 방식이 당연하게 만들어 버렸다. 물론, '개천에서 용 나듯이' 좋은 등급을 받는 불리한 배경 출신이 나왔다는 장점도 있었다. '표준화 시험'이 없었다면 성공할 수 없었던 많은 수재들이 서울에 입성했다. 하지만 가장 효율적이라고 생각했던 이 제도는 시작한지 불과 2~3세대만에 전 세계에서 한계에 봉착했다. 사회가 요구하는 인간의 다양한 역량과 능력을 반영하지 않는, 일차원적 평가 방식은 사회와 학교 사이에서 학생들만 소외되고 고립되게 만든 것이다. 구글 같은 유명한 기업들은 더 이상 대학 성적표를 보지 않으며 수십층의 평가 요소를 반영한다, 아이들의 선망 직업인 유튜버나 개발자는 좋은 대학이나 성적 없이 내 개인을 브랜드로 시작할 수 있다.

> "현재의 21세기 교육 시스템은 손다이크가 의도했던 그대로 운영되고 있다. 우리 아이들은 초등학교 저학년 때부터 평균적 학생에 맞춰 설계된 표준화 교육 커리큘럼 상의 수행력에 따라 분류돼 평균을 넘어서는 학생들에게는 상과 기회가 베풀어지고 뒤처지는 학생들에게는 제약과 멸시가 가해진다. 현 시대의 여러

석학, 정치인, 사회운동가 들은 우리의 교육 시스템이 망가졌다고 거듭거듭 지적하고 있지만, 실상을 들여다보면 그 지적과 정반대다. 지난 세기 동안 우리의 교육 시스템은 기름칠이 잘 돼 있는 테일러주의 기계처럼 잘 돌아가도록 개선돼 오면서 애초 구상에서의 설계 목표를 위해 가능한 한 방울까지 효율성을 모조리 짜내왔다."

그렇다면 왜 교육은 바뀌지 않을까? 저자는 사회의 시스템화를 원인으로 지적한다. 아이들은 대학에 들어가기까지 그리고 그 이후에도 획일성을 강요받으며, 막대한 비용에도 불구하고 획일적인 학위를 받는 시스템에 들어가 있다. 사회는 이러한 시스템에 **개개인성** Individuality 을 부여하는데 익숙하지 않다. 천천히 학습하는 아이들을 위해 수업 시간을 늘릴 수는 없다. 수행 중심의 평가나 결과의 질을 평가하기 위해서는 교사와 시스템 모두 희생해야한다. 학생들 각각의 길을 제시하기 위해서는 수십 명의 상담 교사를 배치해야할 수도 있다.

"이 모두를 종합해 보면 한 가지 의문이 들 수밖에 없다. 인간의 능력이 들쭉날쭉하다면 그토록 많은 심리학자, 교육가, 기업 임원이 여전히 일차원적 사고를 통해 재능을 평가하는 이유는 뭘까? 우리 대다수가 평균주의 과학에 길들여져 은연중에 개개인보다 시스템을 우선시하기 때문이다."

그러나, 저자는 대안을 세 가지 제시한다. 바로, **"학위가 아닌 자격증 수여, 성적을 실력으로 대체, 학생들에게 교육 진로의 결정권 허용하기"** 가 그것이다. 이는 아래 쓴 캐빈 케리의 <대학의 미래>라는 책의 주제와도 일맥상통한다. 이제 학생은 진정한 실력을 쌓을 수 있는 MOOC 또는 자격 과정을 온라인 또는 오프라인으로 수료하고, 진정한 실력을 입증하며, 이것은 **오픈 배지** Open Badge 와 같이 평생 증명할 수 있는 자격으로 표시된다. 그리고 공개된 수업들은 대학 진학 전 진로 선택을 위해 선수강하거나 대학 과정 중에 선택 수강할 수 있게 된다. **이 중 내게 가장 중요한 요소는 학생들의 자율권이었다.** 학생의 진로를 성취하기 위해 선택할 수 있는 다양한 방식을 제공하는 것은 내가 세우고자 하는 학교의 핵심이었기 때문이다. 과목별로 다양한 선택지 (저자가 제시한 '칸 아카데미'와 같은 자율 성취형 프로그램)를 제공하는 것, 배지를 얻기 위해 선택할 수 있는 다양한 **도전과제** Quest, 그리고 내 진로를 시험해 볼 수 있는 **견습** Apprenticeship 과정까지 내가 생각하는 학교의 핵심 가치는 '학생의 자율'이었기 때문이다. 여기에 더해 저자가 제시하는 실력의 성취는 **숙련도** Mastery 를 기준으로 성취도를 평가하고 어떤 기술의 분야를 정하고 일정 기준을 충족한 학생에게 배지를 주는 액턴 아카데미의 개념과 매우 유사하다.

존 카우치 John Couch │ 교실이 없는 시대가 온다 Rewiring Education

이 책은 강조하지 않을 수 없는 책이다. 애플의 교육 담당 부사장이었던 존 카우치의 고민의 여정은 이 책에서 공유한 나의 여정과 너무 흡사하고, 그의 질문들도 나의 것과 같았다. 이 책은 학교를 직접 운영하기 시작하면서 알게 되었는데, 내가 세우고자 하는 학교의 방향성에 대한 자신감을 불어 넣어준 책이다. 우선 존 카우치는 토드 로즈에게 무한한 공감을 표현한다. 그리고 그의 핵심 교육 개념을 다음과 같이 설명한다.

> "테일러, 손다이크, 그리고 그 추종자들에게는 어떤 일을 하든 항상 '최선책'이 있었다. 여기서 벗어나는 건 결국 생산성을 낮춰 더 큰 낭비를 불러올 터였다. 그리고 그 최선책은 표준화를 의미했다. 교사들은 갑자기 새로운 훈련을 시작했다. 이제 교사는 학생의 실력 향상정도가 아니라 특정한 시험을 통과하는 학생 수를 책임져야 했다. 올바른 교육 방법과 잘못된 교육 방법이 있었고, 올바른 방법으로 가르치지 않으면 해고되었다. 학생들은 각자의 능력과 무관하게 똑같은 내용을, 똑같은 방식으로, 똑같은 속도로 배웠다. 이 효율성 모델에 평균의 학생이 어떤 나이에 어떤 방식으로 수학을 배울 수 있다고 되어 있으면 정확히 그렇게 되어야 했다. 이런 발상에서 나온, 불평등은 타고나는 것이라는 생각이 미국의 산업혁명 후기 단계에 학교를 재정의해서 교육 시스템을 완전히 표준화하기 시작했고, 이것이 오늘날까지 지속되고

있다.

이제 산업혁명 이후 한 세기가 지났다. 정치인, 학교 행정가 등은 해마다 더 엄격하게 교육하고 모든 아이들에게 동등한 학습 기회를 제공해야 한다고 주장한다. 하지만 여전히 표준화 모델이 우리의 교육을 지배하고 있는 것이 현실이다. 우리는 유치원부터 고등학교까지, 교실의 모든 학생이 재능, 선호, 강점, 약점 또는 배경과 무관하게 '학년 수준'에 이르도록 가르칠 것을 교사에게 기대한다. 그래서 결국에는 내가 수십 년 전에 했던 것과 똑같은 교육 게임을 익힌 암기자가 성공하기 십상이다.

그렇다면 이를 어떻게 바꿔야 할까? 쉽지 않겠지만, 우리 내부로부터 시작한 다음 외부로 나아가야 한다고 생각한다. 다시 말해 기술을 이용하기 전에 심리를 이해해야 한다. 우리의 신념을 교육 시스템 또는 개혁 또는 땜질용 패치에 담기 전에, 우리 아이들에게 심어주어야 한다. 모든 아이들이 배워서 성공할 수 있음을 알고 믿어야 한다. 끝없는 평가와 책임 정책으로 인한 압박감 때문에, 많은 교사가 알게 모르게 과거의 테일러주의자처럼 학습에 어려움을 겪는 학생들을 '그저 이해력이 떨어지는' 아이로 치부해버린다. 어려움을 겪는 학생을 대하는 이런 태도는 무관심해서가 아니다. 생존을 위해서이거나, 안타깝지만 진도를 계속 나가야 한다는 사실을 정당화하는 방어기제이거나, 학급 전체가 뒤쳐질 위험이 있어서! 이는 표준화된 교육 시스템의 가장 큰 결함이다. 표준화된 교육 시스템은 시간표를 만들어 개별 학생이 아닌 학급에 보조를 맞춰 학습을 진행한다. 하지만 학급은 개인이 아니어서 가르칠 수 없고, 또 배울 수도 없다. 학급에 있는 개별 학생들만이 학습하고 성공을 거둘 수 있다. 교육의 회로를 새로 바꾸는 일에 성공하려면 다른 무엇보다 학생 개인에, 그런 다음 학습법, 교수법, 그리고 적절한 기술의 이용에 초점을 맞춰야 한다.

우리는 시스템을 바꿀 수 없으며 사람들을 바꿀 수 있을 뿐이다. 그런 다음 사람들이 협력해 시스템을 변화시켜야 한다. 하지만 우리가 가진 가장 강력한 무기는 우리 자신을 변화시킬 수 있는 능력이다. **정말로 모든 아이가 학습해서 성공을 거둘 잠재력을**

가지고 있다고 믿는지 스스로 묻는 것부터 시작해야 한다. 내심 믿지 않는다면, 아무리 개혁을 추진한다 한들 의미가 없으며, 아무리 기술이 있다 한들 도움이 되지 않을 것이기 때문이다. 내가 스티브 잡스나 다른 특출한 리더들과 함께 일하면서 배운 게 하나 있다면, 변화는 언제나 안에서부터 시작해 바깥으로 뻗어나간다는 것이다. 일단 우리가 마음속 깊이 믿으면, 아이들도 자신을 믿기 시작하고, 그래서 아이들이 자기 안에 있는 줄도 몰랐던 잠재력을 끌어내는 데 도움이 될 것이다."

존 카우치의 구체적인 교육 개혁 방식은 '도전 기반 학습'에서 이미 설명하였으므로 생략한다.

우피 엘백 Uffe Elbæk │ 케오스필롯 Kaospilot

전혀 서로를 알지 못했지만, 서로 너무나 유사한 생각을 한 혁신적인 교육자들이 있다. 액턴 아카데미를 거쳐 <천천히 아름다운 학교>를 세우기까지 알게된 세 명의 사람들인 **우피 엘백 Uffe Elbæk, 제프 센더퍼 Jeff Sandefer, 존 카우치 John Couch** 가 그들이다. 이들은 서로 다른 방식으로 접근했지만, 방향은 하나였다. 바로 **가르치는 것이 아닌 배우는 것에 집중한다는 점, 학생들이 스스로 가진 힘을 믿고 그것을 이끌어 내는데 집중했다는 점, 학생들 개개인의 특성을 이끌어내 온전한 인간 Whole Person 으로 성장시킨다는 점, 창업가 정신과 개개인의 창의성에 집중했다는 점, 실제 삶과 접목된 현실적인 프로젝트로 실제 세계의 학습을 요구했다는 점, 학생들이 실제 현실과의 접목점을 찾아 실천하도록 독려했다는 점** 등이 그것이다. 이들은 각자 자신의 지향점을 한 단어로 표현하지는 않았지만, 종합해 한 단어로 표현해 보자면 최근 유행하고 있는 **도전 기반 학습 Challenge Based Learning, CBL** 이라고 할 수 있다.

우피 엘백은 덴마크의 정치인이자, 사회 활동가, 작가, 저널리스트, 창업가였다. 그는 37세에 케오스필롯 Kaospilot 을 만들었고, 후에 덴마크 문화부 장관을 역임했다. 덴마크어인 Kaospilot 을 영어로 하면 Chaos Pilot 으로 '혼란을 조정하는 사람들' 이라는 뜻이다. 이 학교는 3년 과정으로 비즈니스와 디자인을 접목한 학교로 기본 프로그램으로 학생 본연의 특성을 발현하도록 한 후, 여기에 리더쉽과 사업가 정신을 더하는 것을 목적으로 한다. 학교 홈페이지는 학교를 이렇게 소개한다.

> "Kaospilot 교육은 우리 주변의 실제 사람들과 실제 도전과 함께 작업하는 현실 기반 교육입니다. 이것은 팀 기반 교육으로, 동적 환경에서 동료들과 협력하여 학습하고 작업합니다. 교육 과정에서 프로젝트 포트폴리오를 개발하고, 관련 기술을 습득하고, 탄탄한 작업 경험을 쌓고, 미래를 위한 네트워크를 구축합니다. 즉, 졸업하기도 전에 이미 업무 준비가 되어 있습니다."

이 학교에 지원할 사람들은 다음 네 가지에서 준비되어 있어야 한다.
- 급변하는 세상에서 실제적인 조직, 도전 과제와 함께 작업하기
- 전문성에 대한 도전뿐만 아니라 스스로에 대한 도전을 받는 것
- 자신의 장점을 탐색하고 기술을 개발하기
- 세계에 변화를 주는 것

이 학교는 스스로를 **기업화 리더 프로그램** Enterprising Leadership Program 으로 부른다. 그 특성에 맞게 졸업후 많은 사람들이 창업을 하거나, 혁신가를 필요로 하는 기업이나 기관으로 진출한다. 이 기관은 사람들이 배우고, 창조하고, 이끌게 만드는 것이 무엇인지 계속해서 발견하려고 한다. 학교에 대해 이미 많은 설명을 해서 구체적인 내용은 생략한다.

케빈 캐리 Kevin Carey | 대학의 미래 The End of College

<대학의 미래>는 교육 연구자이자 작가인 **케빈 캐리** Kevin Carey 의 책이다. 이 책은 전통적인 대학 학위가 더 이상 좋은 교육을 받기 위한 최선의 방법이 아니라고 주장한다. 캐리는 전통적인 대학의 쇠퇴에 기여하는 요인으로 등록금 인상, 대학 졸업생의 임금 정체, 고품질 온라인 교육의 가용성을 꼽는다. 그는 전통적인 대학 학위는 더 이상 좋은 교육을 받기 위한 최선의 방법이 아

니라고 주장한다. '개방형 접근', '역량 기반 학습', '평생 학습'에 기반을 둔 새로운 고등 교육 모델이 필요하다는 것이다. 이 새로운 모델은 더 저렴하고, 더 유연하며, 오늘날 학생들의 요구에 더 적합하다.

캐리는 "어디서나 닿을 수 있는 대학 University of Everywhere"이라고 부르는 새로운 고등 교육 모델을 제안한다. 이 모델은 온라인 플랫폼에 기반을 둔 교육이 대학의 기능을 대체하면서, 대학 입학, 대학 생활, 학습 및 평가의 모든 방식이 변화할 것을 예측하고 있다. 유명한 대학들은 전 세계에서 해당 대학 과정 무료 수강을 통해 **오픈 배지 Open Badge**를 받은 고등학생 중에 특출난 아이들을 선별할 수 있고, 대학은 더 작고 소수의 학생을 대상으로 하는 강의에 특화된 플랫폼을 가지며, 교육은 배움의 증거를 축적해서 인증을 받는 형식으로 변화되어 **오픈 배지 Open Badge**와 같은 공공 인증을 받게 된다. 단순히 어떤 대학을 나왔다는 것이 아닌, 실질적인 전문성을 어떻게 습득했는지 플랫폼으로 확인할 수 있기 때문에 학업은 더욱 깊은 연구를 요구한다.

특히 캐리는 대학이 '종교 조직'처럼 평생 교육을 추구해야 한다고 생각한다. 단순히 4년 간 가르친 기초 지식들로 이 시대에 더 중요해진 인문 교육을 완성할 수는 없다는 것이다. 실무형 지식을 공부하는 데는 2년 정도면 충분할 수 있지만, AI와 같은 지능형 기계가 인간을 대체하게 되면 인간의 본질을 교육하는 학문이 평생 학습의 개념으로 지속되어야 한다는 것이다. 이를 위해 '종교 조직'처럼 반복되는 교육을 통해 '커다란 지식의 개요, 지식의 기초 원리, 지식의 구성 요소들의 규모, 지식의 명암, 강점과 약점'을 항상 추구하는 상태로 만들어야 한다는 것이다.

따라서, 캐리는 MIT에서 제공하는 '생물학 입문' 수업을 온라인으로 수강하고 온라인에서 제공하는 이 모델이 더 저렴하고, 더 유연하며, 오늘날 평생 학습자들의 요구에 더 적합하다고 주장한다. 그리고 이러한 모델의 주요한 예로 '미네르바 대학'을 소개한다. 입학생 수를 제한하는 물리적 학교 구조로 확장성을 막은 하버드나 예일 같은 대학과 달리 확장성을 가진 플랫폼을 가지고, 학교가 서 있는 지역에 제한되지 않은, 양질의 교육을 더 많은 학생에게 할 수 있는 시스템은 오히려 비용이 더 싸다는 것이다. 대학은 SAT 점수를 기준으로 학생을 뽑지 않으며, 특별한 재능을 가진 다른 대학이 고르지 않은 학생을 뽑는 것을 선호한다. 그리고 이 학생들은 온라인 세미나를 통해서 만나며, 세계 각국에서 독특한 재능을 가진 사람들의 팀과 협력해 과제를 수행해 간다.

이 책에서 내가 인사이트를 얻은 부분은 중·고등학교도 대학 교육의 연장선상에 있으며 아이들의 관심사에 따라서 어떤 부분은 중학교 나이 때 대학 교육에까지 연장할 수 있다는 점이었다. 따라서, **무크 MOOC** 로 불리는 오픈 코스들은 아이들에게 좋은 교육 과정이 될 수 있고, **이것을 통해 받는 증명서 또는 오픈 배지 Open Badge 는 대학 준비 뿐만 아니라 평생 학습자로서의 준비 과정이 될 수 있다. 액턴 아카데미에서도 중·고등 과정에 무크 MOOC 를 선택할 수 있는데 이를 <천천히 아름다운 학교>에서도 적용하게 되었다.**

염재호 태재대학 총장

대학을 다닐 때 나는 염재호 교수님의 수업을 매우 좋아했다. 학생들이 생각하게 만드는 수업을 했기에 수업내내 즐거움이 있었다. 특히 교양 수업에서 베낄 수 없는 재미있는 주제로 글을 쓰도록 하는 중간 및 기말 시험 문제를 내고 밖으로 나가시는 독특한 방식은 지금도 기억이 남는다.

교수님의 교육에 대한 접근법은 유튜브와 각종 강의로 유명해졌다. 저서 '개척하는 지성'의 내용도 한결같이 산업구조의 변화에 따른 교육의 변화 그리고 학생 스스로의 변화를 강조한다. 이제 대학은 대기업에 입사하는 도구가 아니라 현실의 도전을 극복해 가는 실제적인 지식을 키우는 공간이 되어야 한다는 그의 주장은 이 책의 모든 주장과 결이 같다.

제프 & 로라 센더퍼 Sandefers | 액턴 아카데미 Acton Academy

이 책은 온통 이 두사람에 대한 이야기이다. 때문에 구체적인 내용은 생략하겠다.

1.8. 약현성당에서 발견한 보물

나는 정동을 좋아한다. 1998년도부터 수백 번은 방문했다. 조선시대 성종의 형 월산대군의 저택에서 시작된 덕수궁은 임진왜란 중에도 재난을 피하고 남아 왕의 임시 거처인 행궁이 되었다. 이후 '경운궁'으로 정식 이름이 붙여진 덕수궁은 조선 말기 치욕의 역사를 당하고 있었으나, 동시에 이 지역은 근대화의 중심지로 불리기도 했다. 조선시대 외교관들이 머물 수 있도록 지정한 이 지역이 강대국들의 외교 전장이 되면서, 고종의 '아관파천'과 이후 여러 나라의 외교 공관이 모여 조선 침탈의 각축전을 벌이는 곳이 되었다. 그러나 동시에 이 지역의 '치외법권'적인 성격 때문에 캐나다와 미국의 선교사들이 들어와 자유롭게 활동하는 곳이 되기도 한 것이다. 그들이 먼저 시작한 것이 교육과 의료 사업이었고 이것은 일본의 식민지 교육 정책과 긴장 관계를 형성한다.

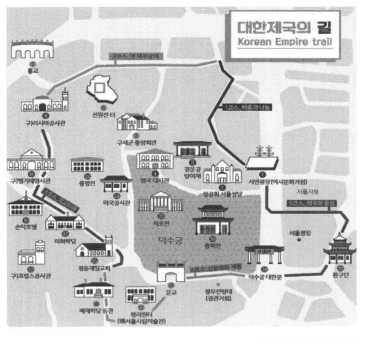

(출처: 서울미디어메이트)

그러한 긴박한 와중에도 어찌보면 일본식 교육보다 더 일찍 '근대화' 교육을 실시한 것은 미국 선교사들이었고 '테일러 주의'라고 토드 로즈가 비판했던 평균화 교육방식이 그 주된 방법이었다. 이러한 교육방식의 효율성은 우리

가 모두 경험해 보았다. 서대문 성벽에서 구걸하던 '별단이'를 교육시켜 정동의 여성병원인 '보구여관'에서 일하게 만들 만큼 체계적이고 실용적인 시스템이었다. 근대식 교육은 시스템안에 들어오면 누구나 더 나은 교육의 기회를 줄 수 있었기에 눈치 빠른 남녀들은 너도나도 '배재학당'과 '이화학당'에 들어와 신교육을 받았다. 왼쪽 사진처럼 지금도 배재학당 박물관 건물 앞에는 '신교육의 발상지'라는 큰 비석이 세워져 있다.

"한국에서 가장 강력한 교육적 · 도덕적 · 지적 영향을 미쳐 왔고, 또한 현재까지도 미치고 있는 기관은 배재학당이다. … 이에는 한문 고전(古典)과 셰필드(Sheffield)의 만국역사(萬國歷史)를 가르치는 한문-국문과가 있고, 소규모의 신학과(神學科)와 독법(讀法) · 문법 · 작문 · 철자법 · 역사 · 지리 · 수학 및 화학과 자연철학을 가르치는 영문과가 있다."
"이러한 교과목 외에도 배재학당에서는 체육시간에 서양식 운동인 야구 · 축구 · 정구 · 농구 등도 소개하였다. 또 특별활동 시간에는 연설회 · 토론회 등도 장려하였다. 그리하여 교내 변론회(辯論會)를 조직하고 시국 문제를 토론하는 것이 마치 기성인들이 독립협회에서 활동하던 양상과도 같았다. … 배재학당의 수업료는 매월 3량이었고, 학비가 없는 학생에게는 일자리를 주어 자신의 힘으로 벌게 하여 자립정신을 길러 주려고 하였다. 도강(都講: 학

기말 시험)은 매년 2차로 정하고 성적 평가는 100점 만점으로 하였다. 공과점표(工課點票: 성적표)는 직접 학부형이나 보호자에게 보냈다" (출처: 한국민족문화대백과사전)

　의도하지 않은 교육 환경의 변화는 당시 백성들에게는 혼란이었을 것이다. 신분과 상관없이 학교에서 받아 준다는 사실과 예전에 서당에서 가르치지 않던 과목들을 배운다는 사실은 부모들, 특히 출세를 준비하던 양반 가문 집에서는 받아들이기 힘든 사실이었을 것이다. 마치 현대에 학교 수업을 영어 토론 방식으로 진행하고, 대입 시험은 3차의 토론을 통해 교수와 전문가 들이 점수를 주고, 모든 국가 사람들에게 무비자로 초·중·고등학교 유학을 오픈하는 정책 정도의 충격이지 않았을까? 때문에 세상이 바뀌지 않을 것이라 생각했던 많은 양반 가문 자제들은 서당을 다니며 출세 준비를 했고, 각 지방의 뜻 있는 학생들과 의식이 깨어 있는 부모들 정도만 이런 신교육을 받기위해 서울로 왔다. 이제 곧 신교육을 받은 사람들이 출세하고 사회를 이끌어나가게 될 환경을 많은 부모들과 학생들은 깨닫지 못하고 있었다.

정동 배재어린이공원의 항일독립운동여성상 (당시 배재학당 지하에는 출판사가 있어 독립신문을 인쇄하는 등 식민지 초기 정동의 교육기관들은 독립운동을 지원하였다.)

　당시 서양에서는 '테일러 주의'의 평균적인 산업사회 일꾼을 만드는 시스템을 구축중이었지만, 산업화를 시작하지도 않은 우리나라의 격변기에 근대식 교육은 근대 지식을 치열하게 탐구하는 지식인을 낳는 좋은 결과가 있었고, 근대사의 리더라고 불리는 많은 사람들이 정동을 거쳐가게 된다. 어찌보면 당시의 신교육은 현대 교육의 모습과는 다르게 사회에 변화를 일으키고, 새로운 세대를 생산하는 중요한 역할을 한 것이다. 이곳은 교육자와 학생 모두 새로운 길을 찾고자 하는 열망이 낳은 신비한 공간이었다. 하지만, 정동에서의 교육이 학생들의 높은 의식 수준을 기반으로 스스로 참여하고 행동하는 방식이었던 것에 비해 차츰 현대식 교육은 일제의 교육 정책과 국가 교육정책으로 인해 빠르게 표준화하게 된다. 불과 몇십 년 안에 이제는 모두 새로운 시대에 적응하는 방법을 알게 되었고 모두 신식 교육을 받고 경쟁적인 시험에서 합격해 좋은 대학에 들어가는 루트를 따르게 된 것이다.

내가 정동을 거닐 때면 늘 교육이 가야할 다음 방향을 고민하게 된 것도, 첫 시대 학생들의 역동성과 자기 주도성을 어떻게 살릴 수 있을까 하는 생각 때문이었다. 그러던 어느날 나는 산책길을 늘려 서소문 근처에 가게 되었다. 당시 숙소가 그 근처이기도 했다. 서소문에는 가톨릭 순교 성지가 있다. 그리고 조금 더 가면 조선에서 첫 번째로 지어진 성당인 '약현성당'이 있다. 조불수호통상조약 이후에 서소문 순교지가 보이는 언덕에 지은 성당이다. 이 성당은 너무 아름답게 지어져서 드라마에도 여러 번 나왔다. 나는 처음 방문한 이후 산책길을 늘려 여기까지 꼭 방문하곤 했다.

그러던 어느날 나는 가보지 않았던 성당의 뒷문을 갈 기회가 있었다. 거기서 나는 어린 시절 예수를 묘사한 작품을 만난다. 내가 세 번째쯤 이곳을 방문했을 때 내게는 새로운 깨달음이 왔다. **"예수 시대의 교육은 어떠했을까?" "어떻게 변변치 않은 교육으로 칭송받는 성인으로 성장할 수 있었을까?"**에 대한 답이 바로 앞에 있었던 것이다. 그는 로마 식민지하의 일반 가정에서 자랐고, 성장 과정에 대한 기록이 많지 않으나 회당에서 율법서 교육 정도를 받았으리라 추측된다. 다만 성경에 나와 있듯 어린 시절 예루살렘을 방문해서 학자들과 토론을 했다는 점에서 많은 생각과 대화를 했음을 알 수 있다. 그러한 대화와 생각의 배경은 어디였을까? 바로 위 사진에 나온 아버지의 작업장 그리고 아버지의 사업인 목수 생활이었다.

어찌 보면 예수는 최초의 '도전 기반 학습' 성공 사례라고 볼 수 있었다. 재료를 구매하면서, 고객을 만나면서, 마을 주민들의 니즈를 발견하면서, 목수 일을 배우면서, 물건 가격을 정하면서, 건축을 도와주면서, 노동을 하면서, 고객의 집에서, 시장에서, 이방인들이 많았던 나사렛지역에서 사람들과의 만남에서 얼마나 많은 것을 묻고 대답하고 생각했는지 성경에 그 결과물들이 있다. 특히 그가 든 많은 예시가 사업과 관련된 것도 돈을 벌었을 때 그것을 어떻게 사용하는지 다시 투자하는지, 이자를 남기는지, 아니면 어디 저장해 두는지 사람들의 행동을 보면서 알게된 것이 아닐까? 당시 다양한 민족들과 언어가 혼재한 곳에서 일상에서 실제적으로 언어를 배우고, 이방인들이 무시받는 환경에서 이들의 삶과 애환을 직접 경험하고 생각하면서 성장하지 않았을까? 아버지를 따라 웅장한 근처 데가볼리의 로마식 도시와 연극장을 방문하면서 헬라 문화와 사고 방식 그리고 건축술을 배우지 않았을까? 그의 삶은 온통 도전으로 가득차 있었고, 모든 것을 질문하고 토론하면서 세상이 감당하지 못할 깊이를 얻었으리라 추측할 수 있다. 그날 나는 내가 세울 학교의 로고를 바로 이 장면 (목재를 들고 있는 예수)으로 정했다.

2. 학교 풍경, 운영의 기록들

지난 1년간 학교를 운영하면서 나는 매일 수업 내용을 홈페이지에 올렸다. 학교에 대해 생각해 왔던 것과 실제 운영하는 것은 정말 큰 차이가 난다. 매번 **의도적 교육** Intentional Education 이 가능하도록 학생들이 몰입할 환경을 짜야 했고, 이것은 우리의 삶과 밀접한 연관성을 가진 손에 만져지는 결과물을 만들어 내야 했다. 돌아보면 짧은 기간이지만, 그 안에 담긴 내용은 학교의 철학과 방향을 잘 담아낸 보물들이다. 홈페이지에 올렸던 매일매일의 내용들을 그대로 담아보겠다.

2.1. 학교를 세우다!

학교 공간

아침에 두 히어로가 끙끙 대면서 고장 난 학용품을 조립하고 있었습니다. 일반적인 학교에서는 공부시간에 할 수 없는 행동이지만 <천천히 아름다운 학교>(천아학교)는 학습시간에 자유가 있습니다. 공부하는 자리, 내가 공부할 과목 모두 스스로 세운 목표 안에서 자유롭게 선택할 수 있습니다. 교육 공간은 학습자에게 많은 의미를 부여합니다. **특히 그 공간이 학습자에게 어떤 자유를 부여하느냐가 중요합니다. 이제 한 자리에 앉아서 하루 종일 수업을 듣고, 화장실에 가도 되는지 물어야 하는 경직된 교실은 바뀌어야 합니다.** <교실이 없는 시대가 온다, Rewiring Education>의 존 카우치가 제시한 것처럼 학습 공간은 '모닥불형'의 자유로운 전달공간, '물웅덩이형'의 개인 간 소통공간, '동굴형'의 개인 학습 공간, '산꼭대기형'의 체험 공간이 공존해야 합니다.

오늘 2명의 히어로는 30분간 물웅덩이에 모여서 어떻게 하면 이것을 다시 정상적인 상태로 돌려놓을지 고민하고 성공했습니다. 이것은 21세기 문제해결 방식 중의 하나이며, 자유가 주어지지 않았다면 경험하지 못했을 귀중한 배움입니다. 학용품 조립에 성공한 이후 두 히어로는 오늘 학습 계획 달성 모드로 급격히 전환해서 동굴로 들어갔습니다.

실패할 수 있는 자유

학생들에게 '실패할 수 있는 자유'를 주는 곳은 학교여야 합니다. 어느날 토론 시간 저는 **"나는 얼마나 실패하고 있을까?"**라는 질문을 했습니다. 요즘 실패한 것에 대해 나눠 보았는데요. 요리, 향로 만들기, 집에서 침대에 블라인드를 만들려다 실패한 것 등이 나왔습니다. 이런 실패를 했을 때 어떤 생각이 드는지 물었습니다. 한 히어로는 되도록이면 실패하지 않는 방향으로 가고 싶다고 했습니다. 다른 히어로는 내가 못해서 그런 것이고, 다음 번에는 잘하는 것을 선택해서 하면 된다는 생각이었습니다. 이어서 지난 세션에 손으로 만든 금동대향로를 함께 봤습니다. 원하는 모양을 만들어낸 히어로도 있었고 아닌 히어로도 있었습니다. 하지만 우리는 이것을 함께 전시하기로 했습니다. 이유는 실패한 것을 볼 때 더 많은 생각을 하게 되고, 자신을 더 깊이 성찰할 수 있으며, 실패할 수 있는 문화를 만들 수 있기 때문입니다. 히어로들은 결과물에 대한 다양한 생각을 나눴습니다.

또 한번은 미국의 재벌이 아이에게 콘퍼런스 표를 판매하게 하는 장면으로 토론을 했습니다. 영상은 '아이들이 스스로 할 수 있는 주체성을 기르는 것'이 핵심이라고 짚었습니다. 이것에 대한 의견을 묻자 히어로들은 또 다른 중요한 점으로 실패하지만 한 번 성공한 것으로 모든 실패가 실패가 아니었다고 정의해 주는 아버지의 행동을 꼽았습니다. 사람들로부터 거부당하는 것과 세상에 대한 두려움을 깨고 스스로 세상을 향해 나가는 용기는 어린 시절부터 길러져야 합니다. 때문에 공부뿐만 아니라 모든 분야에서 실패해 보는 것은 정말 중요합니다. <천아학교>의 중요한 가치를 배우는 시간이었습니다.

배움의 원칙

많은 사람들이 배움의 기본 원칙을 정의하려고 했습니다. 여러 배움의 법칙들이 다양한 교육 환경에서 21세기를 위한 교육 목표로 사용되었지만, 기존의 교육 체계에 자연스럽게 녹아들지 못했습니다.

예를 들면, **존재를 위한 학습** Learning to Be 을 위해 학교는 전인 교육을 주장했지만, 이미 학교는 조직화된 공적 시스템 안에서 한 사람 한 사람의 감정, 관계, 심리적인 부분까지 케어한다는 것이 익숙하지 않은 환경이 되었습니다. 존재를 위한 학습이라는 것은 한 사람 한 사람을 돌아보는 교육 방법인데, 산업화의 인력을 생산해 내는 표준화된 교육 환경에는 어울리지 않는 단어였습니다. 한 교실의 한 책상에서 하루 종일 앉아있는 것은 아이들의 개성과 특성을 반영하지 못하는 환경이고, 지금도 여전히 그렇습니다.

실행을 위한 학습 Learning to Do 또는 활동 중심 수업도 학교 조직과 맞지 않았습니다. 아이들이 현실 세계를 체험하고, 다양한 현실 환경에 맞닥뜨릴 수 있게 하는 교육은 여전히 우리 교육의 모습과는 멉니다. 여전히 5지 선다형 문제의 정답을 맞혀야만 대학에 가는 시대에 우리는 살고 있습니다. 비현실적이지요. 점수가 높은 사람이 이 시대가 필요한 **역량** Compentency 을 가졌다고 장담할 수 있을까요?

2013년에 OECD 는 21세기에 필요한 핵심 기술들을 발표했습니다. 새로운 시대에 필요한 능력은 무엇일까요? 100년 전과 같은 현재의 커리큘럼에 따른 최고의 시험 점수를 받은 사람을 의미하지는 않겠죠? OECD는 4가지 능력을 발표했는데요. **비판적 사고 능력** Critical Thinking, **창의력** Creativity, **의사소통** Communication, **협력** Collaboration 입니다. 책상에 앉아서 문제를 맞추는 공부만 해서는 좀처럼 얻기 힘든 능력들이지요. 이러한 새로운 핵심기술을 가르치는 교육을 위해 많은 교육 기관들이 생겨나게 되었습니다. 하지만 대부분의 교육 기관들은 대학 이후의 교육을 다룹니다. 우리 나라에서 초·중·고등학교 수준에서 혁신적인 교육이 일어나기는 매우 힘든 상황입니다.

OECD: 21세기 필요 기술

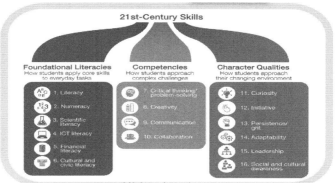

이에 <천천히 아름다운 학교> 는 '**도전 기반 학습** Challenge Based Learning'을 원칙으로 삼아, 자유로운 공간에서 도전과 실패를 통해 배우는 현실과 맞닿은 교육을 시작하고자 합니다. <천아학교>는 다음과 같은 특징이 있습니다.

- 학년이 없는 대신 과목별 (learning, doing, being 분야) **5단계를 성취**하면 교사와 학생이 함께 평가해 초중고 단계를 졸업할 수 있습니다.
- **주요 과목(Core Skill)**은 자기가 정한 목표에 따라 컴퓨터 프로그램을 통해 배웁니다. 학생들은 다른 학습 방식 (책, 학습지) 등을 선택할 수 있습니다.
- **손으로 직접 경험하는 (hands-on)** 공부 방식을 적용합니다. 모든 과제는 의도적으로 (Intentionally) 현실에 가깝게 조직되고 팀으로 활동하도록 구성됩니다.
- **도전 기반 학습 (Challenge Based Learning)**을 통해 실제 삶의 중요한 주제들을 경험을 통해 배우고 체화된 지식(암묵지)의 습득을 추구합니다.

- **소크라테스식 토론**으로 내가 알고 있는 것이 참인지 확인합니다.
- **자본주의를 배웁니다.** 최신 경영 이론을 직접 학교 조직에 적용합니다. 1년에 2번 비즈니스 대회에서 직접 만든 상품을 팝니다. 비즈니스 교육이 정기적으로 시행됩니다.
- **삶의 6 가지 기둥** (영적&예술적, 감정적, 관계적, 육체적, 재정적, 전문적 기둥) 을 강조합니다.
- 동료와 문제를 공유하고, **커뮤니케이션**을 통해 해결하는 방식을 가르칩니다. 학생들은 서로 간의 태도 및 성품(Being)을 중요하게 생각하며, 이를 정기적으로 평가하고 피드백을 줍니다.
- 학생들 스스로 규칙을 정하고, **자치 (Self-governance)**를 하며, 회의를 통해 의견을 수렴합니다.

교육 내용

학교는 다음과 같은 기존 학교에서 사용하지 않은 언어들을 씁니다. 특별히, 학생은 '히어로'로 불리며, 각 팀은 '종족'으로 불립니다. 히어로들은 입학하면서 '영웅의 여행'으로 초대받고, 이 여행의 과정을 서로에게 공유하게 됩니다. 모든 학습은 '**소크라테스식 토론 Socratic Discussion**', '**핵심 기술 Core Skills**', 그리고 '**도전 과제 Quest**' 로 이루어지며 많은 경우 작문으로 마무리 됩니다. 학습 상황은 '**학습 이정표 Jorney Tracker**' 에 기록되고, 부모님께 상시 공유됩니다.

천천히 아름다운 학교 - 새로운 언어들

- **HERO'S JOURNEY** (영웅의 여행)
- **HERO**
- 종족
- **CORE SKILLS** (핵심 기술)
- **QUEST** (탐구/프로젝트)
- **JOURNEY TRACKER** (학습 이정표)
- **LAUNCH** (생각모임)
- **SOCRATIC DISCUSSION** (소크라테스식 토론)

우리 학교의 히어로들은 "학습하는 법 배우기 Learn How to Learn, 실행하는 법 배우기 Learn How to Do, 그리고 존재하는 법 배우기 Learn How to Be 를 통해 소명 Calling 을 발견하고 세상을 바꾸는 사람"입니다.

첫 번째 요소 **LEARNING TO LEARN** (배움의 과정에 집중)	Learning to LEARN 은 우리가 더 나은 결정을 할 수 있게 해주는 재료들, 과정 그리고 논리 등을 배우고, 더 나아가 **비판적 사고의 습관** (habits of critical thinking)을 키웁니다. • 목표 설정 & 시간 관리 • 복기와 평가 • Talk-Play- Love 의 러닝 툴 학습 • 비판적 사고, 창의적 사고, 효과적인 의사소통, 효과적인 상호작용 습관화
두 번째 요소 **LEARNING TO DO** (배움의 기술&학문의 영역)	Learning to DO 는 훌륭한 결과를 이뤄내기 위한 실제 환경에서의 **실제적인 의사결정**을 다룹니다. • 업무 실습 (Apprenticeships) • 프로젝트 팀 단위 과제 수행 • 비즈니스 실무 및 재무 업무 수행 • 제품 생산 / 발명의 시연 • 직접 경험(Hands-on)을 통한 세상의 발견

그러나 위 두가지 요소는 궁극적으로 아래 세 번째 요소를 위한 것입니다. 영웅의 여정은 이러한 학습의 과정과 실습 과정을 통해 히어로들이 어떻게 그 **태도와 인격 그리고 감정**을 성장시키고 인생의 방향을 바꾸느냐가 중요합니다.

세 번째 요소 **LEARNING TO BE** (인격 & 감정과 삶의 태도)	우리는 히어로들이 성공적인 삶을 산 이후에 다음과 같은 질문에 답하는 것을 상상합니다. • 나는 의미있는 일에 헌신했는가? • 나는 선한 삶을 살았는가? • 나는 누구를 사랑했고, 누가 나를 사랑했었는가?

그리고 궁극적으로, <천아학교> 교육의 목표는 '배움이 태도와 인격 그리고 감정을 성장시키고 인생의 방향을 바꾸는 것'입니다. 학교에서는 역할 놀이나 연극 놀이를 자주 합니다. 특히 **존재를 위한 학습 Learning to Be 의 핵심 요소는 상상하기입니다.** 정기적으로 눈을 감고 생각해 보는 시간을 가지는데요. 예를들면, 어떤 날 히어로들은 모두 학교를 졸업하고 , 대학 공부를 하고, 직장에 가고, 결혼을 하고, 자녀를 키우고, 퇴직을 하고 노년이 되었을 때를 상상해 보았습니다. 그리고 저는 동료 할아버지가 되어서 질문했습니다. "A 씨는 어떤 직업을 가졌나요? 사는 동안 어떤 의미 있는 일을 했나요? 선한 삶

을 살았나요? 누구를 사랑했나요? 그리고 누가 A 씨를 사랑했나요?" 질문을 주고 받았습니다. 아직 어린 학생들이 노년의 나는 어떨지 생각해 내기 힘들지만 모두 지금의 삶의 태도가 어떤 결과를 낼지 열심히 고민해 봅니다. 우리가 교육을 통해 지식이나 기술보다도 삶에 대한 태도, 인격, 감정을 바꿀 수 있다면, 어떤 시대에도 빛나는 삶을 살 수 있다고 확신합니다.

또 하나의 중요한 내용은 동기 부여입니다. 정기적으로 히어로들은 동기 부여에 관한 질문을 받습니다. 하루는 **"나에게 주어진 것으로, 나는 무엇을 하고 있나요?"** 라는 질문을 했습니다. 히어로들은 우선 나에게 주어진 것이 무엇인지 서로 이야기해 보았습니다. 한 히어로는 나는 빨리 터득하고, 집중력이 좋다고 했습니다. 옆에 있는 히어로에게 이 히어로를 어떻게 평가하는지 물으니 생각이 깊다는 대답을 했습니다. 다른 히어로는 나는 일을 두루 잘한다, 활동이 많다는 점을 나에게 주어진 장점으로 발표했습니다. 그러면 이것을 가지고 나는 무엇을 하고 있는지 물었습니다. 특별히 최근 유명한 지나영 교수의 표현처럼 나는 어떤 'Service'를 하고 있는지 물었습니다. 어떤 히어로는 블로그에 글쓰기, 가족에게 요리해 주기를 꼽았습니다. 다른 히어로는 내가 흥미 있는 분야의 유튜브 영상 만들기, 사람들에게 블로그로 내가 아는 지식 알리기를 꼽았습니다. 우리는 <천아학교>의 비전이 이러한 내적동기에 대한 질문과 동일하다는 이야기를 했습니다. 우리는 Learning to Learn, Learning to Do, Learning to Be를 통해 소명을 발견하고, 세상을 변화시키기 원한다는 점을 늘 강조합니다. 이제 공유할 <천아학교> 일상을 통해서 구체적으로 이 내용들을 소개하고자 합니다.

2.2.소크라테스식 토론

<천천히 아름다운 학교>에서는 아침마다 소크라테스식 토론 시간을 가진다. 우리는 이 시간을 생각모임 시간이라고 부른다. 소크라테스식 토론의 가장 좋은 예는 1.5장(69p.)에 나온 토론이다. 이번 장에는 생각 모임을 했던 기록들을 모아봤다.

생각모임 1

오늘은 새로 온 히어로들이 소크라테스식 토론법을 본격적으로 연습해 보는 날입니다. 질문을 던지고, 그 질문에 예 또는 아니오 대답을 한 후, 명확하고 간결하게 왜 그렇게 생각했는지 답하는 연습을 합니다. 그리고 다른 히어로는 대답한 히어로의 생각에 동의 또는 비동의를 표현한 후 자신의 의견을 말합니다. 질문은 **"인간은 화성에 가야 할까?"**였습니다. 정말 활발한 토론이었습니다. 가야 하는 경우는 지구의 환경오염, 새로운 가능성 탐사 등의 이유를, 갈 필요가 없다는 쪽에서는 지구는 우리의 집, 빈부 격차로 화성에 가는 사람이 갈리는 경우 등 매우 생산적인 답변을 내줬습니다. 생각보다 너무 잘해서 깜짝 놀랐네요. 퍼실리테이터인 저는 중간에서 '예를 들면 어떤 것이 있나요? 증거가 있나요? 어떤 이유로 그렇게 얘기했죠?' 등으로 조정을 하면 됩니다. 매우 열띤 토론이었습니다.

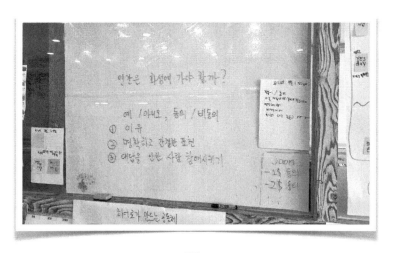

생각모임 2

　오늘은 전통적인 소크라테스 질문인 기찻길 문제를 가지고 질문을 했습니다. 기차가 오는지 모르고 일하는 두 무리의 사람 중 누구를 살릴지의 문제인데요. 유명한 마이크 센델 교수님도 했던 그 강의 내용대로 질문을 해 봤습니다. 소크라테스식 질문법의 핵심은 예와 아니오가 갈리는 질문을 한 후 답을 듣고, 질문의 전제들을 변경해 가면서 추가 의견을 듣고 이에 대한 찬성 또는 반대 의견을 통해 생각을 확장해 가도록 하는 것입니다. 이는 로스쿨의 전형적인 수업 방식이기도 하고 의학, 법학 등 전문 영역에서 많이 사용하는 답을 찾아가는 방식이기도 합니다. 히어로들은 사람을 죽이는 선택이라는 어려운 질문 내용 때문인지 오늘은 많이 의견을 내지 못했습니다. 다만 이 질문의 핵심인 누구의 생명을 포기할 것인가에 대한 고민은 공동의 답을 냈습니다. 그 결론이 어떠한 생각의 과정을 통해 나왔는지 살펴보는 중요한 시간이었습니다.

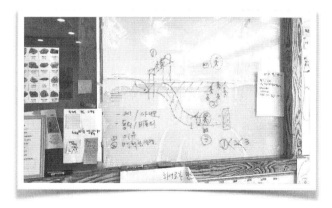

생각모임 3

　이번주 히어로들은 현충원 방문을 준비하고 있습니다. 바로 애국지사 한 분을 선택해서 소설을 써야 하기 때문입니다. 오늘은 현재 살아계시는 독립운동가 분의 인터뷰를 보고 그분이 젊은이들에게 요청하신 '나라를 지키세요!'의 의미를 알아보았습니다. 질문은 **"나라를 지킨다는 것은?"** 이었습니다. 넓은 의미에서 나라를 지킨다는 것의 의미와 현대를 사는 우리에게 나라를 지키는 것의 의미를 소크라테스식 토론으로 진행해 봤습니다. 소크라테스 토론의 기본은 '동의하나요?', '좀 더 자세히 설명해 줄래요?', '만약 이러이러하다면 어떨까요?', '예를 들어볼래요?' 등의 질문을 시의적절하게 하는 것입니다. 의견의 전제를 깨는 질문이나, 명확하지 않은 생각을 구체화하는 과정을 통해 사고의 범위를 확장하는 것이 목표입니다.

생각모임 4

오늘부터 정리 생각모임을 합니다. 원래 '액턴 아카데미'에서는 매일 하는 것인데요. 적응기 동안 하지 않다가 시작했습니다. 질문은 **"학습을 위해서 '재미'를 쫓는 것이 좋은가 '어려운 것'을 하는 것이 좋은가?"** 였습니다. 당연하게도 '재미'라는 답이 있었고, 두 가지가 다 필요하다고 하는 히어로가 있습니다. 그러면 '어려운 것'은 무엇인지 질문하니 어려운 토론, 하기 싫은 것, 글쓰기라는 답변이 나왔습니다. 그러면 이것을 하기 위해서 어떤 도구가 필요한지 물었습니다. 경쟁이나 대가(특별한 대우)라는 답이 나왔습니다. 질문을 바꿔서, ' 영웅은 자신을 희생해서 다른 사람을 구하거나 돕는 사람인데, 이들은 다른 사람들이 하기 싫은 일을 한다. 그런데, 이들은 경쟁이나 대가를 바라지 않고 하는데 왜 그럴까?'라는 질문을 했습니다. 답은 '영웅이니까!' 였습니다. 영웅이라도 '동기가 필요하지 않을까?'라는 질문에, 가치가 있어서 라는 답이 나왔습니다. "우리도 어려운 것을 할 때 가치를 부여하고, **최선 Excellence**을 다 할 수 있을까?"라는 질문으로 여운을 남겼습니다.

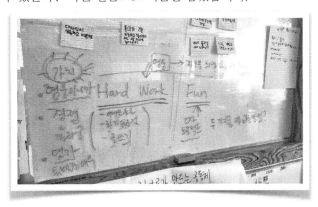

생각모임 5

오늘 마무리 생각모임은 영어로 진행되었습니다. 액턴 아카데미 경험이 있는 히어로들은 최선을 다해 영어로 토론을 진행했습니다. 주제는 **"어떻게 파레토 법칙의 큰 돌 Big Rock (중요한 일) 에 시간을 쓰고 있는지 확인할 수 있는가?"** 였습니다. 히어로들은 규칙적으로 확인하기, Big Rock 리스트 쓰기, 친구와 서로 체크하기 등의 의견을 냈습니다.

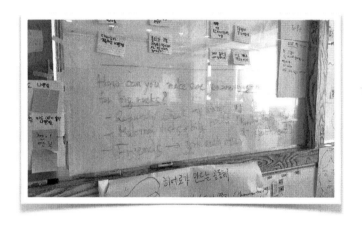

생각모임 6 (스피치 세션)

오늘은 중국 어린이의 스피치를 봤습니다. 정말 좋은 내용입니다. 부모님의 통제가 아이들이 스스로 선택하고 실패할 경험까지 막고, 결국 아이들이 성인이 돼서도 좌절하게 만든다는 내용을 어린이가 발표했습니다. 놀랍게도 완전히 동일한 내용이 미국의 액턴 아카데미의 핵심 가치였습니다. 아이들이 자유롭게 선택하고 실패하는 자유를 줄 때, 아이들은 놀랍게 성장하고 그 안에서 자신의 인생을 찾아갈 수 있다는 것입니다. 오늘의 질문은 **"부모님이나 선생님의 통제가 필요할까요?"** 였습니다. 히어로들은 자녀들의 생활 관리와 미성숙한 부분을 관리해 주는 것은 필요하다는 입장이었습니다. 그리고 통제의 범위는 사람마다 다 다르다는 생각입니다. 그러나 통제가 필요 없을 때에도 통제하면 안 된다는 입장도 있었습니다. 즉, 스스로 할 수 있을 때에도 통제하거나 특히 화내거나 혼내는 방식으로 하면 안 된다는 입장입니다. 더 나아가 실패해도 큰 문제가 없을 때 통제하지 않아야 한다는 생각이었습니다. 그럼 큰 문제가 무엇인지 묻자, 상황이나 환경마다 다 다르지만 보통 범죄가 아니라면 실패를 용인해야 한다는 입장입니다. 그럼 만약 아이들의 행동이 우정이나, 사랑 같이 중요한 가치를 잃어버리는 것이면 어떻냐는 질문에. 그래도 그것도 실패를 통해 얼마나 중요한지 배울 수 있다는 대답을 했습니다.

생각모임 7

오늘은 "How do you decide (when you choose) what book to read next?"를 주제로 영어 토론을 했습니다. 큰 카테고리로 fun 이냐 growth 냐를 놓고 어떤 책을 선정하는지 물었는데, 한 히어로는 fun을 강조해서 재미있는 동화 같은 이야기가 아직도 좋다고 합니다. 다른 히어로는 fun과 growth 둘 다를 추구하며, 참고자료나 소설 등을 읽는데 fun이나 growth 중 먼저 추구하는 것보다 양쪽이 조금씩 있는 상태에서 책을 찾는다고 했습니다. 내일은 아침 토론 후 도서관에 가서 Core Skills를 한 후 탐정훈련에 필요한 책을 찾습니다.

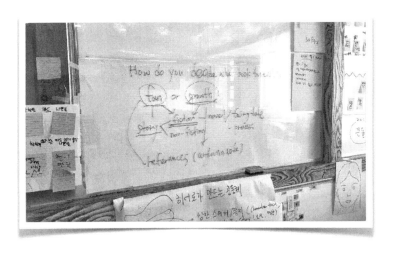

생각모임 8 (스피치 세션)

오늘 아침은 폴란드의 한 어린이가 "Power of Reading"에 대한 강연을 했습니다. 강연은 짧았지만, 전자기기에 빠져있지 말고 우리를 진정한 미래로 이끄는 책을 읽자는 강력한 메시지였습니다. 그리고 바로 토론의 주제로 들어갔는데, 오늘은 **"책을 종이로 읽는 것과 화면으로 읽는 것 중 어느 것이 효과적일까?"**였습니다. 첫 의견은 '비슷하다'였습니다. 주로 종이로만 공부했던 저희 세대와는 다르게 화면이 친숙한 히어로들입니다. 화면이 눈이 아프다, 종이도 아프다 의견이 갈렸지만 일단 비슷하다는 의견입니다. 그러면 종이책과 전자책의 장단점은 무엇일지 물었습니다. 종이책을 좋아하는 히어로는, 종이책은 만질 수 있고 종이의 느낌, 냄새, 촉감이 더 몰입하게 해 준다고 했습니다. 그리고 여러 페이지를 동시에 볼 수 있다는 장점도 나왔습니다. 전자책은 한 화면만 봐야 하지만, 읽은 지점을 표시할 수 있다는 장점이 나왔습니다. 여행 갈 때 편하다는 의견도 나왔습니다. 토론 후 오늘은 도서관에서 Core Skills를 하기로 했습니다. 출발!

생각모임 9 (스피치 세션)

오늘은 아프리카 어린이가 축구를 통해 배운 팀웍의 중요성에 대해 연설하는 것을 봤습니다. 평범한 스토리에서 아주 중요한 진리를 공유했는데요, 가족도 학교도 모두 팀웍으로 만들어져 간다는 사실입니다. 우선 팀웍을 '같이 하나의 목표를 향해 가는 것'이라고 정의한 후 **팀을 구성할 때 각자의 역할을 어떻게 정하나? 만약 역할이 맞지 않는다면 어떻게 하나?**라는 주제로 토론했습니다. 히어로들은 역할을 정할 때는 팀원의 의견을 수렴해야 한다고 했습니다. 그러면 개인의 의견이 다수의 의견과 다르거나, 내가 보는 내 성격이나 특성이 다른 사람이 보는 것과 다를 때 어떻게 해야 하는지 물었습니다. 예를 들면, 축구에서 골키퍼를 하면 안 되는 친구가 자꾸 하겠다고 하는 경우를 들었습니다. 이때 설득이 필요하다는 의견이었습니다. 축구를 할 때의 예를 들며 설득에 대한 이야기를 더 해봤습니다. 그리고 '역할이 맞지 않을 때는 어떻게 해야 하는가?'에 대해서 친구들에게 의견을 제시한다고 했습니다. 그러나 의견을 조정해 주는 사람이 없을 때는 회의 등을 통해 알리고, 공적으로 처리해야 한다고 했습니다. 그러면서 액턴 아카데미의 경험을 나누는 시간을 가졌습니다. 그리고 오랜만에 앞에 스피치 박스에 서서 팀웍의 중요성에 대한 스피치를 해 봤는데요. 전혀 준비되지 않았는데도, 함께 토론한 내용을 기초로 좋은 스피치를 해 줬습니다.

생각모임 10 (스피치 세션)

오늘은 미국 노스캐롤라이나 주의 한 아이의 스피치를 봤습니다. 내용은 우리가 먹는 음식의 유통 시스템에 대한 문제제기와 로컬 유기농 음식을 먹는 것에 대한 것이었습니다. 생소한 이야기여서 함께 내용을 정리해 봤습니다. 음식 유통에서 가장 큰 문제는 점점 먼 지역에서 음식이 오다 보니, 어떤 보존제를 넣었는지 또 음식에 영향을 미칠 수 있는 지역의 정보에 대해 알기 힘들다는 것이었습니다. 히어로들은 학생의 생각에 동의했습니다. 특별히 한 히어로는 요즘 텃밭에서 농사를 짓고 있기 때문에, 로컬 푸드에 대한 관심이 많았습니다. 이후 소크라테스식 질문을 했는데요? **"방사능 때문에 소금을 사 두는 것이 좋을까?"**였습니다. 히어로들은 모두 '그렇다'라고 답했습니다. 뉴스나 사회 분위기 때문에 비싸게 물건을 파는 경우나, 확인되지 않은 소문이 도는 경우는 어떨까 물었습니다. 히어로들은 과장이나 물건을 팔기 위한 것이라면 문제이지만, 지금처럼 확실히 방사능이 확인된 경우에는 어떻게 될지 모르기 때문에 대비하는 것이 낫다는 의견이었습니다.

생각모임 11

오늘 마지막 생각모임은 존경에 대한 생각을 나눴습니다. 서로 존경할 때 나타나는 현상은 충성, 연락하기 등이었습니다. 그런데 우리가 고민하고자 하는 존중은 하고 싶지 않을 때도 상대를 존중하는 것이었습니다. 조건을 바꾸자 대답이 줄었습니다. 계속해서 존중하고 싶지 않을 때도 존중해야하는 상황을 설명하자, 상대방을 듣고 존중하고 기다린다 등의 답이 나왔습니다. 그리고 나를 통제하고 도와준다 등의 대답이 나왔습니다. 그리고 그러한 존중의 결과는 다른 사람도 나를 존중하고, 평화가 오고, 공동체가 세워지고, 협력하게 된다는 것이었습니다.

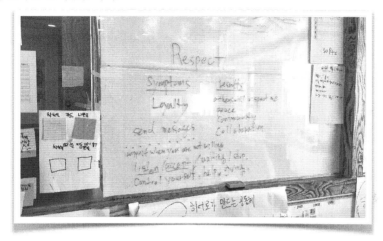

생각모임 12 (스피치 세션)

오늘 아침은 아주 중요한 연설을 들었습니다. 한 어린이가 자신의 경험을 나누면서, **'성장형 사고방식 Growth Mindset'**과 **'고정형 사고방식 Fixed Mindset'**을 공유했습니다. 연설을 듣고 오늘은 연설 내용에 집중해서 질문을 했습니다. **"나는 성장형 사고방식을 가지고 있나, 아니면 고정형 사고방식을 가지고 있나?"** 우선 두 가지 사고방식을 비교해 봤습니다. 성장형 사고방식은 힘든 일을 도전적으로 받아들이고, 포기하지 않으며, 비판으로 부터 그리고 다른 사람으로부터 배웁니다. 그러나, 고정형 사고방식은 비판을 받아들이지 않으며, 배우려 하지 않고, 나는 잘났거나 못났기 때문에 더 노력할 필요가 없다고 생각하고, 도전을 두려워합니다. 영상을 다시 보며 하나하나 정리한 후 각자 어디에 속하는지 하나씩 봤습니다. 모두 양쪽의 사고방식을 다 가지고 있다는 이야기를 했습니다. 때문에, 오늘의 질문은 **"어떻게 하면 성장형 사고방식을 가질 수 있을까?"**였습니다. 이미 영상에서 너무 좋은 답이 나와서 바로 답변이 나왔습니다. 답은 "YET"이었습니다. 고정형 사고방식으로 생각할 때마다, '그렇지만 무엇무엇 (긍정적인 면) 때문에 노력할 수 있어'라고 자신을 설득하는 것입니다. 부정적인 생각의 예를 들고 하나씩 자신을 설득해 보는 시간을 가졌습니다.

생각모임 13 (스피치 세션)

오늘은 케냐의 조슈아라는 학생의 강연을 들었습니다. 우리의 DNA를 보면 다른 생물들과 큰 차이가 없이 약간의 차이로 인간이 되었는데, 그렇다면 우리가 다른 생물과 다르게 하는 것은 무엇인지 이야기했습니다. 바로 '나 하나 없어도 세상은 돌아가는데'라는 생각이 아닌, 우리에게 무엇이 필요할지 질문하고 공동체를 구성해 가는 능력이 우리를 인간이 되게 한다는 내용입니다. 히어로들은 매우 감명을 받았는데, 무엇보다 이 학생의 표현 능력과 자신감을 칭찬했습니다. 이 학생은 케냐에서 스스로 학교에서 Ted를 만들고, 발표회를 가진 아주 총명한 학생이었습니다. 바로 질문으로 들어갔습니다. "Innovators are born or made?" 한 히어로는 made 라고 답했고, 다른 히어로는 둘 다라고 답했습니다. 둘 다인 이유는, 이 학생처럼 케냐에서 태어나면 그 환경 때문에 더 많은 것을 변화시키고 만들고 싶을 거라고 했습니다. 그렇지만, 그 스스로 열심히 했기에 새로운 일들을 개척하는 사람이 되었을 거라고도 했습니다. 다른 히어로는 아마도 자연을 사랑하기 때문에 이렇게 자연에 대한 설명을 할 수 있다는 이야기를 했습니다. 다음 질문은, "What makes you different?" 였습니다. 이러한 차이를 만들게 되는 원인에 대해서 물었습니다. 노력을 하게 되는 계기에 대한 질문입니다. 자존감이 높거나, 환경이 좋을 것 같다는 'born'에 관한 이야기도 나왔지만, 아마도 '계속해서 의도적으로 다른 사람들과 다르게 생각하지 않았을까?' 하는 'made'에 대한 대답도 나왔습니다.

생각모임 14

오늘 질문은 "Do you love yourself?" 였습니다. '예', '아니요', '아마도' 세 가지 대답 중에 '예'일 경우는 증거를, '아니요'일 경우 이유를, '아마도'일 경우 설명을 하는 방식이었습니다. 한 히어로는 '예'라고 답했습니다.

증거는, 자기는 늘 자기 자신과 대화를 하는데 서로를 칭찬해 준다는 겁니다. 그리고 내가 뭘 원하는지 물어보고 원하는 것을 찾으면 구매하거나 요구한다고 했습니다. 매우 건강하네요. 다른 히어로로는 '아마도'였습니다. 때마다 다르다고 했습니다. ′아니요′라고 대답하는 경우는 사람들이 어떻게 생각하는지 고민할 때라고 합니다. ′예′라고 대답하는 경우는, 내가 어떤 것을 너무 잘 알고 있을 때나 가끔씩 어떤 일을 위해 태어난 사람이라는 생각을 할 때 라고 합니다.

생각모임 15

오늘은 **"문제를 대하는 나의 태도는? 직면한다 또는 회피한다?"**라는 질문을 했습니다. 히어로 중에는 무슨 말인지 잘 모르겠다는 히어로와 회피하지만 가끔은 직면하려고 노력한다는 답변도 나왔습니다. 우선 '문제'라는 것은 사회적, 개인적, 관계적 문제들인데 이것은 일상의 문제들이라고 전제 했습니다. 그리고 요즘 어떤 문제들이 있는지 물었고 4개 정도가 나왔습니다. 이것들에 대해서 히어로들은 어떻게 대처하는지 물었는데, 대부분 적극적으로 대응하지는 않는다는 답변이 나왔습니다. 문제의 원인을 직접 대면하려는 노력(예, 어떤 학생이 빨대를 사용하지 않도록 하는 캠페인을 벌이고, 단체를 만들어 전 세계 어린이들이 함께하는 조직을 만든 예)을 하려면 무엇이 필요한지 묻자 '용기'가 필요하다고 답했습니다. 그러한 용기는 어떻게 생기는지 묻자, 히어로들은 동기부여가 필요하다, 자극이 필요하다 등의 대답을 했습니다. 여기서 문제를 직면할 때 어떻게 해결하는지 예를 들도록 했습니다. 그리고 이것은 어렵지 않은 경우가 대부분임을 설명했습니다. 그러자 히어로들은 주변에 문제를 회피하지 않는 사람들은 적극적이고 자기를 사랑하고 긍정적인 사람인 것 같다고 이야기했고, 어제 배웠던 성장하는 마음가짐에서 처럼 'Yet'을 사용해서 '그러나 나는 이렇게 하고 싶다'는 긍정적인 생각을 해야겠다는 이야기도 나왔습니다.

생각모임 16

오늘의 토론 주제는, "'사람들이 어떻게 생각할까?'와 '사람들이 고마워하지 않을까?' 이 두 질문의 차이는 무엇일까?"였습니다. 히어로들은 첫 번째는 사람들의 생각에만 집중하고, 자신감이 없는 행동이라고 했습니다. 그리고 두 번째 질문은 사람들이 고마워하는 일, 사람들을 행복하게 하는 일을 하려는 질문이고, 자신감이 있다는 대답이었습니다. 더 나아가 질문이 집중하는 대상이 나인지 다른 사람인지에 대한 의견을 나누고, 어떤 경우에 더 동기부여가 되는지 물었습니다. 그리고 최근에 하기 싫은 일을 나누고, 이것에 적용해 보는 시간을 가졌습니다. 사람들이 고마워할 것을 상상하면서 행동하면 이타적인 마음이 극대화돼서 하고자 하는 동기가 부여된다는 중요한 포인트를 배웠습니다. 마지막으로 최근에 배운 동기 부여의 두 가지 방법을 정리했는데요. 하나는 성장하는 사고방식으로 부정적인 생각이 들어도, 'Yet' 즉, '그러나' 이 일은 이런이런 면에서 나에게 도움이 된다는 이유 만들기. 또 하나는 오늘 배운, '이타적인 마음으로 이유찾기'였습니다.

생각모임 17 (스피치 세션)

오늘은 새로운 친구들이 왔습니다. 학교에 대한 소개와 토론의 중요성 그리고 토론을 위한 약속을 확인하고, 짧은 클립을 봤습니다. 오늘은 학교에서 왕따였지만 외로운 학생들을 위한 벤치를 만들어서 유명해진 한 호주 학생의 연설입니다. 학생은 자신의 경험을 통해 누구라도 변화를 만들어 낼 수 있다는 자신감을 주고자 했습니다. 영상을 본 뒤 토론했습니다. 특히 그동안 히어로들이 만든 루브릭으로 이 학생의 발표를 평가해 봤는데요. 권위나 감정적 동조가 되지 않는 스피치 (눈을 보지 않고, 계속 읽는 모습) 였지만 그 내용의 설득력에 대해서 모두 공감했습니다. 오늘의 질문은 **"우리는 세상을 변화시킬 수 있을까?"**였습니다. 간단한 규칙은 질문에 예 또는 아니오 답변을 한 후 설명을 하고, 다른 친구는 앞 친구의 의견에 동의 또는 비동의 의사를 표현하고 이유를 말하는 것입니다. 영상을 봐서 그런지 모두 '예'라고 답변했습니다. 영상에 나온 아이처럼 작은 아이디어가 크게 퍼지면 된다는 설명이었습니다. 다른 히어로도 마을계획단이나 마을에 표지판을 세우는 등 작은 일이라도 하면 된다고 동의했습니다. 그러나 세상에 대한 정의를 우리나라 전체로 바꾸자 생각이 조금 달라졌습니다. 세상을 바꿀 가능성이 반반이라는 의견도 있었습니다. 그러나 다른 히어로가 유럽 같은 곳은 화장실이 무료가 아닌데 벤치를 만든 학생처럼 간이 화장실을 세우는 사업을 하면 큰 영향을 미칠 수 있다는 의견을 냈습니다. 빌게이츠의 아프리카 화장실 지원 이야기도 나왔습니다. 히어로들의 아이디어가 넘칩니다.

생각모임 18 (스피치 연습)

오늘 아침은 새로 온 히어로들과 기존 히어로들이 금요일 배움발표회 스케줄에 맞추기 위해 생각모임 때 특별한 시간을 가졌습니다. 우선 "기후변화는 우리에게 당장 큰 문제이다"는 내용에 대한 의견을 나눴습니다. 히어로들은 모두 그렇다는 답변이었습니다. 히어로들이 다양하게 생각하게 하기 위해 그렇지 않다는 측의 주장도 들려주었으나, 모두 의견을 바꾸지 않았습니다. 이유로는 '봄과 가을이 사라지는 것 같다', '계절에 따라 바뀌는 삶의 패턴이 바뀐다', '물이 마르고 생명에 지장을 준다', '뉴스에서 나왔다' 등이 있었습니다. 빈약한 주장에는 '근거가 무엇인가요?, 예를 들어볼까요?' 라는 질문을 했는데, 대부분 기후변화에 대한 많은 이야기를 했습니다. 그리고 나서 **어떻게 기후변화를 막을까?**라는 질문에 대중교통을 이용한다는 대답이 나왔습니다.

토론을 짧게 마치고 그레타 툰베리의 유엔 연설을 함께 봤습니다. 짧은 시간에 연설의 3요소인 Ethos (신뢰), Pathos (감정), Logos (논리)를 배우기 위해서 인데요. 연설을 보고 연설에 대한 생각을 작은 포스트잇에 써서 3요소 중 하나에 붙이는 활동이었습니다. 정말 격정적인 연설이었기 때문에, 의견이 많이 나왔습니다. 감정적인 연설이기 때문에 Pathos에 대한 의견 (열정적, 극적인 표현, 강력한 호소), Logos에 대한 의견 (설득력, 논리로 설득, 정확한 근거, 과학적 근거)이 많았습니다. 감정과 논리를 극한으로 올려 신뢰가 낮아질 위험을 무릅쓴 연설이었기에, Ethos에 대한 부정적인 의견이 있었습니다. '더 친절하게 말하면 좋겠다', '아직 해결책이 없어서 일 수도 있다', '막연히 말만 하는 것은 어른들에게 떠넘기는 것이다' 등의 신뢰에 대한 부정적 의견이 있었습니다. 각각의 의견을 분리하면서 자연스럽게 이 3가지 요소를 배운 히어로들은 툰베리가 되어서 이 연설을 처음 준비할 때 고려할 사항을 하나씩 봤습니다. 짧은 시간이었지만 연설에 대한 깊은 공부를 했습니다.

생각모임 19

오늘은 히어로들이 열띤 토론을 벌인 **"우리에게 리더가 필요할까?"**라는 주제로 토론했습니다. 이렇게 뜨거운 토론이 되리라 예상 못했는데, 모두 할 말이 많았습니다. 모두 본인의 초·중등 학교 경험을 토대로 발언했는데요. 리더가 필요하다는 쪽에서는, 리더가 있어야지 의견을 모으고 전달하기 편하다는 의견을 냈습니다. 그러자 반대하는 히어로가, 본인 경험으로 리더가 마음대로 하면, 의견도 모으지 못하고 자기 친한 사람만 챙겨주고 모두가 힘들다는 의견을 냈습니다. 또 다른 히어로는 부작용이 있더라도 사람들의 의견을 모으고 모아진 의견대로 실행하기 위해서는 누군가 리더가 돼야 한다는 의견이었습니다. 이에 동의하는 히어로는 리더가 있어야 책임감 있게 일을 할 수 있다고 했습니다. 그렇지만 생각을 바꿔서 리더에게 책임지라는 사람들이 많아지면 어떡하냐는 의견에는, 공동체 의식을 가지고 함께 하는 게 필요하다는 의견이었습니다. 정말 팽팽했습니다. 마지막으로 한 히어로는 한 사람에게 모든 힘이 집중될 필요가 없고, 학급의 모든 일은 나눠서 하면 되고 분쟁이 있으면 서로 합의하면 된다는 의견이었습니다. 이렇게 폭발적인 반응으로 뜨거운 토론이 마무리되었습니다. 시간 때문에 끊어야 해서 아쉬웠네요.

생각모임 20

오늘 마지막 생각모임은 연역적 사고와 귀납적 사고의 차이를 확인해 봤습니다. 먼저 둘 사이의 차이를 설명하는 영상을 보고, 셜록 홈즈의 놀라운 추리력을 보여주는 영상을 봤습니다. 그리고 **"귀납적 추리가 항상 옳을까?"**에 대해 질문했습니다. 모두 그렇지 않다는 대답을 했습니다. 히어로들은 귀납적 추리가 항상 진실에 기반하지는 않는다는 생각을 했습니다. 셜록 홈즈의 생각 중에 너무 추측에 기반한 피상적인 생각이 있을 수 있다는 생각이었습니다. 첫 의견이 너무 좋아서 히어로들이 모두 동의했습니다. 그러면, 진실에 더 가까이 가기 위해 필요한 것을 물었습니다. 증거인데, 점들을 이어주는 증거여야 된다는 의견이 나왔습니다. 그러면 증거가 진실에 가깝게 해주는 도구는 무엇인지 물었는데, 고민을 너무 오래하네요. 과학은 어떤지 묻자, 그제야 '아~' 합니다. 과학, 지식, 경험 등이 귀납적 추론에 도구가 된다는 이야기를 하면서 마무리했습니다. 그러나 틀릴 수 있다는 의견을 잊지 않는 히어로들입니다.

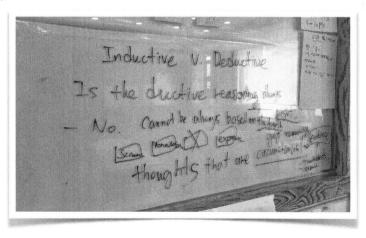

생각모임 21

오늘 마무리 생각모임은 중요한 질문을 던졌습니다. **"내가 덩케르크 철수 작전을 결정하는 처칠이었다면?"** 이었습니다. 우선 역사에 대한 설명을 했습니다. 독일군과 협상하느냐, 아니면 영국의 가치를 지키고자 철수 작전을 강행하느냐의 사이에서 명확한 방향을 가지고 협상 세력을 누르는 내용입니다. 설명을 들은 후, 각자 내가 처칠이었다면 어떻게 했을지 이야기했습니다. 반은 협상한다, 반은 철수 작전을 강행한다는 의견이었습니다. 각각의 선택의 장단점을 설명했기 때문에 모두 진지한 결정을 했습니다. 그리고 결과적으로 어떤 역사가 이루어졌는지 설명했습니다. 모두 진지한 고민을 했습니다. 내일 역사의 무거운 결정의 순간을 더 깊이 생각해 보기로 했습니다. 실패를 두려워하지 않는 영웅의 선택은 무엇일지 한 번 더 생각해 보는 시간이었습니다.

생각모임 22

첫 시간에는 지난 뉴스를 봤는데요. 화성 연쇄 살인 사건의 진범이 나오자, 이미 해당 범죄로 형을 산 억울한 용의자가 경찰이 잠을 못 자게 하고 자백을 받아냈다고 주장했다는 내용입니다. 바로 질문했습니다. **"불법으로 얻은 자백은 유효할까?"** 히어로들은 뉴스를 본 뒤라 유효하지 않다는 주장을 모두 했습니다. 한 히어로는 그것이 도덕적이지 않다고 했습니다. 다른 히어로는 범인이 아닌 사람을 잡을 수도 있다는 주장을 했습니다. 여기서 사실을 바꿔서 마약 100톤을 들여오는 외국인 조직이 있는데, 그들 중 한 사람이 잡혔다. 다른 조직원들을 밝혀내지 못하면 우리나라에 100톤의 마약이 퍼질 수 있는데 어떤 방법으로든 자백을 받아야 하는지 질문했습니다. 히어로들의 생각이 바뀌었습니다. 사회에 더 큰 유익이 있으니 이러한 자백은 유효하다는 것입니다. 다른 히어로는 용의자도 사람이기 때문에 어느 정도까지는 불법을 사용하지 말아야 한다는 의견과 함께, 그럼에도 위험할 경우 불법도 가능하다는 의견입니다. 이때 한 히어로가 이 사람이 관련자인지 명확히 확인해야 한다는 의견을 냈습니다. 증거가 명확한지 우선 밝혀내는 과정이 더 중요하다는 의견입니다. 히어로들에게 이러한 자백이 수사에서 사용될 수 있으나 법정에서는 받아들여지지 않는다는 점과, 이로 인해 사법 체계가 변화되어 왔다는 설명을 했습니다.

생각모임 23

오늘부터는 이번 세션의 주제인 '패러다임을 바꾼 과학자'에 대해서 알아보는 시간입니다. 아침에는 세상을 바꾼 과학자들에 대한 영상을 보고 그들의 공통점을 찾는 시간을 가졌습니다. 한 히어로는 이들이 무엇인가를 찾으려고 노력하는 사람들이라는 답을 줬습니다. 여기서 '무엇인가'에 대해서 더 자세히 설명해 달라는 요청에 더 나은 것, 새로운 것이라는 답변이 나왔습니다. 그 예를 들어달라는 요청에 행성이나 위성에 대한 연구, 망원경 발명, 중력에 대한 연구 등이 나왔습니다. 다른 히어로에게는 이 의견에 찬성하냐고 물었습니다. 다른 히어로는 찬성하면서 이들은 연구만 할 수 있었고 직업이 없었다는 의견을 냈습니다. 하지만, 영상에는 국회의원도 하고, 회사를 운영하기도 하지 않았느냐고 반문하자 처음에 연구만 할 수 있는 상황이었음을 설명했습니다. 그리고 추가로 연구를 할 수 있도록 지지해 주는 사람들이 있었다는 의견도 나왔습니다.

생각모임 24

오늘 히어로들은 한 독립운동가 부부의 이야기를 들었습니다. 그리고 **"내가 당사자가 되어서 미국에서 유학하고 성공을 앞두고 있다면, 성공과 독립운동 중 무엇을 선택할까?"**를 질문했습니다. 우선 이 분의 두 가지 선택지에 대해서 히어로들의 의견을 들었습니다. 그리고 각각의 의견을 들어봤습니다. 여기에 만약 이 독립운동가처럼 미국에서 선교사님이 한국을 돕자는 말을 들었다면 생각이 바뀔지 물어봤습니다. 팩트를 바꿔서 생각을 유연하게 만들어 가는 과정은 소크라테스 토론법의 핵심입니다. 히어로들은 여전히 원래 의견을 고수했습니다. 그리고 마지막 추가 질문은 이 독립운동가 분은 19살에 미국에 가서 일을 하면서 초등학교부터 다녀서 대학을 졸업했는데, 최선을 다하는 삶 자체가 독립운동이 아니었을까 물었습니다. 그리고 '나는 나의 삶에 진심인가?' 하는 질문도 하면서 토론을 마무리했습니다.

생각모임 25

오늘은 <천아학교> 학습의 핵심 도구인 '소크라테스식 토론'을 위해 특별한 주제를 준비했습니다. 소크라테스식 토론은 미국 유수의 대학들의 법대, 의대, MBA 등에서 사용되는 학습 방식으로 예, 아니오의 답변이 나올 수 있는 질문을 하고, 학생들이 답변을 하면서 답을 찾아가는 학습 방식입니다. 학생들의 답변을 하면 좀 더 구체화하고, 명확화 하는 과정을 거친 후에 스승은 팩트나 가정을 바꾸면서 질문의 흐름을 바꿔 버립니다. 그러면 학생들은 본인이 생각했던 포인트가 상황에 따라 아닐 수 있다는 점을 깨닫고 변화된 팩트나 가정에 따른 또 다른 답을 하게 됩니다. 이러한 과정을 통해 학생들은 좀 더 상황에 맞고, 깊이 사유하는 과정을 거친 답변을 찾아가도록 훈련을 받는 것입니다. 이러한 과정은 법대에서도 많이 사용되는데, 특히 미국 대법원에서 변론할 때 대법관들이 변론인에게 소크라테스식 질문을 통해 답을 찾아가는 방식은 매우 유명합니다.

오늘 주제는 **"AI가 만든 작품 (코드, 글, 사진)은 내 것이라고 (소유) 주장할 수 있을까?"** 였습니다. 그동안 이런 질문에 익숙해진 히어로들은 마침 관심 있는 내용에 대해 적극적인 답변을 했습니다. 한 히어로는 주장할 수 있다고 답했습니다. 이유는 AI는 도구일 뿐 명령은 내가 했으니, 그 결과물도 내 것이라는 답변을 했습니다. 그렇다면, AI를 통해 소설을 쓴 다음 출품해서 당선되면 옳은지 물었습니다. 히어로는 AI를 만든 사람의 의도가 중요하지만, 공개해서 사용할 권리를 주었다면 사용한 사람은 마치 회사에서 직원이 일해서 결과물을 내듯 직원을 사용해서 결과물을 낸 것이라고 말했습니다. 그렇다면 회사가 아닌 개인이 AI가 준 코드로 앱을 만들었지만, 원래 만들 능력은 없었다면 그래도 내 코드라고 할 수 있는지 물었습니다. 히어로는 만화도 그려주는 사람이 함께하지만 만화가는 내 만화라고 내지 않느냐는 답변과 AI가 내 직원이나 서포터라면 내 작품이라고 할 수 있다고 말했습니다. 다만, 히어로는 'with openai' 등과 같이 AI라는 도구를 사용했음을 명시해서 소유권은 갖되 크레딧은 주면 된다는 생각이었습니다. 다른 히어로에게 동의하느냐 물었는데, 그 히어로는 AI가 내 실력이라고 하는 것은 거짓말이라고 답했습니다. AI로 만들면 내 것이 아니라고 답했습니다. 즉, 내가 좋아하는 아이돌 노래를 AI가 만들었는데 아이돌이 자기가 만들었다고 하면 나는 그 아이돌이 싫어질 것 같다고 했습니다. 내가 그 사람이 만든 것이 아닌 것을 좋아하면 안 된다고 답했습니다. 시간이 없어 줄였지만, 정말 열띤 토론이었습니다.

2.3.비즈니스 교육, 경제 이해하기

　<천천히 아름다운 학교>에서 가장 중요하게 생각하고 액턴 아카데미를 따라한 부분은 비즈니스 교육이었다. 액턴 아카데미 설립자인 **제프 센더퍼** Jeff Sandefer 스스로도 하버드 MBA 졸업 후 액턴 아카데미와 함께 액턴 MBA를 설립해 운영하고 있었고, 경영의 다양한 이론을 교육에 접목하고 있었다. 특히 경영 분야의 게임, 조직 이론, 경영 이론을 접목하여 교육 환경에 적용하는 시도는 학교와 현실을 접목하는 것과 동시에 멈춰있는 교실 환경에 새로운 활력을 불어넣는 좋은 시도였다. 새로운 이론들은 늘 검토되고 적용방식을 토론한 후에 도전 과제안에 녹아들게 된다. 학교에서 적용한 사례들을 모아 봤다.

경영 이론 적용

레고빌딩쌓기 게임
　다음은 레고빌딩쌓기 게임입니다. 하버드 MBA 입학 오리엔테이션에서 한다는 게임인데요. 블록당 가격을 비용으로, 빌딩의 높이를 수익으로 계산해서 '수익-비용=이익'의 개념을 손끝에서 조정해 가면서 배우는 게임입니다. 히어로들은 먼저 높이 쌓는 것만을 목표로 했는데, 쌓다가 자꾸 무너지는 불상사가 생겼습니다. 여기서 선풍기 바람을 견디면 더 수익을 늘리는 방식으로 게임을 변형하고, 블록의 가격도 변경하면서 게임을 진행해 봤습니다. 간단한 게임을 통해 손끝에서 수익, 비용, 안전, 물가변동 등 많은 것을 생각해 보는 시간이었습니다. 자연스럽게 건축 공학의 수준이 높아지고 손실에서 이익으로 전환하는 것을 보면서 히어로들의 무한한 가능성을 봅니다.

파레토 법칙
　이번 세션의 주제인 시간과 토양이 관련된 재미있는 도전 과제를 했습니다. 바로 'Pareto Challenge'인데요. **"통 속에 돌, 자갈, 흙, 물을 어떻게 넣으면 가장 무거울까?"** 라는 질문으로 시합을 해 봤습니다. 결과는, 끝까지 조금씩 모래를 담아본 한 히어로의 승리! 그런데, 좀 의도와는 다르게 되었네요. 큰 돌을 위에 얹는 바람에 이긴 듯합니다. 교실로 돌아와서 히어로들은 영상을 하나 봤습니다. 큰 돌을 먼저 담고, 그다음 작은 돌, 그리고 모래, 마지막에 물을 담는 과정이 가장 무겁게 담는 방법이고 이것이 시간을 관리하는 방법이라는 내용이었습니다. 그리고 "Pareto의 20:80 원칙"을 설명했습니다. 이후에, Big Rocks라는 시간 계획하기 활동을 해 봤습니다. 본인이 가장 중요하게 생각하는 큰 돌에 해당하는 일을 정하고, 그것을 이루기 위해 꼭 해야 하는 일들을 정했습니다. 그리고 그것을 하기 위한 세부적인 중요한 일들을 정했습니다. 아직 학생이라 우선순위를 정하기가 힘든 부분도 있었고, 아직 시간 관리에 대해 익숙하지

않아서 많이 헤매었네요. 하지만, 실패도 좋은 경험이라 생각합니다. 계획한 일들의 우선순위를 매긴 다음 이것을 노션의 Kanban Board 에 옮겨 적고 구체적인 계획을 짰습니다. 이번 주에 계획을 실행하는 과정을 서로 점검하기로 했습니다. 내일은 실험을 진행하며 깨달을 점을 저널로 써 보고자 합니다.

147

시간 관리 성향

오늘은 특별히, 시간을 바라보는 관점에 대한 테스트를 했습니다. 우리가 많이 아는 마쉬멜로우 실험을 한 Zimbardo 박사님의 테스트인데요. 즉, 마쉬멜로우를 주고 내가 갔다 올 때까지 안 먹고 있으면 두 배를 주겠다고 했을 때 먹지 않고 견딘 아이가 나중에 더 높은 삶의 성취를 얻는다는 실험을 한 분입니다. 이 분이 시간에 대한 연구를 하고 강의를 하셨던 내용을 바탕으로 시간 관리의 성향을 파악하는 작업을 했습니다.

이 분의 이론은 사람들마다 6 가지 시간에 관한 성향 (과거-긍정, 과거-부정, 현재-쾌락주의, 현재-운명론, 미래-목적론적(편익분석), 미래-초월적) 이 있다는 것입니다. 이 중에서 어린 학습자가 앞으로 나아가기 위해서는, 아래 빨간 선과 같이 **과거-긍정적(높게), 미래-목적론(어느 정도 높게), 현재-쾌락(중간), 과거-부정적(낮게), 현재-운명론(낮게)** 나오는 것이 좋다고 합니다. 이를 위한 교사의 역할은 과거 긍정성을 높이고 현재에 즐거움을 갖게 해 주는 부분입니다. 히어로들은 각자 테스트를 하고, 오후에는 빨간 점선과 자신의 위치를 비교하고 자신의 생각을 이야기해 보는 시간을 가졌습니다.

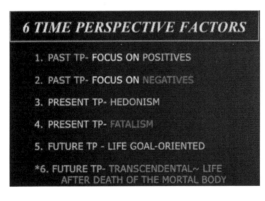

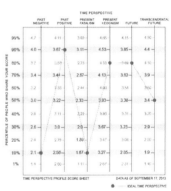

회고 (Retrospective Meeting)

오늘은 스피치할 때 사용할 족자를 쓰는 시간을 가졌습니다. 이번 텀 서예를 마무리하면서, 서예를 통해 깨달은 것들을 쓰기로 했습니다. **깨달은 것들** Lessons Learned은 액턴 아카데미에서 중요한 배움이 있을 때 사용하는 방식인데요. <천아학교>에서는 2번째 사용합니다. 일반학교의 수행평가, 실기, 시험 등을 대신하는 중요한 방법으로 우리의 프로젝트와 **도전과제** Quest 들은 절대평가를 목적으로 하지 않고 실생활과 관련된 열린 경험을 추구하기 때문에, 스스로를 돌아보고 배운 것을 정리하는 것과 이것을 동료들에게 소개하는 것이 주요 평가 방법입니다. 이를 통해 히어로들은 **숙련도** Mastery 를 평가받고 배지를 받습니다. 이것은 액턴 아카데미가 덴마크의 **케오스필롯** Kaospilot 이라는 비즈니스 학교에서 가져온 방식입니다. 추가로 동료들의 360도 평가로 히어로가 최선을 다하고 있는지 점검해 주는 평가 방식도 있습니다.

오늘은 지난 일주일 동안 경험한 일을 회고하는 형식으로 쓰는 시간입니다. 지난 번에 봤던 회고하는 글쓰기 내용 중에서 각자 중요한 평가요소를 뽑아 루브릭을 만들었습니다. 그러고 한 명씩 나와서 설명하는 시간을 가졌습니다. 이것을 기초로 이번 일주일을 회고하는 글을 썼습니다. 회고하는 글쓰기의 핵심을 잘 짚었고, 흥미있는 글들을 썼습니다. 내일은 히어로들이 서로 글을 발표하고 비평하는 시간을 가집니다. 그리고 잘 알려진 글들을 통해 회고록의 주요한 요소들을 반영해 다시 써보는 시간을 가집니다. 아침에 토론했던 것처럼 내 글에 집중하다 보면, 본인들이 세운 주요한 기준을 빠뜨릴 수 있다는 점을 다시 언급하고자 합니다.

동기부여

오늘 히어로들은 동기 부여를 하기 위한 작은 습관에는 무엇이 있을지 고민해 봤습니다. 스트레칭, 단것 먹기, 산책 등이 나왔습니다. 아이디어를 더 내기 위해서 성공한 경영인들의 아침 습관에 관한 영상을 보고 내용을 추가해 봤습니다. 이불정리, 아침일기 쓰기, 명상/기도하기, 차 마시기, 반복해서 되뇌기 등이 소개되었습니다. 여기에 히어로들의 추가적인 아이디어인 음악 듣기, 계획 짜기, 목표 세우기, 쉬는 시간 가지기, 아이돌 사진 세워놓기 등을 추가했습니다. 이제 히어로들은 오늘 내가 동기를 부여받기 위해 실험을 하기로 했습니다. 한 히어로는 커피 마시기 (조금), 아침일기 쓰기, 단것 먹기, 음악 듣기를, 다른 히어로로는 스트레칭, 좋아하는 음악 듣기, 아침일기 쓰기를 정했습니다. 오늘 하루 실천해 본 후 어떤 효과가 있었는지 돌아보는 시간을 가집니다.

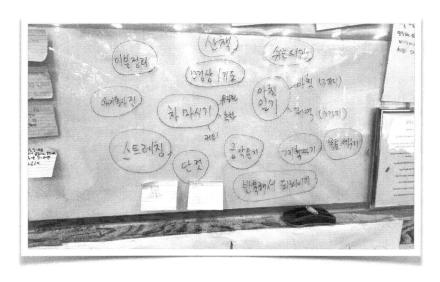

사업 교육

학교 화폐 & 인플레이션

오늘은 돈의 개념에 대한 영상을 봤습니다. 이유는 이번 세션의 중요한 주제 중 하나인 인플레이션에 대한 의견을 공유하기 위해서였습니다. 그동안 학교에서 사용하는 돈인 Slow Bucks 의 통화량이 많아서 물건을 사는데 경쟁이 생겼었습니다. 이것을 바탕으로 인플레이션의 개념을 잡는 시간이었습니다. 먼저 돈으로 할 수 있는 것을 물었습니다. 히어로들은 구매, 투자, 기부의 세 가지를 대답했습니다. 저의 투자 관련 교육을 한 번 받았기 때문에 대답이 좋았습니다. 그러면 돈으로 구매할 수 있는 것들의 종류는 무엇인지 알아봤습니다. 식량, 집, 컴퓨터 등이 나왔습니다. 저는 돈으로 산 이런 물건을 자산이라고 설명했습니다. 그리고 각각의 가치에 대해서 물었습니다. 식량의 가치

150

는 얼마나 오래가는지 물었습니다. 먹으면 바로 사라진다는 답입니다. 집의 가치에 대해서 묻자 잘 모르겠다고 했습니다. 여기서 짜장면의 가격에 대해 설명했습니다. 선생님이 어린 시절부터 지금까지 짜장면의 가격이 어떻게 변화되어 왔는지 알아보고 물가의 기본 개념을 설명했습니다. 그리고 집과 같은 자산은 시간이 가면서 가격이 오를 가능성이 높다는 설명을 했습니다. 컴퓨터에 대해서 말하면서는 감가상각에 대해서 알아보고, 컴퓨터가 어떨 때 가치 있는지 이야기해 봤습니다. 여기서 인플레이션에 대한 개념을 잡은 히어로들에게 히어로들이 운영하는 학교 매점의 물건의 가치가 높아지고 있는지 물었습니다. 예라고 답하자 그 이유를 물었습니다. 물건의 가격이 싼 것 같다는 답변이 나왔습니다. 혹시 돈이 너무 많이 풀려서 그런 것은 아닌지 물었습니다. 그럴 수 있겠다고 답했습니다. 여기서 부터 통화량이 증가할 때 물건의 가격이 오르는 것과, 물건 자체가 희소(공급 감소)해서 가격이 오르는 것, 히어로들이 더 많이 찾아서 (수요 증가) 가격이 오르는 것 세 가지를 설명하고 함께 이번 문제의 근원이 통화량 증가라는 점과 앞으로 해결책을 세우는 시간을 가졌습니다.

화폐 발행

오늘 한 히어로는 학교에서 판매하기로 한 물건의 가격과 바코드를 붙이는 일, 그리고 지폐를 만드는 일이 가장 시간이 걸리는데 하지 못했다고 걱정을 합니다. 이번에는 어쩔 수 없이 선생님이 큰 도움을 줄 수밖에 없네요. 엑셀의 신세계를 함께 배웠습니다. Bucks의 환율과 우리가 정한 마진을 근거로, 각 상품의 가격을 매기는 작업을 엑셀을 통해 보여줬습니다. 앞으로 스스로 만들어 보기로 했습니다. 여기에 지폐를 만드는 작업이 더해졌는데요. 히어로는 지폐의 일련번호까지 관리하며 하나하나 스스로 디자인하고 출력해 냈습니다. 이번에는 200 Slow Bucks를 출력해서 발행하고자 합니다. 이 히어로는 당분간 은행장으로 활동할 예정입니다.

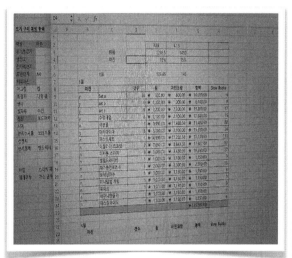

비즈니스 게임

교육의 문제는 어른들이 경험하는 빠르게 변화하는 직업 세계와 학생들의 교육 현실이 너무나도 떨어져 있다는 점입니다. 미국 액턴 아카데미에서 배운 점은 최대한 학생들에게 접근 가능한 수단을 써서 교육 환경에 현실 세계의 문제들을 접목하고 그것을 직접 실천할 수 있게 해주는 것이었습니다. 특히 아이들이 직접 사업을 경험해 보는 것을 강조하는데요. 오늘도 그 중 어려운 개념을 액턴 아카데미가 만든 비즈니스 컴퓨터 게임으로 풀어보았습니다.

히어로들은 우선 화면에서 직접 고객 방문 또는 스토어 오픈을 통해 로봇을 팝니다. 직접 고객 방문의 경우 **고정 비용** Fixed Cost 이 없습니다. 히어로들은 스토어를 오픈하면서 고정 비용의 개념을 배웠습니다. 그리고 물건을 팔 때마다 선택지가 주어지고 로봇의 가격과 비용이 정해집니다. 이것을 통해 **변동 비용** Variable Cost을 배웠습니다. 이것을 통해 전체 수익 중에 비용을 빼면 **이익** Profit 이 나온다는 점과 이익을 내기 위해서 중요한 점은 고정 비용을 줄이면서도 이익을 최대화하는 선택을 해야 한다는 것과 가게에 아르바이트 학생을 쓰면 고정 비용이 더 나오지만 고객들을 더 많이 받을 수 있다는 점, 그리고 고객들의 성향을 잘 분석하면 나중에 공장을 지을 때 인기 있는 상품을 대량 제작하여 큰 이익을 낼 수 있다는 점등을 게임을 하면서 자연스럽게 배웠습니다. 게임을 하면서 누가 가장 많이 버는지 경쟁을 했는데, 게임을 마칠 때마다 각자 진전된 생각들을 공유하는 것이 굉장히 신기했습니다. 수가타 미트라 교수의 〈Hole in the Wall〉 실험에서 인도 빈민가 아이들이 선생님 없이 서로 대화하면서 벽에 설치된 컴퓨터를 자연스럽게 익힐 수 있었다는 사실이 실감이 납니다.

비즈니스 교육 – 샌드위치 판매 대회

• 오늘 **도전과제 Quest** 는 내일 있을 '샌드위치 만들기' 대회를 위해 마케팅을 준비하는 것입니다. 먼저 샌드위치 광고 3개를 봤습니다. 유명한 Jimmy Jonh's 나 Subway 등과 일반 지역 샌드위치 광고를 비교해 봤습니다. 비교를 위해 중요한 질문들을 했습니다. 세 광고의 '주된 타깃층 차이, 알리고 싶은 내용, 브랜드 이미지, 차별점, 메시지' 등을 비교했습니다. 그러고 나서 나의 샌드위치를 위한 마케팅 질문지를 써 봤습니다. 이 질문지를 바탕으로 히어로들은 마케팅 영상을 만들고 내일 대회에 사용할 팻말을 수정하고 코팅했습니다. 과연 어떤 결과가 나올지 기대가 됩니다! 이제 내일 히어로들은 자신의 샌드위치에 대한 피치를 하고, 투자금을 받아 재료를 사와서 샌드위치를 만들어 사람들에게 평가를 받습니다.

• 오늘은 '샌드위치 만들기 대회'날입니다. 히어로들은 아침부터 잘된 피치는 어떤 것인지에 대해서 토론했습니다. 그리고 자기가 만들 샌드위치에 대해 이번 주 만든 광고와 패널을 가지고 1 시간 동안 피치를 준비했습니다. 어제 질문지를 통해 배운 것들을 바탕으로 본인의 샌드위치를 사 먹을 대상의 성격이나 분류, 그리고 그들의 필요를 위해 강조할 점, 전하고자 하는 메시지, 브랜드 이미지 등을 잘 표현했습니다.

이제 재료를 사와야 하는데요. 히어로들은 빵을 제외한 나머지 재료를 딱 만원으로 사야합니다. 하지만 난관에 부딪혔습니다. 필요한 양만큼 파는 재료가 없었습니다. 히어로들은 저와 협상을 했는데요. 많이 사더라도 딱 필요한 양만큼만 계산해 달라는 겁니다. 결국 대부분의 과일은 반 정도 사용하고, 많은 재료는 정해진 양만큼 사용하는 정도에서 타협을 하고 샌드위치를 만들기 시작했습니다. 모두 만원을 맞춰서 제작에 들어갔습니다. 빵까지 합쳐서 원가를 정한 후, 한 시간 동안 만드는 개수를

보고 한 개당 얼마가 들어가는지 계산합니다. 그리고 시간당 노동력까지 생각해서 비용을 계산해 보기로 합니다.

이제 누구의 샌드위치가 선택될지, 주변 상가에 샌드위치를 나누러 갑니다. 히어로들은 들뜬 마음으로 자신의 샌드위치를 자랑했습니다. 그런데 아무래도 어른이 많다보니 달지 않은 샌드위치를 많이 선택했습니다. 실망한 히어로가 있었지만, 돌아와서 함께 복기를 하면서 다음에 어떻게 하면 더 잘할지 고민해 봤습니다. 우선 자신의 결과물에 대한 만족도는 어느 정도 있었습니다. 그러나 판매를 할 만큼 마무리가 깔끔하지 않았다는 점과, 포장이 중요하다는 점을 발견했습니다. 그리고 많은 사람들이 직관적으로 샌드위치를 고른다는 점과 호감이 가는 상품 모양이 아니면 건강하게 만들어도 소용이 없다는 점도 발견했습니다. 그리고 만원으로 샌드위치를 잘 만들기 힘들다는 의견도 있었는데요, 대량 생산을 하지 않는 한 개당 2,500원 정도가 드는 샌드위치는 이익을 내기 힘들다는 의견과 편의점에 있는 것처럼 간단하게 만들 수도 있다는 의견도 나왔습니다. 그리고 한 히어로는 건강한 맛, 생과일을 강조하지 못해서 사람들이 달다고 생각해 버린 점을 아쉬워했습니다. 이제 다음 주에는 자신이 판매할 상품을 만들기 시작합니다. 그동안 배운 점을 어떻게 적용하게 될지 궁금하네요.

비즈니스 교육 – 내 상품 만들기

- 오늘 히어로들은 정말 정신이 없었습니다. 내가 팔 상품의 원가를 조사하고 마진을 붙이는 어려운 작업을 해야하기 때문입니다. 히어로들은 먼저 본인이 팔고 싶은 물건을 살 고객들의 리스트를 나열해 봤습니다. 그리고 한 명한 명의 특징에 대한 질문에 답했습니다. 그러고 나서 이 상품을 출시하는 게 맞는지 최종 점검을 하는 체크리스트로 출시 여부를 판단해 봤습니다. 이제 상품을 확정한 히어로들은 이것을 만들기 위해 무엇을 사야 할지, 그리고 출시할 상품의 가격대와 디자인 등을 연구하기 시작했습니다. 특히 과자를 모아 선물세트를 3종 내리려고 하는 히어로는 각 세트별로 과자의 조합과 가격을 최적화하기 위해 시간을 넘겨 집중했습니다. 놀라운 집중력으로 '총비용'과

단위당 비용을 계산한 히어로들은 각 단위의 마진을 고민해 봤습니다. 그리고 그 가격에 대해서 서로 평가하고 대화하는 시간을 가졌습니다.

• 히어로들은 내가 만든 상품의 피드백을 받아야 합니다. 스스로 설문조사지를 만들었는데요. 주변 아는 사람들에게 오늘은 설문을 하러 나갑니다. 설문지를 히어로들이 스스로 만들고 다듬는데 시간이 생각보다 많이 걸립니다. 하지만, 정확한 고객의 반응과 수요 그리고 가격에 대한 피드백을 받으면서 상품을 더 다듬어 갈 겁니다. 히어로들은 특히 먹는 상품을 만들었는데요, 미국에서의 Business Fair 에서 먹는 것을 판 히어로들이 늘 돈을 남기는 것을 봐서 그런지 이 상품을 꼭 하려고 합니다. 작은 상품을 내놓고 판매하는 경험을 통해서 머리로만이 아닌 **행동으로 배우는** Learning by Doing 히어로들입니다. 이것은 암묵지로서 누구도 쉽게 얻을 수 없는 경험이 될 것입니다.

특히 히어로들은 비즈니스 게임을 통해 배운 변동비와 고정비의 개념을 적용해 봤습니다. 상품 가격을 정할 때 고정비 (노무비와 설치비 등) 와 변동비 (재료, 원료 등)의 가격을 분리해 보았고, 변동비가 많을수록 많이 팔면 수익이 적어지고 고정비가 많을수록 많이 팔면 수익이 커진다는 점과 변동비를 줄일 수 있는 방법은 없는지 그림을 그리며 한 번 더 연구하는 시간을 가졌습니다.

총 판매액	변동비
	고정비
	이익

총 판매액	변동비
	고정비
	이익

돈의 가치 배우기

오늘 히어로들은 첫번째 **도전과제** Quest 인 돈의 가치 배우기 활동을 했습니다. 첫 활동은 내 돈 투자하기였습니다. 각 라운드별로 내가 투자하고 싶은 곳을 선정해서 투자하고 수익이 얼마나 났느냐에 따라 실제 보상을 주는 게임입니다. 계속 손실을 본 히어로는 우울해했으나 결국 마지막에 좋은 투자를 해서 큰 수익을 거뒀습니다. 활동 후에 히어로들은 돈의 가치에 대한 설명을 듣고 각자 종이에 돈의 가치에 대한 생각을 적어보는 시간을 가졌습니다.

벼룩시장 참가

오늘은 동네 벼룩시장에서 레모네이드와 과일청에이드를 판매했습니다.<천아학교 비즈니스 스쿨>의 시작입니다. 향후 비즈니스 수업과 자기가 만든 제품 판매도 하려고 합니다! 수익이 많이 나진 않았지만 히어로들은 즐거운 경험이었다고 합니다.

시장탐방

오늘 히어로들은 조치원 시장을 탐방했습니다. 금요일은 자유 활동을 계획할 수 있는 날입니다. 히어로들이 시장에서 한 것은 시장의 '상권 분석', '최고의 가게 찾기', '잘 나가는 집 비용 분석'입니다.

먼저 히어로들은 시장에 들어가기 전에 상점들을 평가할 5가지 요소를 골랐습니다. 포스트잇에 적어서 추려봤는데요. 5가지는 '**디스플레이, 가격, 유동인구, 친절도, 제품 퀄리티**'였습니다. 이 기준을 바탕으로 시장을 처음부터 끝까지 걸으면서 사진을 찍고 상점 하나하나의 특징을 기록했습니다. 돌아와서 분석한 내용을 토대로 '다이어그램'을 만들어 봤습니다. 히어로 모두 1등으로 빵집을 골랐습니다.

'상권 분석'은 일반적인 상권 분석 체크리스트를 바탕으로 했는데요. 각 상점에 대해 기록한 내용을 바탕으로 분석자료를 썼습니다. 결과적으로 유명한 3000원 짜장면집이 1위로 뽑혔습니다.

이제 이 짜장면 집에 대해 가장 궁금한 비용 분석에 들어갔습니다. 인터넷을 바탕으로 짜장면, 짬뽕, 탕수육의 원가를 분석했습니다. 그리고 직접 짜장면집을 방문했을 때 유동인구와 이들이 주문한 내용을 토대로 대략적인 각 품목별 매출을 계산해 봤습니다. 그리고 주인 아저씨가 건물을 소유했다는 가정을 전제로 고정비(인건비 등)를 계산해 보았습니다. 한 달 매출이 약 3300만원이 나왔습니다. 그런데 다른 히어로의 원가 분석으로는 890만원이 나왔습니다. 히어로들 모두 놀랐는데요. 가격차가 큰 점과 어쨌든 높은 이익에 대해

놀란 것 같습니다. 하지만, 가게의 단점도 생각해 봤습니다. 가장 큰 부분이 할아버지가 요리를 하시는데, 후계자가 안 보인다는 점이었습니다. 인건비를 좀 쓰더라도 누군가 요리를 할 사람을 고용하면 어떨지 생각해 봤습니다. 아무래도 간단한 계산이었기 때문에, 오류가 있을 수 있지만 많은 것을 배우는 하루였습니다.

우리 동네 사장님

오늘 **도전과제 Quest** 는 우리 동네 최고의 상점을 찾고 그곳을 방문해 보는 일입니다. 미리 본인이 생각하는 최고의 상점들을 검색하고 분석해 본 후, 히어로들은 분석 내용을 정리했습니다. 그러고 나서 상권 분석 체크리스트를 읽고 답해보며, 무엇을 판매하기 위해 고민해야 하는 점이 무엇인지 알아보았습니다. 그리고 직접 본인이 고른 상점들을 찾아가 주변을 둘러보고, 안에 사람들이 있는지, 주변에 어떤 상점들이 있는지, 사람들은 어디에서 어디로 움직이는지 등을 살펴봤습니다.

<천아학교>의 핵심 질문 중 하나는 **"왜 우리는 학교 밖 삶의 실제에 대해 배우지 않을까?"** 입니다. '켄 로빈슨'에 의하면 전통적인 교육은 어떤 거대한 조직의 일원으로 살 수 있는지를 배우는 산업혁명 시대의 노동 지식을 배우는 것이라고 합니다. 시대가 변하고 학교의 용도가 바뀐 시대에도 이러한 교육 방법을 유지한다면 현실과 학교 간의 간극이 벌어질 수밖에 없습니다.

이제 학교는 **"어떻게 잘 배울까?"** 가 아니라 **"어떻게 정답이 없는 문제를 함께 해결해 갈까?"** 에 집중해야 합니다. 이를 위해 현실의 문제들을 학교로 가져와서 실행해 보고, 직접 문제의 해결책들을 찾아가는 과정은 현실과 학교 교육 간의 괴리를 막아줍니다. 오늘 학교를 마치고 학원으로 몰려가는 아이들 속에서 히어로들은 '왜 어떤 상점은 잘 되고 어떤 상점은 잘 안될까?', '왜 아이들은 탕후루 집에 안 가고, 바로 어디론가 사라지는 걸까?' 등의 질문을 만들고 답해봤습니다. 이 두 무리의 간극은 시간이 갈수록 더 커질 것입니다. 대학을 입학할 때까지의 시간은 복잡해지는 세상에서 다양한 문제에 대한 창의력과 해결력을 키우기에 너무 부족한 시간입니다.

사업자 등록증 만들기

오늘 히어로들은 국세청 조세박물관에 방문했습니다. 조세박물관 교육 프로그램에 참석하고 박물관에 있는 어린이 사업자 등록증을 만들었습니다. 히어로들은 학교에서 자기 사업을 준비하고 있는데요. 동네 벼룩시장에서 팔 물건들을 준비하고 있습니다. **도전과제 Quest** 중에 사업자 등록증 만들기도 하고 세금에 대해서도 배우는 시간이었습니다. 이제 벼룩시장에 나갈 때 모조이지만 사업자 등록증을 들고나갈 수 있게 되었습니다!

견습 교육 Apprenticeship

오늘 아침은 **"내가 학교 밖 직업 생활/현실을 경험하는 방법은?"**에 대해서 생각해 봤습니다. 미국에서 액턴을 다닐 때 히어로들은 초등학생이어서 참여하지 못했지만, 액턴 아카데미는 청소년의 인턴십을 중요하게 생각합니다. 액턴 내부적으로는 **견습 Apprenticeship**으로 부르는데요. 액턴이 5~8주의 세션으로 구성되고 한 주의 방학을 두는 이유는 이 일주일 동안 외부에서 견습을 하게 하기 위해서입니다. 많은 학생들은 중고등학생임에도 다양한 곳에 직

160

접 연락해서 견습 자리를 찾고 인턴, 코치, 참관, 참여 등을 진행합니다. **테슬라나 구글 같은 회사를 직접 경험하기도 하고, 집 주변 작은 로펌이나 회계 사무소에서 사무일을 경험해 보기도 합니다.** 한국은 이런 기회를 만들기 힘들지만, 미국이나 영국의 경우 청소년의 직업 체험을 장려합니다. 오늘 히어로들은 여러 가지 아이디어로 직업생활에 참여할 수 있는 방법을 시도해 보기로 했습니다.

<천아학교>는 한국의 상황에 맞게 운영하기 위해서 여러가지 시도를 해보고 있습니다. 아래 그림처럼 미국 액턴 아카데미의 경우 **견습** Apprenticeship 이 학습의 과정에 중요한 부분을 차지하고 현실적인 경험을 통해 나의 소명 Calling 을 찾는 과정을 시도합니다. **'Core Skill + 도전기반학습 + 실용적인 기술 마스터'** → **독립적인 학습자** → **학습 파트너와 동행** → **견습** Apprenticeship → **소크라테스 학습 리더 자격 획득** → **견습** Apprenticeship → **도전기반 학습 리더 자격 획득** → **견습** Apprenticeship → **학교 프로그램 스스로 운영** → **견습** Apprenticeship → **리더 & 히어로** → **부르심에 응답'** 하는 과정을 배지와 **도전과제** Quest 를 통해 관리합니다. 이 과정을 한국에 맞게 운영하는 것은 분명 큰 과제이지만, AI시대 변화된 환경에 맞는 최선의 교육 과정임을 확신합니다.

최근 전 세계에서는 젊은 인력이 더 일찍 직업 전선에 참여하게 하는 시도가 계속되고 있습니다. 인력난 때문이기도 하지만 빠르게 변화하는 노동 환경에 적응하기 위해서 더 일찍 현장에서 실무를 익히는 것이 더 낫다는 판단도 한몫 합니다. 특히 실무를 하면서 학업을 병행 (미국의 경우 지역 컬리지) 하도록 하는 제도가 활성화 되어 있고, 이 교육 후 정규직으로 실무를 하거나 공부를 계속하는 선택을 할 수 있습니다. 특히 영국의 경우 **견습** Apprenticeship 제도가 더욱 활발한데요. 우리 나라에서 공업 고등학교나 학습 부진 학생이 가는 것처럼 여겨졌던 실습제도는 이제 해외에서는 더 나은 직업과 역량을 기르기 위한 과정으로 더 뛰어난 학생이 참여하는 제도가 되고 있습니다. 특히 최신 기술을 다루는 회사들이 **견습** Apprenticeship 제도를 활용해서 더 일찍 전문가를 길러내는 환경이 전 세계적으로 확산하고 있습니다. 이제 대학이 먼저가 아니라 실무 경험이 먼저인 시대가 오고 있는 것입니다. 액턴 아카데미

의 경우도 1주일 실무이지만 방학 동안에 해당 기업에서 일을 하는 경우가 많고, 이후 학습에 동기 부여가 된 학생들이 학교에서 자신이 경험했던 도전과 제들을 열정적으로 제시하고 함께 시도해보는 학교가 실무 현장이 되는 일들이 자주 일어납니다.

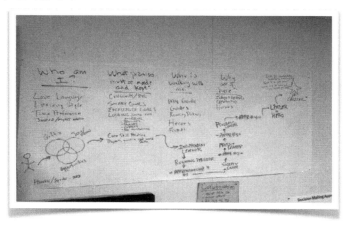

액턴의 학습 여정 도식

사업가 인터뷰 (학생 작성)

오늘은 빠르게 성장하고 있는 체험학습 플랫폼 "반차"를 운영하는 "메이커런스"의 대표 이재석 대표를 만나 인터뷰를 진행하였다. 체험학습 플랫폼 반차는 앱 기반으로 작동되는 시스템으로 내 주변에서 어떤 체험학습 활동이 가능한지 알아보고 이를 신청해 참가할 수 있도록 체험학습을 진행하는 사람들과 체험학습을 원하는 학부모들은 연결시켜 주는 수단이 되고 있다.

이재석 대표에게 첫 번째로 질문했다.

Q1. 이 플랫폼을 시작하시게 된 시기는 언제이신가요?

"중국에서 고등학교와 대학을 나왔습니다. 그 이후 중국 광고기획사에서 4년 동안 일하며 광고기획 업무를 했습니다. 하지만 이 광고기획이라는 일이 조금은 어렵기도 했었고, 이렇게 말하는 게 맞나 싶지만 을이 될 수밖에 없는 일이었습니다. 조금 더 설명해서 광고를 내는 광고주가 갑이 되고 이 광고를 만드는 사람들은 어떻게 되든 을이 되는 구조이죠. 그렇게 4년간 열심히 일하다 번아웃을 경험하게 되었습니다. 그래서 고민 끝에 퇴사를 하였습니다. 그리고 세계여행을 떠났습니다. 혼자 배낭을 메고 1년 좀 넘는 기간 동안 인도부터 시작해 아프리카를 돌고, 유럽을 돌고, 남미, 중미, 북미를 순서대로 올라갔습니다. 이런 여행을 하다 보니 여행의 본래 가치에 대한 부분들을 집중하게 되더라고요. 사람들은 여행을 왜 할까? 여행이 가진 가치가 무엇일까? 이런 질문 등을 생각하다 보니까 사람들은 새로운 시도를 좋아하는 게 아닌가 생각하게 되었습니다. 여행을 하다 보면 새로운 장소에 가게 되고, 그러다 보면 당연히 새로운 사람을 만나게 되고, 새로운 음식을 먹게 되니 여행을 가면 결국 모든 게 새로워지는 것이잖아요. 저는 사람들이 새로운 것을 수용할 때, 힐링을 하게 되고 이런 힐링을 위해 모두 여행을 하게 되는 것 같아요. 아무튼 2020년도에 한국으로 귀국하게 되었습니다. 그래서 이 여행의 가치를 담은 창업을 해봐야지라는 결심으로 창업을 했는데, 2개월 뒤 코로나가 터지고 결국 첫 번째 시도는 실패했습니다. 그래서 스타트업계에서 소위 말하는 '피버팅'을 하게 됩니다. 이게 원래 농구 용어로 발을 바꾸는 행동을 말합니다. 아이템을 바꾸게 된 거죠. 그게 바로 지금의 반차가 되었고, 그걸 계속 이어가고 있는 상황입니다."

Q2. 여기까지 오시면서 가장 컸던 난관은 무엇이었나요?

"저희 회사를 많은 사람들은 스타트업이라 이야기를 합니다. 이 스타트업의 정의가 매우 많은데, 그중에서 제가 제일 동의하는 정의는 '불안정한 상황

속에서 고객의 필요를 충족하기 위해 단시간에 성장하는 회사'입니다. 여기서 가장 첫 부분이 '불안정한 상황' 이거든요, 어느 부분이 가장 힘들었나 생각해 보면, 오늘이 가장 힘든 것 같아요. 회사 전체 차원에서 모든 시스템을 처음부터 만들어야 하고, 이런 걸 다른 시스템들로부터 벤치마킹할 수 있지만, 다른 회사의 색깔을 그대로 가져올 수는 없으니 거기 우리만의 색깔을 넣어야 하고… 이 모든 것들이 다 새로운 시도이고, 또 저도 사람이다 보니 전문적이지 못한 분야는 계속 공부해야 하고, 이런 어려움들이 항상 존재하죠. 하지만 그럼에도 계속하게 되는 것 같습니다."

Q3. 이 회사를 처음 시작하실 때 주변의 시선은 어땠었나요?

"친구들은 응원을 해줬던 경우가 제일 많았고요, 가족들은 저희 가족의 경우 본인의 인생은 본인이 알아서 살자라는 취지거든요. 그래서 무언가에 대해 크게 도덕적으로 범위를 벗어나지 않는 이상 제가 해보고 싶고 하겠다고 결정한 부분에 대해서는 지지해 주고 응원해 줬던 거 같아요."

Q4. 회사를 온라인 기반으로 운영하신다고 하셨는데 이유는 무엇인가요?

"제가 세종이랑 사실 아무런 연고가 없습니다. 단순히 이 창업의 종류상 아이들이 많은 곳에서 시작해 더 많은 사람들의 반응, 피드백 등을 받아야 이득이기 때문에 세종에서 시작하기로 결심했습니다. 그런데 직원을 구하려 하다 보니 세종에서는 올 사람이 없더라고요. 올만한 사람들 중 제일 가까운 사람마저도 청주, 대전 등이었습니다. 그래서 아예 온라인 기반으로 회사를 운영해 보자고 결심하게 되었습니다. 그렇게 하니 전국에서 여러 사람이 오더라고요."

Q5. 그렇다면 온라인 기반으로 운영하시면서 가장 컸던 난관은 무엇인가요?

"당연히 대면과 비대면의 방식은 장단점이 많이 존재하는 것 같아요. 비대면의 단점은 얼굴을 볼 수 없으니 어쩔 수 없이 계속 의사소통의 오류가 발생하는 것 같아요. 예를 들어서 직원의 컨디션이 안 좋다고 했을 때, 대면이면 바로 알아차릴 수 있지만 비대면이면 말을 해야만 알 수 있잖아요. 이런 부분들이 존재하는 것 같습니다. 그 외에도 서로 얼굴을 보는 게 아니니 어색함도 존재하고요. 그래서 이런 문제들을 풀기 위해 한 달에 한 번씩은 오프라인에서 만납니다. 그때 팀원들이 치열하게 토론도 하고, 맛있는 식사도 하고 헤어지고, 그런 방식으로 교류를 계속하려고 하고 있습니다."

Q6. 마지막으로 이런 사업을 하려는 사람들에게 조언해 줄 수 있는 가장 중요한 3가지는 무엇일까요?

"첫 번째로 하나에만 집중해야 합니다. 저도 배우고 있는 중이지만 일단 그게 있고 또 명확한 목표의식이 중요합니다. 이 회사의 미션이 뭐냐, 이 회사의 비전이 뭐냐, 이런 부분들이 명확히 설명될 수 있어야 합니다. 가는 방법은 다를 수 있지만 가려는 방향은 명확해야 어떤 방법으로 가든 갈 수 있죠. 그리고 또 희생도 중요하다고 생각합니다. 놀 거 다 놀고, 잘 거 다 자고 사업할 수는 없잖아요. 어떤 아이템이든 본인이 최초는 아닐 겁니다. 이미 유명하지 않을 뿐이지 어딘가에서는 실행되고 있거든요. 그러니 더 빠르게, 혹은 좀 다르게 가야 되니까요."

여기까지 "메이커런스" 대표 이재석 씨와의 인터뷰를 진행했다. 바쁜 와중에 인터뷰에 응해주신 이재석 대표님에게 감사드린다. 계속해서 발전해 가는 반차의 또 다른 활약들을 기대하며 글을 끝맺는다.

2.4.존재를 위한 배움, Learning to Be

교육철학

❖ 자아 성찰 (메타 인지)

오늘은 다음 주에 있을 연극을 위해 우리 자신을 이해하는 시간을 가졌습니다. 질문은 **"나는 나의 어두움을 바라봐야 (직면해야) 할까?"** 였습니다. 히어로들에게 나의 어두움은 단점, 나쁜 성격, 불만족, 열등감 등이 될 수 있다는 점을 공유하고, 심리학자 융이 제시한 그림자 이론을 설명했습니다. **사람이 빛을 향해 나아가면 그림자가 생기기 마련인데, 이 그림자를 다른 사람에게서 발견하게 되면 오히려 내 그림자를 가진 그 사람을 싫어하게 되는 경우가 있다. 그 안에 있는 나를 발견하고 화해하는 것이 중요하다는 내용이었습니다.** 이어서 질문에 대한 토론을 했습니다. 한 히어로는 나의 어두움을 찾아야 한다고 했습니다. 이것을 무시하면 내 모습을 무시하는 것이고 그러면 마음대로 살게 된다고 했습니다. 놀라운 답변이라서 다시 설명해 달라고 했네요. 이 의견에 동의하는 히어로는 나의 어두운 면을 무시하면 내가 버려지게 되고 더 어두워진다고 했습니다. 다른 히어로도 동의하면서 어두움을 찾아야

고칠 수 있다. 어두움과 반대되는 일을 하면 (예, 의존적인 사람은 독립적인 일) 된다고 했습니다. 한 히어로는 이에 반대했는데, 그러다가 고쳐지지 않으면 좌절하게 된다는 생각이었습니다. 심리학자들의 대화 같았습니다. 오히려 제가 놀랐다고 고백했습니다.

❖ 인생 마지막 세 가지 질문

오늘 아침에는 <천아학교>의 3가지 가장 중요한 배움의 목적인 Learning to Learn, Learning to Do, Learning to Be 중에서도 가장 중요한 Learning to Be (존재하는 것에 대한 배움, 즉, 인격 & 감정과 삶의 태도에 대한 공부)에 대해 고민해 봤습니다. Learning to Be 를 위한 가장 중요한 '인생 마지막 3가지 질문'이 있는데요. 다음과 같습니다.

- 나는 의미있는 일에 헌신했는가?
- 나는 선한 삶을 살았는가?
- 나는 누구를 사랑했고, 누가 나를 사랑했는가?

이 질문의 첫 단계로, 클립을 보여줍니다. 10년 전 액턴 아카데미 과테말라 출신으로 Ted 강의에 나온 마리아 테레사라는 학생인데요. 14살인 이때 온라인을 통해 대학 강의를 듣고, 총명한 20세 이하 젊은이들을 대상으로 미국에서 1억의 상금을 걸고 하는 비즈니스 경진대회에 교육 비즈니스 아이템을 들고 참가하기도 했습니다. 이 히어로의 이야기를 들려준 후 첫 번째 질문은 "나는 의미 있는 일에 헌신했는가?"입니다. 우선, 의미 있는 일의 정의에 대해서 물었습니다. 사람들이 기억하는 일이라는 답변이 나옵니다. 사람이 기억하는 일에는 나쁜 일들도 있는데 구체적으로 어떤 일일지 물었습니다. 세상에 도움이 되는 일, 세상을 변화시키는 일이라는 답변입니다. 다른 히어로는 성장하는 것이라고 대답했습니다. 헌신에 대해서 묻자, 희생하면서 남을 돕는 것이라는 답변이 나왔습니다. 희생이 무엇이냐는 질문에, 포기하는 것이라 답했습니다. 더 자세히 설명을 요구하자, 돈, 시간 등 귀중한 것을 포기하는 것이라는 답변이 나왔습니다. 한 가지 질문을 했습니다. 마리아 테레사는 자신의 흥미를 찾아서 진취적으로 행동했다. 이것은 대담한 헌신의 범주에 들지 않는 것 아니냐고 물었습니다. 그리고 '최선을 다하는 것도 헌신의 범주에 들지 않을까?', '내가 받은 능력을 의미 있는 일에 쓰는 것', '사람들의 필요를 채우고 돈을 버는 것'들도 헌신이 아닐지 물었습니다. 많은 생각을 하는 아침입니다.

오늘은 어제에 이어 <천아학교>의 Learn to Be (존재하는 것에 대한 배움)의 두 번째 질문인 "나는 선한 삶을 살았는가?"에 대한 토론을 했습니다. 우선 선하다의 정의를 물었습니다. 친절하다, 나눠준다 등의 의견이 나왔습니다. 구체적으로 선한 것이 무엇인지 잘 잡히지 않는 듯합니다. 선한 성격의 10가지 특징을 나눠주고 하나씩 살펴봤습니다. 그리고, 각자 부족한 부분을 확인하는 시간을 가졌습니다. 그리고 나서, 선한 것은 갈등이 없다는 의미가 아니라는 점과, 학교에서의 갈등 상황을 잘 해결하는 법에 대한 롤 플레이를 했습니다. 10까지 좋은 성품에 관한 내용을 정리했습니다. 그리고 정리된 내용 하나하나를 서로 돌아가면서 적용해 보는 시간을 가졌습니다. 그리고 선한 삶은 한편으로 옳지 않은 것을 명확하게 하고, 그것을 지혜롭게 해결해 나가는 것도 포함한다는 사실을 언급했습니다.

오늘은 Learn to Be에 대한 3가지 질문을 종합하는 시간을 가졌습니다. 어제와 그제 나눴던 이야기들을 다시 생각한 후, 마지막 질문을 했습니다. "나는 누구를 사랑했고, 누가 나를 사랑했는가?" 각자 눈을 감고 내가 죽기 직전에 인생을 돌아본다고 상상해 봤습니다. 그리고 내가 누구를 사랑했는지, 그리고 누가 나를 사랑했는지 생각해 보는 시간을 가졌습니다. 그런 후, 성경에서 사랑을 가장 잘 표현한, 성경의 내용을 읽었습니다. 사랑은 '오래 참고, 온유하고, 시기 및 자랑하지 않고, 교만하지 않고, 무례하지 않고, 자기의 유익을 구하지 않고, 성내지 않고, 불의를 기뻐하지 않고, 진리와 함께 기뻐하고, 인내하는 것'이라는 점을 나눴습니다. 이후, 질문에 대한 포스트잇에 적고 함께 공유했는데, 모두 가족, 친구, 이웃을 적었습니다. 내가 사랑할 사람들과, 나를 사랑할 사람들이 내 주변의 한계를 벗어날 수도 있을지 물었습니다. 아직 상상하기는 힘들지만, 조금 시간을 들여 내가 사랑할 다른 많은 사람들을 생각해 보도록 했습니다. 특히, 두 명의 히어로가 유명한 아이돌을 내가 사랑할 대상으로 지목했는데요. 관심과 사랑은 다르며, 사랑은 다른 사람과의 친밀한 관계 속에서 가능한 것이라는 점을 나누기도 했습니다.

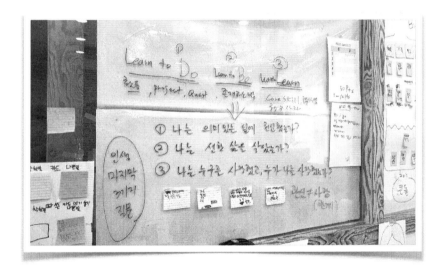

❖ 자유로운 학습

• 오늘은 히어로들에게 이미 했던 질문을 다시 했습니다. **"실패를 피하는 것이 좋을까?"** 오늘의 연설 영상은 덴젤 워싱턴이 펜실베니아 대학에서 졸업 연설을 한 내용을 봤습니다. 이제 졸업하고 사회에 나가는 지성인들에게 마음껏 실패해 보라는 격려를 하는 내용입니다. 히어로들은 본인들이 만든 스

피치 루브릭으로 이 연설도 평가했습니다. 그리고 질문을 시작했습니다. 히어로들은 실패를 피하지 말아야 한다는 입장이었습니다. 이유는, '실패해야 도전을 계속할 수 있다', '실패를 하면서 앞으로 나갈 수 있다', '실패를 통해서 더 강해지고, 노하우가 생긴다'였습니다. 그리고 '실패하지 않는다는 것은 시작도 안 하는 것이다'는 명언도 언급했습니다. 그렇다면 사회에도 악영향을 끼치는 큰 실패의 경우는 어떨까 생각해 봤습니다. 요즘 많이 언급되는 방사능 오염수 방류가 괜찮다고 했지만, 나중에 큰 실패로 드러나면 어떡할지 물었습니다. 생각이 조금씩 갈렸습니다. '큰 피해를 주는 실패는 막아야 한다'와 '여전히 실패를 통해서 배울 수 있다'는 의견이었습니다. **소크라테스식 질문법의 중요한 점은 가정이나 사실을 바꾸면서 생각의 흐름이 바뀌고 그에 따라 논리를 점검하는 토론 능력입니다.**

- 특별히 오늘은 히어로들이 실패에 대해 긍정적인 사고방식을 가지는 시간이었습니다. 미국 액턴 아카데미에서는 실패를 정말 극단적으로 용인하는 학습법을 사용했습니다. 아이들이 할 수 있는 일들을 학생들의 자유에 맡겨두고 선생님은 문제를 제시하고 목표를 설정할 수 있도록 도와주기만 할 뿐, 학생들이 스스로 목표를 확정하고 최선을 다해 수행합니다. 대신, 실패할 자유를 주되 동료들의 비평과 **배움의 동료** Learning Partner 를 통해 방향을 수정하며, 개인적인 성취의 기준을 세워 그것을 만족했는지 스스로 확인하도록 도와주는 것입니다. 이것을 **의도적 학습** Intentional Learning 이라고 합니다. 특히 프로젝트, 학급의 운영과정, 학습목표 등 어떠한 목표를 이뤄가는 과정에 교사의 개입을 최소화 합니다. <천아학교>에서 이것을 받아들이는 과정에 가장 중요한 초점은 부족해 보이는 부분, 잘못된 방향, 실수 등을 바로 지적하지 않고 실패를 통해 배울 수 있는 법을 가르치는 것입니다. 그리고 동료들과의 협력 과정에서 자연스럽게 본인의 모습을 발견하고, 방향을 수정하고, 실수를 바로잡는 것을 독려합니다.

- 이번 주는 세션 마지막 주입니다. 히어로들은 밀린 과제들이 많아서 바쁩니다. 오늘은 먼저 이번주 Core Skills 계획을 세우고 나서, 지난주 정리했던 칸반 보드에서 오늘 할 일들을 정리해 봤습니다. 어떤 것은 배지 플랜과 연관

되기도 하고 어떤 것은 금요일에 있을 배움 발표회와 연관되어 있기 때문에 시간 내에 마쳐야 합니다. 시간 내에 어떤 일을 마친다는 것은 히어로들에게 중요한 개념입니다. 시간 내에 마치지 못하는 것도 좋은 경험이기에, 정확하게 시간을 공지한 경우 준비되지 않으면 결과물을 발표할 기회를 주지 않습니다. 이것은 미국의 액턴 아카데미의 전통이기도 한데요, 기한 내에 일을 마쳐야 한다는 것과 마치지 못했을 경우 어떤 결과가 있는지는 학생 때 경험하기 힘든 직업 세계의 현실입니다. <천아학교>는 경험으로 배우는 것을 중요하게 생각하기 때문에, 실패를 통해 배우는 시간의 개념을 강조합니다.

❖ Hero's Journey

- 오늘은 영화에 적용된 '**영웅의 여정** Hero's Journey' 스토리 이야기를 했습니다. 원래 이것은 **조셉 캠벨** Joshep Campbell 이라는 소설가에 의해 주창되었고 스타워즈에 주된 스토리텔링 도구로도 사용되었습니다. 오늘의 질문은 왜 사람들은 'Hero's Journey'를 좋아하는지 였습니다. 히어로는 그것을 삶에서 경험하기 때문이라고 얘기했습니다. 우리는 영웅의 이야기는 어떻게 시작되는지 함께 토론했고 평범한 사람이 모험으로 첫 번째 걸음을 떼는 것으로부터 스토리가 시작된다는 점을 이야기했습니다.

영웅의 여정은 영웅이 모험을 떠나, 막대한 장벽을 맞아내고, 변화된 상태로 돌아오는 과정을 그린 고전적인 이야기 구조입니다. 영웅의 여정은 이야기 쓰기와 영화 제작에서 자주 사용됩니다. 일반적으로 영웅의 여정은 모험의 소리로 시작해 특별한 세계로 여행하고, 여러 가지 시험과 동료를 만나며, 최종적으로 주요 적을 격파합니다. 그리고 영웅은 일반적으로 희망의 메시지나 특별한 선물을 가지고 돌아옵니다. <천천히 아름다운 학교>의 각 과정은 이러한 영웅의 여정을 반복하는 구조로 진행됩니다. 각 학생들이 스스로의 모험을 돌아보고, 자신의 성장을 기록하는 과정을 거치게 됩니다.

- 오늘 아침은 영웅의 모험에 대해 생각해 보는 시간이었습니다. 이번 세션에 '현충원 방문'과 애국지사에 대한 소설 쓰기 **도전과제** Quest 가 있기 때문이기도 합니다. 현충원에 있는 한 애국지사의 인생과 묘비 글을 본 후, "내

가 일제 강점기에 살았다면 애국지사의 삶을 살 수 있었을까?"라는 질문을 던졌습니다. 쉬운 대답이 아니었습니다. 대답을 하기 위해 일제 강점기에 대한 설명 그리고 애국지사의 삶에 대한 설명을 더 했습니다. 그리고 질문을 바꿔서 **"이 애국지사는 어떻게 이런 삶을 살았을까?"**라고 물었습니다. 대답은 '(독립에 대한) 희망이 있어서', '불의에 대한 저항을 하려는 용기가 있어서', '영웅의 삶을 살았기 때문에 – 자신을 희생해서 남을 구하려는 삶을 살았다.' 등의 답변이 나왔습니다. 각각의 답변에 대해서 더 자세히 설명해 달라는 요청과 예를 들어 달라는 요청을 하면서 소크라테스식 질문을 더 하면서 토론을 마무리 했습니다.

도구들

❖ 비전 만들기, 핵심가치

오늘은 히어로들이 각자의 비전과 학교의 비전을 세우는 날입니다. 히어로들은 먼저 눈을 감고 학교를 졸업할 시점을 생각해 봤습니다. 편안한 상태에서 나의 졸업식을 상상해 봤습니다. 졸업식 연설에서 히어로들은 '나는 어떠어떠한 사람이 되었습니다'라는 고백을 하는 장면을 상상합니다. 그러고 나서 포스트잇에 나는 어떤 사람이 되었는지를 썼습니다. '슬기로운', '지혜로운', '명랑한', '사랑스러운', '정직한', '활기찬', '공감하는' 등등 많은 형용사가 나왔습니다. 히어로들은 비슷한 의미인 단어끼리 다시 묶은 후, 각자 3개의 비전을 만들었습니다. 히어로들은 자신의 비전을 보여주고 설명하는 시간을 가졌습니다. 이후 히어로들은 모두 모여서 학교의 비전을 만들었습니다 각자 학교의 비전이라 생각하는 것을 포스트잇에 써서 다 모은 후 반복되는 것을 빼고, 같은 단어끼리 묶어서 6개의 비전을 만들었습니다. 그리고 나서 3개의 비전으로 압축하는 토론 시간을 가졌습니다. 오늘 정해진 <천아학교>의 비전은 **'노력하고 성실한 사람'**, **'공감하고 도와주는 사람'**, **'활기차고 긍정적인 사람'**입니다.

　마지막 모임은 핵심가치를 찾는 시간이었습니다. 아침에 정한 나의 비전을 달성하기 위해 나에게 필요한 것을 찾는 시간입니다. 각자 나의 비전을 위한 가치들을 명사형으로 정리했습니다. '최선', '성실', '감사', '행복', '노력', '긍정' 등이 나왔습니다. 이것 중에서 겹치는 것을 정리하고, 핵심적인 것으로 다시 정리한 후 기록하고 액자에 넣는 작업을 했습니다.

오늘 아침은 학교의 핵심가치를 세우고, 각자 자신의 핵심가치를 관리하는 법을 배웠습니다. 먼저 학교의 핵심가치를 찾기 위해 히어로들이 정한 자신의 핵심가치들을 모았습니다. 그리고 여기서 같은 내용끼리 묶은 후 대표가 되는 단어들을 찾았습니다. 그리고 서로 협의를 통해 4가지만 고르는 시간을 가졌습니다. 결론은 '**최선**', '**행복**', '**사랑**', '**긍정**'이었습니다. 그러고 나서 히어로들은 자신의 가치를 관리하는 방법을 알려주는 강의를 봤습니다. 이것을 따라 각자 가장 소홀히 하고 있는 가치를 찾아서 이 가치를 더욱 높이기 위한 방법을 찾고 실천 과제를 만들었습니다. 앞으로 매주 자신의 가치를 확인하는 시간을 가집니다.

❖ 공동체 훈련

• 오늘은 서로 다투는 상황이 발생하지 않기 위해서 어떻게 할지 생각해 봤습니다. 히어로들은 '자신의 생각을 나눈다', '다른 사람의 의견이나 한 일, 이유 등을 듣는다'는 의견을 내주었습니다. 그러나 잘듣고, 생각을 나누는 일을 열심히 해도 다툼이 발생하는 이유는 뭔지 이야기해 보았습니다. 서로 그 원인을 상대방의 잘못에 두는 의견들을 냈습니다. 결론을 내면서 지난 세션에 Positive Mind를 위해 "**그러나 Yet**"을 사용하라는 연설을 언급했습니다. '그러나' 다른 히어로에게는 어떤 좋은 점이 있고, 나에게 어떤 좋은 영향을 미치는지 생각해 보면 비난을 멈출 수 있지 않을지 생각해 보았습니다.

<천아학교>는 히어로들이 함께 있으면서 배워야 할 중요한 부분 중에 'Learning to Be'를 강조합니다. '존재하는 법' 배우기인데요. 바로 인성 교육입니다. 하루를 지내며 이런저런 다툼이 있을 수 있지만, 그것을 합리적으로 처리하는 방법은 배우기 힘듭니다. 대부분의 교육 기관은 문제가 불거지기 전까지 학생들 간의 관계는 사적 영역으로 치부합니다. 하지만 <천아학교>에서는 이것이 배움의 중요한 한 부분이라고 생각합니다. 오늘은 <천아학교>의 갈등 관리 방법을 하나씩 알아보고, 롤플레이를 통해 갈등 시 피하지 않고 어떻게 문제를 해결해야 하는지 배우는 시간을 가졌습니다. 이 교육은 두번째인데요. 반복적으로 롤플레이를 통해 방법을 이해하고, 실제로 적용할 수 있도록 훈련합니다.

Addressing Conflict

1. Use your words to call out sarcasm, passive-aggressive behavior or anything else unkind behavior **immediately, honestly and bravely.**
2. Set a time to address, **when emotions have cooled.**
3. **Attack the problem, not the person.** Start by affirming the relationship.
4. **State how the act makes you feel and choices for the future.** (Past tense and blaming or preset tense and principles will not help)
5. **Listen** deeply and respectfully to the other person's view and feelings but do not condone the behavior. Look for ways both can win.
6. **Thank** the person for listening and reaffirm that you are both Heros in a Hero's Journey.

충돌 다루기

1. 비꼬거나 간접적으로 공격적인 행동, 불친절한 행동 등을 즉시, **정직하고 용감하게 언어로 지적하세요.**
2. **감정이 가라앉은 후에,** 대화할 시간을 정하세요.
3. **사람을 비난하지 말고 문제에 대해서만 다루세요.** 먼저 서로의 관계를 인정하며 시작하세요.
4. **상대방의 행동이 어떻게 느껴지는지와 앞으로의 선택 사항을 명확히 밝히세요.** (과거형으로 비난하거나, 현재형으로 원칙을 주장하는 것은 도움이 되지 않습니다.)
5. 상대방의 견해와 감정에 깊이 있고 존경스럽게 **귀 기울이지만** 잘못된 행동을 용인하지 마세요. 양쪽이 모두 이길 수 있는 방법을 찾으세요.
6. **상대방이 들어준 것에 감사하고,** 모두 영웅의 여정에서 영웅이라는 것을 다시 한번 인정해주세요.

• 잠시 짬을 내어 공동체 훈련을 해 봤습니다. 서로 줄을 의지해서 앉았다 일어나는 놀이입니다. 늘 아이들이 만나면 그렇듯 처음 만남 이후에 높아지는 감정적인 긴장들이 자주 보입니다. 정말 조금이라도 힘을 더 주거나 덜 주면 바로 넘어지는 것을 경험하면서 이러한 민감한 상태를 느끼고 서로를 신뢰하는 것을 우선 시 하기를 바래봅니다.

• 오늘 히어로들은 정직에 관한 토론을 했습니다. 우선 재미있는 게임을 했습니다. 심리학자 김경일 교수님이 언급했던 시카고 대학의 정직성 실험인데요. 약간 변형해서, O,X가 든 쪽지를 뽑아서 혼자만 본 후 과자를 O가 나오면 본인이 더 많이, X가 나오면 선생님이 더 많이 가지도록 분배하게 하는 게임이었습니다. 실험 후 해당 실험 영상을 잠시 봤습니다. 그리고 여러 가지 예를 들면서 질문했습니다. (상황을 모면하려는 거짓말 등) **"들키지 않은 거짓말은 괜찮을까?"** 히어로들은 격하게 반대했습니다. 한 히어로는 어차피 드러나고, 들키지 않는 거짓말은 없다는 의견이었습니다. 이 의견과 약간 다른 히어로가 있었습니다. 거짓말은 드러나지 않을 수 있는데, 어른이 되면 안 좋은 영향을 미친다는 의견이었습니다. 각자 찬반 토론을 약간 한 후, 그러면 **"착한 거짓말은 괜찮은가?"**에 대해서 물었습니다. 음식 맛이 없는데도, 맛있다 칭찬하는 경우를 예로 들자 상대방을 돕는 것은 괜찮다고 답변했습니다. 이에 대한 반대 의견으로 거짓말보다 다른 칭찬할 것을 찾아서 칭찬해 줄수도 있다는 의견이 었습니다. 거짓말은 어쨌든 안 좋다는 의견입니다. 그러자 원래 의견을 낸 히어로가 긍정적인 영향이 있는 경우로 조건을 제한했습니다. 다

른 질문으로 칭찬하는 경우 말고, 다른 사람을 배려해서 내 생각을 말하지 않는 경우는 어떤지 물었습니다. 한 히어로는 어떤 경우든 나중에 진짜 거짓말로 발전한다는 의견과 그럼에도 적당히 하는 경우는 괜찮다고 했습니다. 이후에, 거짓말이 개인에게 미치는 영향에 대한 짧은 클립을 봤습니다. 거짓말은 남의 신뢰뿐 아니라, 나 자신에 대한 신뢰를 저버리는 행동이고 이것이 반복되면 자존감이 낮아진다는 내용이었습니다. 그리고 정직하기 위한 방법에 대한 토론을 했습니다. 히어로들은 각자 오늘 정직을 위해 할 일을 적고 실천하기로 했습니다.

❖ 삶의 6가지 기둥

오늘은 아침 토론 대신 인생의 6가지 기둥에 대해서 탐구하기 시작했습니다. <천천히 아름다운 학교>의 전인 교육을 위한 단계인데요. 40일 동안 6가지 기둥 (영적, 감정적, 관계적, 육체적, 재정적, 지적 영역)에 대한 탐구를 시작합니다. 히어로들은 내가 일주일 동안 어느 분야에 시간을 많이 들였는지 정기적으로 점검해 보는 시간을 가집니다.

❖ 자기 관리 (Self Disciplined)

마지막 모임은 중요한 내용을 나눴습니다. <천아학교>에 모티브를 주기도 했고, 학교의 가장 중요한 목표인 학생 스스로 운영하는 교실의 좋은 예시인 몬테소리 학교 학생의 하루를 봤습니다. 5살 아이의 놀라운 자기 통제와 생활 훈련 모습을 보면서 우리가 여기 모인 이유와 우리 학교의 목적을 나눴습니다. <천아학교>는 히어로들이 하루하루 자기 훈련을 통해 스스로 독립적인 학습자로서 성장하기를 원합니다. 이를 위해 스스로 학교와 또 동료와 약속을 하고 그것을 공표합니다. 그리고 매일매일의 계획을 스스로 확인하고 최선을 다해 그것을 이뤄가며, 동료들이 파트너와 평가자가 되어서 그 길을 함께 갑니다. 그리고 궁극적으로 자기 삶의 소명을 발견하고 세상을 변화시킵니다. 이것은 절대로 가슴 벅찬 미래의 꿈이 아니라, 오늘 하루에 심긴 실제적인 체험이 되어야 합니다. 이번 주에 히어로들은 민주주의 정부의 구조를 배우고 헌법을 만들고, **학교와 나와의 약속** Student Contract 그리고 수업별 **우리의 약속** Rules of Engagement 을 만듭니다. 그리고 행정, 입법, 사법의 장을 뽑기로 했습니다. 이제 학교의 실제적인 모든 운영은 학생들이 주도하게 됩니다.

❖ 나의 약속, 헌법

• 오늘은 과거 "그래 결심했어!"로 유명했던 이휘재의 인생극장 관련 영상을 봤습니다. 그리고 '우리가 선택의 순간에 어떠한 선택을 하는지에 따라서 미래가 바뀔 수 있을까?'라는 질문을 했습니다. 우리의 인생의 중요한 선택의 순간은 언제인지 질문에, 도움을 줄 때, 재수할 때, 이직할 때, 관계를 시작할 때, 공부할 때, 이민 갈 때 등의 대답이 나왔습니다. 그리고 이러한 각각의 선택이 미래에 미칠 영향은 뭔지 재미있는 상상을 했습니다. 그리고, 지난 대통령 기록관 방문 기억을 살려 **"임시정부 요인들은 어떤 선택을 했을까?"**라는 질문을 했습니다. 고향을 떠났다, 재산을 포기했다, 독립에 헌신했다는 답이 나왔습니다. 그리고, 더 나아가서 그들이 민주 공화제와 남녀 귀천, 빈부의 계급이 없는 사회를 선포했을 때 사회의 상황을 설명하고 '임시헌장을 선포하는 연극 활동'을 해 봤습니다. 그리고 연결해서, 우리 학교도 학교의 미래를 결정할 '계약, 학교규정, 수업규칙'을 학생들이 직접 써서 공포하는 시간을 가질거라고 알렸습니다.

• 오늘은 <천아학교> 공동체에 중요한 과정 중 하나인 나의 약속을 만들고 서명하는 날입니다. 히어로들은 학교에서 스스로 네 가지의

대한민국 임시헌장 선포문

신인일치로 중외협응하야 한성에 기의한지 삼십유일에 평화적 독립을 삼백여주에 광복하고 국민의 신임으로 완전히 다시 조직한 임시정부는 항구완전한 자주독립의 복리로 아자손려민에 세전키 위하여 임시의정원의 결의로 임시헌장을 선포하노라.

대한민국 임시헌장

제1조 대한민국은 민주공화제로 함.
제2조 대한민국은 임시정부가 임시의정원의 결의에 의하야 차를 통치함.
제3조 대한민국의 인민은 남녀 귀천 급 빈부의 계급이 무하고 일체 평등임.
제4조 대한민국의 인민은 신교 언론 저작 출판 결사 집회 신서 주소 이전 신체 급 소유의 자유를 향유함.
제5조 대한민국의 인민으로 공민 자격이 유한 자는 선거권 급 피선거권이 유함.
제6조 대한민국의 인민은 교육 납세 급 병역의 의무가 유함.
제7조 대한민국은 신의 의사에 의하여 건국한 정신을 세계에 발휘하며 진하야 인류의 문화 급 평화에 공헌하기 위하야 국제연맹에 가입함.
제8조 대한민국은 구황실을 우대함.
제9조 생명형 신체형 급 공창제를 전폐함.
제10조 임시정부는 국토회복후 만일개년내에 국회를 소집함.

설명: 국사편찬위원회 연표그래픽 규나라

KBS

약속을 합니다. **나의 약속 (공동체에서 어떻게 행동할지 개인으로서 모두와 하는 약속), 토론 규칙 (서로 토론할 때 기본 규칙), 공동체 규칙 (공동체를 운영하는데 필요한 규칙을 합의), 정부 구성안 (학생들 스스로 정부의 구성 및 헌장을 작성)**을 히어로들 스스로 만듭니다. 그중 오늘은 나의 약속을 만드는 날입니다. 우선 대통령 기록관에서 임시정부의 '환국'과 관련한 전시를 떠올렸습니다. 기억나는 장면을 물었습니다. 그리고 아래 사진을 보여줬습니다. 오랜 타국 생활 후 돌아오는 임시정부 요인들이 짐을 챙기고, 함께 모여서 천에다 돌아가는 조국에서 어떻게 살겠다는 각오를 썼습니다.

- 즐거움과 괴로움을 함께하고 환난을 같이 이겨내자
- 많은 사람이 뜻을 모아야 성을 지을 수 있다
- 성의를 다하면 쇠붙이와 물도 뱈 수 있다
- 평화롭게 나라를 세우자
- 나라를 위해 노력하자
- 나라의 위상을 굳게 지키자
- 서로서로 도와가자
- 정성으로 단결하자
- 단결하여 건국하자
- 침착하고 용감하자
- 스스로 돕는 자를 남이 돕는다
- 완전 독립을 위해 계속 분투하자
- 실제에 힘쓰고 온 힘 다해 행하자
-

이들의 굳은 결의로, 비록 원하던 대로 완전한 독립을 이뤄내진 못했어도 우리가 독립의 정신을 가지고 지금까지 올 수 있었다는 사실을 나눴습니다.

그리고 지금 우리가 이 학교를 위대하게 하는 것은 우리가 가진 각오를 함께 나누고, 그 정신을 지켜내는 것이라는 사실을 나누었습니다. 그리고 히어로들은 엄숙하게 나의 약속을 작성했습니다.

오후까지 검토하는 시간을 가진 후, 히어로들은 나의 약속에 서명을 했습니다.

• 오늘 생각모임은 중요한 시간을 가졌습니다. 연초에 이미 했던 활동이지만, 새로 온 히어로들과 모두 함께 해야 하는 <천아학교>의 중요한 행사입니다. 우선 지난번처럼 전시관을 방문할 수는 없어서, 영상으로 임시정부 인사들이 환국하면서 썼던 서명포와 그 내용을 보았습니다. 이들이 오랜 고생 끝에 돌아올 때 자신과 민족과 그리고 후손들에게 한 약속들을 보면서 우리는 오늘 어떤 약속을 하고 있는지 물었습니다. 그리고 우리 <천아학교>는 누가 만들어 준 교칙이나 규칙이 아닌 내가 나 스스로와 학교 그리고 후배들과 후손들에게 할 약속을 스스로 만들어 지킨다는 점을 강조했습니다. 그리고 약속을 만드는 시간을 가졌습니다. 히어로들은 만들어진 약속을 출력해서 하루동안 생각하고 내일 아침에 서명하는 시간을 가집니다. 더불어 히어로들은 학교의 헌법을 만듭니다. 오늘은 우리나라 헌법의 요약본을 나눠주고 행정, 입법,

사법에 대한 간략한 설명을 했습니다. 내일부터는 함께 모여 우리 학교의 헌법에 필요한 부분들을 가려내고 정리하는 시간을 가집니다. 이제 히어로들은 우리 나라의 건국의 아버지들과 같이 스스로 세운 학교를 스스로 운영해 가게 됩니다.

오늘 히어로들은 어제 본인들이 직접 작성한 학교와 나와의 약속에 서명을 했습니다. 약속의 내용은 다음과 같습니다.

우리는 최선을 다해 노력하고

여러 방법들을 고려하고 수용하여 항상 가능성을 열어두고

실패하여도 포기하지 않으며 다시 일어나고

모두를 존중하며 아껴주고 친절하게 대하고

서로를 도와 다시 일으키며

서로에게 한 약속들을 지켜 모두에게 정직하게 행한다

우리는 아래에 서명함으로써 위 약속을 이행하기로 결정한다

이제 학교의 가장 중요한 설립 기반이 완성되었습니다. 이 약속을 기반으로 우리는 새로운 학교를 세워갈 겁니다.

• 오늘 마지막 생각모임은 '나의 약속'으로 세워진 학교에서 다음 단계로 할 일들에 대해서 알아보았습니다. 우리가 실제 국가를 건설할 때 헌법과 그것을 바탕으로 하는 3권 분립 정부를 어떻게 설립하는지 설명했습니다. 그리고 각 부의 기능과 수장에 대한 설명을 했습니다. 이제 내일은 우리나라의 헌법을 바탕으로 어떤 내용을 〈천아학교〉 헌법으로 만들지 정리하는 시간을 가지려고 합니다.

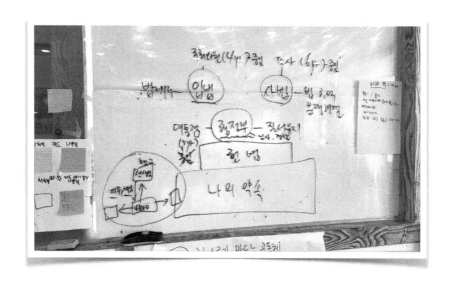

• 오늘 아침은 사회 계약설에 대한 짧은 EBS 클립을 봤습니다. 그리고 어제 우리가 맺었던 〈천아학교〉 나의 약속의 의미가 무엇인지 알아보는 시간을 가졌습니다. 어제의 약속을 통해 맺은 계약은 서로에게 대한 것인지, 아니면 학교와 나와의 계약인지 물었습니다. 그리고 계약을 통해 우리가 원하는 것이 무엇인지 물었습니다. 서로를 위한 것이라는 히어로는 서로의 관계 속에 약속을 지켜서 좋은 〈천아학교〉를 만들려는 것이라는 의견입니다. 반면 학교와 나와의 약속이라는 히어로는 약속을 통해 학교의 구조(규칙, 규정, 원

칙)를 만들어가기 위해서 맺었다고 했습니다. 둘 다 맞다는 의견도 있었습니다.

제가 '나의 약속'을 통해 강조하고자 하는 것은 지금의 공교육처럼 서로의 순전한 의지에 의해서 계약된 (사회 계약론적인) 하나의 사회가 아닌, 학생은 당연히 가야할 의무가 있고 그래서 학생은 당연히 존재하지만 학교는 그만큼의 책임이나 부담을 느끼지 못하는 관계는 안된다는 점입니다. 저는 학교가 계약을 통해 서로 무거운 책임과 의무를 지고 그것이 지켜지지 않으면 파기될 수 있음을 늘 인식하고 성실과 최선을 다하는 공간이기 원했습니다. 어제 나의 약속에 지장을 찍은 이후, 히어로들의 태도가 많이 바뀌었습니다. 특히, 이곳이 내가 책임과 의무를 다하기로 한 하나의 사회라는 소속감과 동료 의식이 생긴 것을 느낄 수 있었습니다.

히어로들은 잠시 모여서 우리나라 헌법의 요약집을 들고 우리에게 필요한 조항을 체크하는 시간을 가졌습니다. 대략 20개 조항이 선정되었는데요. 다음 주부터 해당 조항을 직접 보고 어떤 방식으로 우리에게 적용할지 구글 독스로 함께 써 내려가는 시간을 가질 예정입니다.

❖ 우리의 규칙 (Rules of Engagement)

오늘은 히어로들이 함께 작성한 '우리의 규칙'에 서명을 하는 날입니다. 히어로들은 '나의 약속'을 만들었지만 우리가 함께 할 때 지켜야 할 규칙은 아직 만들지 않았었습니다. 오늘 '우리의 규칙'을 만들고 서명하면서 히어로들 간의 관계에서 발생하는 문제들을 어떻게 해결할지 서로 약속하는 시간을 가졌습니다.

우리의 규칙

서로를 배려하고 존중한다

남을 비판하거나 저주, 따돌림, 조롱, 비꼬는말을 하지 않는다

싸움이 생길 경우, 상대방의 의견을 듣고 화해를 하는 등 완만하게 해결되도록
노력한다 만약 상황이 악화된다면 선생님에게 도움을 청한다

만약 상대방이 폭력을 쓸 경우 X표 등으로 최대한 쉽게 해결하도록 노력하고
비난을 줄인다

과한 논란을 만들어 악화된 상황을 만들지 않으려 노력한다

일을 할 때 최선을 다해 노력한다

서로를 아껴주고 힘들어 보일 때 앞장서 도운다

서로 간 기본적인 예의를 지킨다

상대에게 피해가 되는 행동은 하지 않으려 노력한다

언제나 서로를 칭찬하여 북돋아주려 노력한다

❖ 성격 칭찬 (Character Traits)

액턴 아카데미에서 중요하게 생각하는 한 가지는 각 히어로들이 자기 자신을 존중하고 가장 좋은 캐릭터들을 개발해 나가는 것입니다. 이것을 Learn to Be 라고 부르는데요. 존재에 대한 배움입니다. 이것을 위해 한 가지 중요한 활동은 다른 히어로들의 칭찬할 성품들을 발견하면 써서 칭찬함에 넣는 것입니다. 그러면 한 주에 한 번씩 칭찬하는 시간(Character Traits)을 가집니다. 오늘은 다른 히어로의 성격을 칭찬하는 시간을 가졌습니다. 앞으로 더 자세히 다른 사람의 좋은 성격을 칭찬하도록 독려해 나갈 예정입니다.

❖ 360도 동료 평가

오늘은 처음으로 그동안 함께 공부했던 동료들을 평가하는 시간을 가졌습니다. <천아학교>에서 일종의 시험입니다. 각자 **최선 Excellence** 을 다하도록 독려하고 세계 최고의 기준, 리더들의 방식, 동료들과의 협업을 통해 나의 결과물들을 평가하는 방식으로, 점수가 아닌 성장 자체를 목적으로 삼는 교육입니다. 히어로들은 자기 주변 2명에 대해 그의 학교에서의 삶과 학습 방법 그리고 필요한 점을 점검해 주는 시간을 가졌습니다.

❖ 시간관리

오늘 아침에는 시간 관리의 중요한 방향에 대해서 배웠습니다. 스티븐 코비의 시간관리 방법과 지난 세션에서 공부한 Big Rock 법칙 (Pareto 법칙)을 적용한 시간 관리입니다. 지금 히어로들은 너무 많은 일들이 한꺼번에 진행되고 있기 때문에 꼭 필요한 활동이었습니다.

우선 히어로들은 지금 학교에서 해야 할 일들을 포스트잇에 하나씩 적었습니다. 그러고 나서 신애라 님이 설명하는 스티븐 코비의 4분면 시간 관리법에 따라 내 삶에서 해야 할 일들을 정리했습니다. 역시 신애라 님의 설명대로 중요하지만 급하지 않은 3사분면에 핵심 업무들이 모여 있었습니다.

다음으로 히어로들은 Big Rocks (큰돌을 먼저 하기) 원칙에 따라 각 사분면을 돌의 크기로 표현해 봤습니다. 역시 3사분면이 큰 돌, 1사분면이 작은

돌, 2사분면이 더 작은 돌, 4사분면이 모래였습니다. 다음은 지난 세션에 내가 정한 큰 돌과 3사분면의 일들이 일치하는지 보는 것입니다. 결국 현재 내가 가장 중요한 일이라 생각하는 것들이 내 삶의 큰 돌의 범주와 일치하는지 분별해야 하는 작업입니다. 그리고 내가 포스트잇에 적은 것들은 어디에 포함되는지 봤습니다. 대부분 1사분면에 포함되네요. 히어로들은 종이를 뒤로 돌려서 시작 전, 하는 중, 완료 세 가지 칸을 만든 후 포스트잇을 붙이는 작업을 했습니다. 일종의 칸반 보드를 만들어서 이 일들이 어떻게 진행되는지 이번 주와 다음 주 사이에 관리합니다.

2.5.행동을 통한 배움, Learning to Do

교육철학

❖ Excellence

• 오늘은 우리 학교의 가장 핵심인 **최선 Excellence** 을 다하는 삶에 대한 생각을 나누는 시간이었습니다. 먼저 영화 <가라데 키드>에서 성룡의 도움을 받아 꾸준히 무술을 연마하는 주인공에 관한 짧은 클립을 봤습니다. 그리고 이 아이가 가진 목표는 무엇이었는지 물었습니다. 최고의 무술 대회에서 승리하는 것이라는 답변이 나왔습니다. 그러면 이것은 어떤 수준의 목표인지 물었습니다. 무술 대회에 나오는 상대의 실력을 모른다면 목표는 어떠해야 하겠는지 다시 물었습니다. 최고 수준이어야 한다는 답변이 나왔습니다. 그러면 최고 수준을 달성하기 위해서 아이가 도움을 받았는지 물었습니다. 성룡의 도움을 받았다고 했습니다. 성룡이 목표를 설정해 줬는지 물었습니다. 그렇지 않고 아이가 스스로 세웠다고 했습니다. 아이가 본래 무술 능력이 있었는지 물었습니다. 아마 운동을 잘하는 것 같다고 했습니다. 그러면, 아이는 목표를 달성하기 위해 하루하루 대단한 목표를 세웠냐고 물었습니다. 그렇지 않다고 답했습니다. 다리 찢기나 팔 굽혀 펴기 같은 것을 조금씩 늘린 것 같다고 했습니다.

여기서 <천천히 아름다운 학교>가 추구하는 최선에 대해서 설명했습니다. 먼저, "How you do anything is how you'll do everything" 이라는 **문구의 뜻을 물었습니다. 훈련하는 아이처럼 작은 것에 최선을 다하는 태도가 삶에 대한 태도가 될 것이라 설명했습니다. 그리고 최선을 다하기 위해 필요한 것은 무엇인지 묻고, <천아학교>에서 원하는 최선을 다하는 방법 그리고 최선을 다하기 위한 질문들을 소개했습니다.** 우리가 함께 하는 이유는 서로가 최선을 다하고 있는지, 본인이 가진 재능을 최대한 사용하고 있는지를 점검해 주고 서로가 가장 높은 수준을 달성할 수 있도록 히어로로 만들어 주는 데 있다는 이야기를 했습니다.

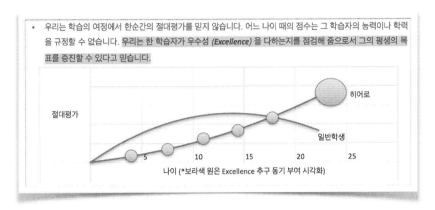

- 우리는 학습의 여정에서 한순간의 절대평가를 믿지 않습니다. 어느 나이 때의 점수는 그 학습자의 능력이나 학력을 규정할 수 없습니다. **우리는 한 학습자가 우수성 *(Excellence)* 을 다하는지를 점검해 줌으로서 그의 평생의 목표를 증진할 수 있다고 믿습니다.**

- 오늘은 정말 중요한 영상을 보고 토론 시간을 가졌습니다. 바로 **최선** Excellence 을 이끌어 내는 과정을 설명하는 내용인데요. 오스틴이라는 아이가 다른 사람의 **비평** Critiques 을 듣고 그림을 수정하면서 눈에 띄게 좋은 결과를 완성해 가는 과정을 설명하는 내용입니다.

영상을 보고 히어로들은 다음 질문을 받았습니다. **"최선 Excellence 을 추구하면 결과는 어떨까?"** 최고의 결과가 나온다는 답입니다. 그러면 모든 사람은 결과를 낼 수 있는 능력이 있는지 물었습니다. 각자 능력은 다르지만 모두 무언가를 해낼 수 있는 능력이 있고, **최선 Excellence** 을 추구하도록 도우면 자기 능력을 달성하거나 더 초과할 수도 있다는 이야기를 했습니다. 능력은 객관적인 수치로 측정하기 힘들지만, **최선 Excellence** 을 추구하도록 도우면 스스로 생각하는 자기 능력을 넘어설 수도 있다는 내용이었습니다. 그리고 두 번째 질문은, **"최선 Excellence 을 추구할 때 최고의 샘플을 보고 하는 것이 중요한지, 사람들의 충고가 더 중요한지?"** 였습니다. 둘 다 장단점이 있지만, 사람들의 조언이 더 도움이 된다는 답변이었습니다. 세 번째 질문은, 그러면 **"최선 Excellence 을 추구할 때 태도는 어떠해야 하는지?"** 였습니다. 조언을 듣는 사람은 잘 듣고, 수긍하고, 인내하고, 성실한 마음으로 반응해야 한다는 답입니다. 그리고 조언하는 사람은 친절하고 돕는 마음으로 구체적인 조언을 해야 한다는 답변이었습니다. 저는 이것을 '히어로의 마인드'라고 설명했습니다.

• 마지막 모임은 영어로 최선에 대해 토론했습니다. <천아학교>의 기준은 높은 점수나 외적인 기준을 충족시키는 것이 아닙니다. 우리는 각자가 최선을 다하고 있는지 확인하고, 외부의 기준이 아닌 나와 동료들이 정하는 최선의 기준을 따라 평가를 합니다. 따라서 히어로들은 해야 하는 목표를 달성하는 것이 아닌, 내가 어디까지 할 수 있는지를 발견하는 과정에 있습니다. 이것은 때때로 목표를 크게 초과하기도 합니다. 오늘 토론은 최선을 다할 때 나에게 어떤 일들이 일어나며, 그 결과는 어떠한지 토론했습니다. 히어로들은 미국 액턴 아카데미에서 3년간 공부했기 때문에 이러한 기준에 익숙합니다. 모두 정확한 증상과 그 결과들을 나누어 주었습니다.

❖ 실패

• 오늘은 누리호 3차 발사가 있는 날입니다. 아침에 소식을 듣고 히어로들도 관심이 많습니다. 아침에, 지난 누리호 1차 실패 후 나온 뉴스를 봤습니다. 그리고 질문했습니다. **"실패는 나쁜 것일까?"** 한 히어로는 또 도전할 기회를 주므로 실패는 좋은 것이라고 했습니다. 다른 히어로는 동의한다고 하면서, 추가로 경험을 쌓게 되면 성공에 이를 수 있다는 첨언도 했습니다. 여기서 지난 체르노빌 원전 사고에 관한 영상을 봤습니다. 그러면서 다시 물었습니다. **"체르노빌의 실패는 큰 재앙을 가져왔다. 실패가 꼭 좋은 것일까?"** 한 히어로는 그래도 실패를 통해 다시 사고가 나지 않게 하므로 좋다고 했습니다. 그래서, 추가로 체르노빌의 결과와 영향 등을 피부에 와닿게 설명했습니다. 그러자, 큰 실수는 단기적으로 나쁠 수도 있다고 인정했습니다. 다시 처음 질문으로 돌아갔습니다. **"실패는 나쁜 것일까?"** 그리고 추가로 질문했습니다. **"그리고, 실패를 막는 것이 필요할까?"** 실패를 막기 위해 사람들은 시험을 보고, 평가를 하고, 점수를 매기고, 미리 준비시키고, 통제합니다. 이것을 설명하자, 히어로들은 다음 의견을 냈습니다. 작은 실패는 넘어갈 수 있고 삶에 도움이

된다. 큰 실패는 막을 수 있으면 좋지만, 어쨌든 그것을 통해 배우는 것이 중요하다. <천천히 아름다운 학교>의 가장 중요한 포인트는 실패를 용인하는 것입니다. 학교에서 발생하는 대부분의 실수는 큰 실수가 아니기 때문입니다. 틀린 철자를 지적하는 것부터, 원하는 결과를 얻지 못하는 것까지 실패에 대해 우리의 대응은 스스로 **최선 Excellence** 을 다하고 있는지, 그리고 실패를 받아들이고 다시 힘을 낼 수 있는지입니다. 이것이 중요합니다. 액턴 아카데미에서 가끔씩 놀랄 때가 있는데, 미국 초등학교 아이들이 발표할 때 철자를 많이 틀린다는 부분입니다. 액톤 아카데미의 원칙은 정기적으로 동료가 평가하되 일상적인 실패의 지적을 할 수 있으면 하지 않는 것입니다. 특히 선생님의 개입을 최소화합니다. 아이들이 **동료 검토 Peer Review** 를 통해, 또 360도 평가를 통해 차츰 나아지는 것을 보면서 이 방법을 신뢰하게 되었습니다.

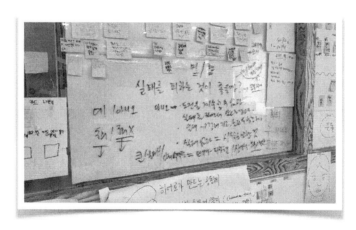

• 오늘은 실패에 대해서 생각해 봤습니다. **"어떤 일을 100번 실패하고, 100만 원을 쓴 상태에서 계속 그 일을 할 것인지?"** 질문했습니다. 좀 와닿지 않아서, 게임기를 만드는 재료를 사서 조립했는데 계속 실패하는 상황을 가정했습니다. 히어로들은 역시 예리했는데요. 게임기라도 수익이 날 수 있는 경우라면 돈을 빌려서라도 계속 만들겠다는 의견이 반, 수익이 없어도 꺾이지 않는 마음을 지키겠다는 히어로가 반이었습니다. 팩트를 바꿔서 수익이 나더라도 1억을 더 빌려야 하고 갚을 수 있을지도 모르는 상황이라고 하자, 조금씩

생각이 바뀌었지만 계속하겠다는 히어로가 1명 더 생겼습니다. 다시 팩트를 바꿔서 실패했지만, 노하우가 쌓여서 더 나은 제품을 만들 수 있다면 (그런 가능성이 보인다면) 지금 다시 시도하겠냐고 물었습니다. 단지 제품을 만드는 성취감을 위해서 노력하지 않을 것 같다는 히어로가 1명이었습니다. 성공하면 100억을 벌 수 있다면 모두 시도하겠다고 합니다. 첫 의도와 너무 다른 흐름이었습니다. 다음으로 에디슨의 실패가 어떻게 성공을 낳았는지 짧은 영상을 봤습니다. 그리고 실패를 많이 하는 것이 성공을 보장하지는 않지만, 성공한 사람 중에 실패를 많이 하지 않은 사람은 없다는 이야기를 나눴습니다. 중요한 것은 방향성과 실패를 두려워하지 않는 마음이라는 내용으로 정리되었습니다.

• 저희 학교 수업을 보면, 매우 어려운 것 같다는 의견을 몇 번 들었습니다. 그런데 <천아학교>에서 히어로들에게 기대하는 것은 세계적인 기준과 자신의 수준을 비교하고 한 걸음씩 나가는 것, 그리고 실제적인 경험을 통해 몸으로 배우는 학습입니다. 어려운 내용이더라도 일단 **도전과제** Quest 를 주고 실제 결과를 내야 하는 상황을 주면, 히어로들은 대부분의 과제를 수행할 수 있습니다. 예를 들어, 스피치를 하면서 **신뢰성** Ethos, **감성** Pathos, **논리** Logos 등의 어려운 이론을 가르쳐 주지만, 결국은 그것을 이해하던 하지 못하던 스피치를 해 내야 (Doing) 합니다. 이 과정에서 많은 실패를 경험합니다. 그리고 모든 결과물이 뛰어나지는 않습니다. 하지만, 작은 실패들이 방향성을 찾아 모이게 되면 엄청난 결과를 가져옵니다. <천아학교>에서는 히어로들에게 일일이 더 나은 결과를 가져오라고 채찍질하지 않습니다. 실패는 본인이 가장 잘 압니다. 최선의 결과물을 비교해 보며 자신의 방향을 수정해 나가고, 의지를 꺾지 않는 것, 그리고 서로 함께 이것을 해 나가는 것이 가장 중요합니다.

❖ 의도적 교육, intentionality

• 아침에 수업을 들어가면서 갑자기 큰 깨달음이 왔습니다. 제가 이 학교를 시작할 때 액턴에서 가장 중요하게 생각하고 있는 한 가지를 하지 않고 있었기 때문입니다. 수업에 너무 집중한 나머지 액턴 아카데미에서 몬테소리에

서 받아들인 자기 관리 부분을 놓치고 있었습니다. 아이들 주변이 쓰레기장처럼 더러워지고 학교 구석구석이 더러운 자국들로 지저분해져 있었습니다. 청소를 하고 주변을 정리하고 자기를 관리하는 것이 중요한 이유는, 아이들이 스스로 문제를 해결하고 실패를 통해 독립적인 인간으로 성장하는 계기라고 생각하기 때문입니다. 그리고 이것은 요즘 유행하는 "**의도적 교육** Intentional Learning"과도 연결됩니다. 이것은 머릿속에서 스스로 목표를 정하고 그것을 성취하기 위한 다양한 방법을 시도하고 실패를 통해 배우며 누군가의 도움을 얻기보다는 독립적으로 문제를 해결하는 방식의 배움을 말합니다. **의도적 교육** Intentional Learning 은 생활 속에서 Learning by Doing 을 통해서 가장 쉽게 배울 수 있는데, 아이들이 청소를 하는 모습을 보면 처음에는 답답하지만 기다리면서 꼭 필요할 때만 도움을 주면 금방 가장 좋은 방법을 찾아가는 것을 볼 수 있습니다.

원래 액턴 아카데미에서 2시 반에서 15분 동안은 아이들끼리 일을 분배하고 협력해서 청소를 하는 시간이고, 이것이 유일한 청소시간이기도 합니다. 가끔 방문하면 학교에 찌린내가 나기도 하는데, 교사들이 가만히 두는 것을 보고 대단하다는 생각도 했습니다. 그런데 <천아학교>에서 이 시간을 무시하고 자꾸 학습을 시키고, 오후에 제가 혼자 청소를 하다 보니 문득 아이들이 성장할 기회를 뺏고 있다는 생각이 든 것입니다. 일정을 멈추고 거의 1시간을 청소에 매달렸습니다.

• **의도적 배움** Intentional Learning 은 실제적인 삶에서의 과제들을 풀 때 효과를 발휘합니다. 인터넷에서 실제 비행기 표의 가격과 호텔의 가격을 비교하고 자신이 뽑은 예산의 범위 내에서 지출의 균형을 잡는 훈련은 우리나라 학생들이 학교에서 하기 힘든 훈련입니다. 학교를 다니다 새로 온 히어로들이 생각보다 이러한 현실적인 목표를 달성하는 것을 힘들어하는 것을 봅니다. 우리의 학교가 정말 실제 삶을 총체적으로 교육하고 있는지 늘 고민해야 하는 지점일 것 같습니다. 오늘 방문한 저학년 히어로는 지도에서 본인이 가고 싶은 지역들을 찾고 해당 장소를 구글 지도로 탐방하는 작은 프로젝트를

했습니다. 이러한 실제적인 삶의 경험은 <천아학교>의 가장 중요한 교육 방식입니다.

❖ 도전기반학습

도전기반학습은 기본적으로 2장에서 설명한 내용을 기반으로 학습을 구성합니다. 재미있는 Quest 들을 소개합니다.

Quest - 탐정 훈련

• 오늘은 오전 시간에 Core Skills 를 줄이고 탐정 훈련에 들어갔습니다. <천아학교>의 장점은 필요에 따라 시간을 조정할 수 있다는 점입니다. 오늘 Core Skills 목표를 달성하지 못한 히어로들은 내일 시간을 더 주기로 했습니다. 그리고 오늘의 훈련은 사건 분석입니다. 제목은 쿠키 실종 사건입니다. 잘 만들어 둔 판매용 쿠키가 설거지 중에 사라졌는데, 누가 가져갔는지 찾는 내용입니다. 실마리를 하나씩 적고 함께 분석을 시작했습니다. 결론과 상관없

195

는 실마리들을 하나씩 제거하니 명확하게 범인이 드러났습니다. 하나하나 용의자를 제거하는 과정을 통해 내가 쓸 추리소설의 줄거리 흐름에 대해 잠시 생각해 봤습니다.

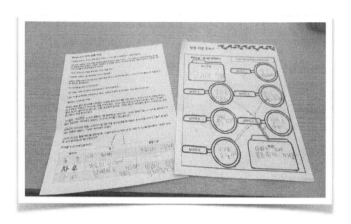

• 오늘 추가된 단서들을 합해서 히어로들은 증거 수집표를 만들기 시작했습니다. 지난주에 잠시 해 봤지만, 모두 함께 하는 것은 처음입니다. 서로 팀을 이뤄서 작업을 했습니다. 그동안의 증거가 매우 방대해서, 그것들의 연결고리를 찾는 작업이 쉽지 않습니다. 히이로들은 최선을 다하고 있습니다. 특히 오늘은 용의자를 좁히는 시간을 가집니다. 이제 심문할 사람을 2명만 선택하게 되는데요. 누구를

용의선상에서 제거해야 할지 무척 고민이 많은 히어로들입니다.

오늘은 증거수집표를 바탕으로 용의자들에게 할 질문까지만 정리했습니다. 내일 실제로 사용되는 심문 방식인 Reid 방식과 Peace 방식을 공부하고, 간단한 심문 연습을 해 볼 예정입니다. 그리고 오후에는 정말 용의자를 불러서 심문을 해 볼 예정입니다.

• 오늘은 드디어 용의자들의 심문을 준비하는 날입니다. 아침 토론부터 심문을 할 때 쓰는 기법들이 무엇인지 고민해 봤습니다. 오랜 경험을 가진 형사분들이 심문을 어떻게 하는지 짧은 영상을 봤습니다. 그리고 각자 심문을 할 때 중요한 3 가지를 써서 칠판에 붙였습니다. 정리해 보니, '기싸움', '명확한 질문', '핵심증거', '자백'이 나왔습니다. 각자 본인이 생각하는 가장 중요한 것을 발표했습니다. 한 히어로는 명확한 질문이라고 답했는데, 질문이 명확하지 않으면 범죄를 밝혀내기 힘들다는 입장이었습니다. 다른 히어로는 자백을 들었습니다. 질문을 아무리 잘해도 범인이 입을 열지 않으면 밝혀내기 힘들다는 생각입니다. 두 히어로들에게 질문과 자백 중 어떤 것이 더 중요한지 되물었을 때, 각자 질문이 잘 되어야 자백을 받을 수 있다는 점과 자백을 바탕으로 질문이 계속될 수 있다는 주장을 계속했습니다. 다음 히어로는 증거라는 의견을 냈습니다. 꼭 필요한 내용만 질문하기 위해서는 증거가 있어야 하고 핵심질문은 여기에서 나와야 하며, 그렇지 않으면 많은 질문을 해도 또 자백을 해도 시간 낭비라는 의견을 냈습니다. 이 의견에 대해서 다른 히어로들이 갑자기 동의하기 시작했습니다. 하지만 마지막 의견이 또 있었는데요. 증거가 있

어서 핵심만 질문하면 방어적으로 변하고 친밀한 대화를 할 수 없어서 원하는 답을 얻기 힘들 수도 있다는 의견이었습니다.

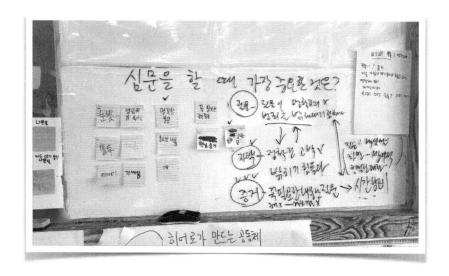

• 오늘은 오후에 용의자가 심문을 위해 방문합니다. 때문에 오전부터 심문 연습을 했습니다. 실제 형사들의 심문 장면을 봤습니다. 그리고 실제로도 많이 쓰이는 심문 방식을 하나씩 읽어가면서 어떻게 용의자의 마음을 흔들고 자백을 받아내는지 연구하는 시간을 가졌습니다. 그리고 드디어 심문하기 실습을 했습니다. 주제는 지난 번 탐정훈련 내용인 '사라진 쿠키'에서 새로운 증거들을 제시하고 쿠키를 가져간 용의자를 심문하는 방식으로 진행했습니다. 상대방의 자백을 받아내기까지 치열한 심문이었습니다.

드디어 용의자가 왔습니다. 히어로들이 가장 열렬하게 지목했던 용의자였기에, 강하게 밀어 부칠 것 같았는데 어렵네요. 증거가 충분하지 못했던 부분도 있고, 히어로들이 미리 너무 예단을 내린 바람에 판단이 잘못된 경우도 있었습니다. 용의자에게 새로 알아낸 사실들이 있기는 하지만, 문제 해결에는 도움이 되지 못했습니다. 히어로들은 어떤 대책을 세울까요? 다음 용의자를 부르던, 지금 있는 증거로 용의자를 특정하던 방향을 정해야 합니다.

• 오전에 Core Skills 시간을 마치고, 범인이 어떻게 금고에 침투할 수 있었는지 동선을 파악하러 밖으로 나갔습니다. 지도에서 동선을 그리는 작업인데요. 히어로들은 범인이 CCTV에 찍히지 않았다는 점 때문에 학교 뒤 산길을 택했습니다. 범인의 이동경로를 추정하면서 히어로들은 놀이터를 만났습니다. 자연스럽게, 즐거운 놀이 시간이 되었네요. 동선 파악 후, 히어로들은 각자 생각하는 범인의 이동 경로를 발표하는 시간을 가졌습니다. 그리고 사건 주변을 관찰하고 동선을 생각하는 것이 사건을 다르게 바라보는 방법임을 깨달았습니다.

Quest - 곰팡이 실험

히어로들은 바로 실험 모드로 들어갔습니다. 지난 주에 누구의 곰팡이가 빨리 필까 시합을 했는데, 모두 뛰어가 각자의 원두커피 가루를 가져왔습니다. 한 히어로가 어둠 속에 가루를 넣어놨는데 가장 곰팡이가 많이 피었습니다. 너무 실망한 다른 히어로들에게 한 번 더 기회를 줬습니다. 이번에는 가장 짧은 시간에 곰팡이를 없애는 시합입니다. 각자 여러 방식의 처리를 한 후에 쉬는 시간에 보았는데, 2명의 히어로 것에서 명확하게 곰팡이가 사라졌습니다. 비결은... '곰팡이 제거제와 침'이었습니다. 이로서 사건의 중요한 실마리 중 하나인 곰팡이가 2~3일이면 피게 된다는 것을 알게 되었습니다.

Quest-심리실험

오후에는 '지침복사'에 대한 재미있는 심리 실험을 해 봤습니다. 앞에서 부터 한 명씩 종이접기 또는 그림 그리기를 한 후 이를 뒷사람에게 전달해서 가르쳐주는 실험입니다. 맨 처음 내용과 맨 마지막이 어떻게 다른지 비교해 봤습니다. 그리고 왜 종이 접기가 더 잘 전달되는지 생각해 봤습니다. 3차원이니까, 손으로 하니까 더 잘 외워져서 등의 의견이 있었습니다. 여기서 심리학자들이 어떻게 연구를 하는지, 어떻게 사람들의 행동을 연구하는지 등을 설명했습니다.

Quest - 스피치

오늘은 스피치를 처음하는 히어로들을 위해 내가 되고 싶은 인물 찾기를 먼저 했습니다. 그리고 이 인물들의 인생 그래프를 그리고 발표해 봤는데요. 짧은 시간에 위인의 일생을 세세하게 표현하는 히어로들이 놀랍네요. 특히 이 위인들의 인생 중 어느 시점의 스피치를 하겠다는 결정을 각자 했는데요. 모두 인물의 삶을 잠시 알아보면서 그 인물의 중요한 시점을 택했습니다.

그러고 나서 전에 보았던 마틴 루터 킹 목사님의 연설 배경을 듣고 연설을 보았습니다. 히어로들에게는 '연설의 준비를 위한 질문지'를 주고 목사님의 연설에 대한 질문에 답하도록 준비시켰습니다. 특히 연설의 배경이나 청중의 상태 등을 이해하기 위해 배경을 상세히 설명했는데, 모두 질문에 취지에 맞게 대답하였습니다.

이후 연설의 5가지 조언 (열정, 아이컨텍, 명확/천천히 말하기, 제스처/표정 사용, 연습)을 읽은 히어로들에게 바로 아무 주제에 대해서 연설하기 액티

비티를 했습니다. 갑자기 주어진 상황에서 각자 주제를 정하고 연설 내용을 쓰고 연설을 했는데, 각자 성격과 수준에 맞게 명쾌한 연설을 했습니다. '아이돌을 지켜줍시다', '수학에 대한 농담', '아침밥을 먹읍시다', '연예인을 과하게 좋아하지 맙시다' 등의 주제로 1분 이하의 연설을 해 냈습니다.

• 이번 세션에는 내가 스피치를 할 위인을 뽑은 후, 그 사람이 스피치를 한 지역에 가서 여행을 하는 계획을 세우는 프로젝트가 있습니다. 오늘은 각자 뽑기를 통해 예산을 배정받았습니다. 국내 여행의 경우는 괜찮지만, 해외(이탈리아)의 경우는 매우 타이트한 예산입니다. 예산에 따라 여행 계획 짜기에 들어갔습니다. 최고의 여행 계획들을 보고, 자신에게 필요한 정보들을 마인드맵으로 그리는 시간을 가졌습니다. <천아학교>의 **최선 Excellence** 의 기준은 세계 최고의 작품들입니다. 이 기준과 내 생각이 어떻게 다른지 비교하는 과정을 거쳐 자신의 결과물을 개선해 나갑니다. 오늘은 정말 잘 된 여행계획들을 보면서 내 여행계획의 마인드맵을 완성했습니다.

• 오늘은 어제 만든 포스터를 설득력 있게 전달하는 연습을 했습니다. 본인의 연설을 녹화해서 다시 본 히어로들은 모두 불만을 표출했고, 다시 찍자고 아우성입니다. 자극을 주기 위해 아침에 본 잘된 스피치 영상을 잠시 다시 보았습니다. 최고 수준의 샘플을 보고, 자신의 모습을 비교해 보는 것은 <천아학교>에서 **최선 Excellence** 을 추구하기 위한 중요한 방법입니다. 모두 최선을 다하지 못했다고 생각했고, 내용과 전달 방법을 다시 연구한 후에 연단에 서서 발표를 했습니다. 발표 영상을 다시 전달받고 모두 다시 수정할 부분을 고민하고 있습니다.

❖ Big Picture

• 오전 모임 전에 이번 세션의 주제인 게임 만들기에 대한 전체 그림을 그렸습니다. 지난 주 히어로들은 기술을 필요로 하는 게임 (Game of Skill)과 운을 필요로 하는 게임 (Game of Luck)을 직접 해 봤습니다. 확률에 대한 공부도 했습니다. 동전의 확률에서부터 주사위 확률까지 다양한 확률의 경우를 다루어 봤고, 기술이 필요한 게임도 해 봤습니다. 이번 주부터는 본격적으로 나의 게임에 필요한 스토리와 게임 캐릭터 만들기 그리고 여러 종류의 게임을 만들어 보고, 더욱 확장시켜 보는 시간을 가질 예정입니다.

이렇게 큰 그림을 그리는 작업은 <천아학교>에서 매우 중요합니다. 배움의 핵심은 흥미 또는 영감을 느끼는 것입니다. 교사는 그 흥미를 유지하기 위해 이야기를 만들어 내고, 큰 그림을 제시해 주는 역할이면 족합니다. 지난 주에 직접 해 본 여러 가지 게임의 기본기들이 어떻게 사용될지 큰 그림에서 이해하는 시간이었습니다.

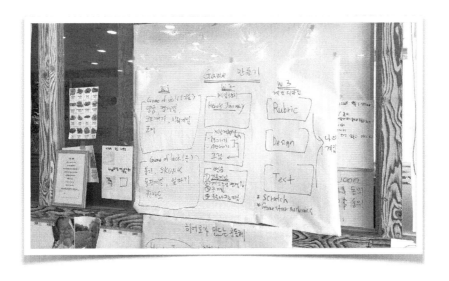

203

• 오늘 생각모임은 어제에 이어, <천천히 아름다운 학교>의 큰 그림을 그리는 시간입니다. 아이들에게 전체 지도를 보여 주는 것은 중요합니다. 이것을 통해 현재 나는 어디에 있고, 어떤 목표를 위해 가고 있으며, 어떤 중요한 지점들이 기다리고 있는지 그리고 내가 해야 할 질문들과 해결해야 할 일들을 분별할 수 있습니다. 올해를 시작하며 3번째 세션까지 오면서, 나는 누구인지, 어떤 약속을 했는지, 그리고 지금 함께하는 사람들과 어떤 길을 가야 하는지 전체적인 그림을 그리는 시간이었습니다.

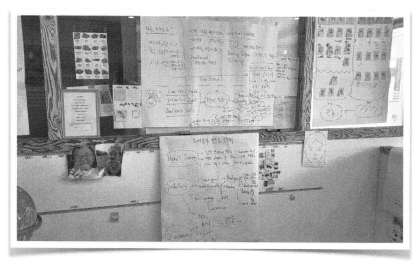

• 오늘 아침은 과학의 '패러다임 전환'에 관한 클립을 보고 토론을 했습니다. 질문은 **"아인슈타인의 패러다임은 언제까지 갈까?"** 였습니다. 히어로들은 사실 올해 첫 세션에 시간에 관한 공부를 했습니다. 하지만, 당시에는 시간의 상대성에 대한 어려운 이야기는 하지 않았는데요. 이번 세션은 과학을 주제로 하기 때문에 '인터스텔라' 등의 영화를 언급하며 이론을 공부해 봤습니다. 그러고 나서 토론을 했는데요. 설명을 들은 후 히어로들은 아인슈타인의 패러다임은 새로운 이론이 나올 때까지 지속될 것이라고 대답했습니다. 다른 히어로는 천재가 나타날 때라고 답했습니다. 그러나, 클립에서 패러다임이 일반에 정착되기까지 어떤 과정을 거칠지 질문하자 오랜 시간이 걸린다는 점과

새로운 패러다임이 일반인에게 정착될 때까지 아인슈타인의 패러다임이 지속될 것이라고 답했습니다.

그리고 나서, 이번 세션의 흐름을 큰 그림으로 보여줬습니다. 미국의 액턴 아카데미에서 강조하는 부분은 **(1)복잡한 이론을 단순화하기, (2) 조망하기, (3) 히어로들에게 어필하기, (4) 서로 책임지는 자세로 협력하기의 4가지 단계로 학습을 진행하는 것입니다.** 이번 세션은 내가 궁금해 하는 과학 현상들을 설명해 줄 과학자를 선정하고, 그것을 골드버그 장치에 표현하며, 그 과학자를 소개한 후 그의 이론을 적용한 실험을 하는 과정을 거칩니다.

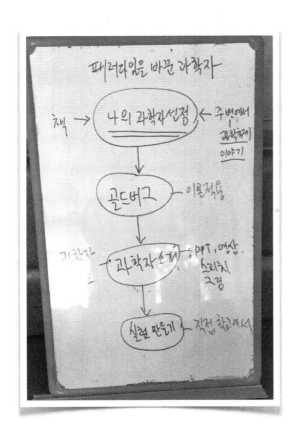

❖ 미술

• 오후에는 이번 세션에 쓰고 있는 추리소설의 표지를 그리는 시간을 가졌습니다. 소설이 어느 정도 마무리가 되어가면서 생각했던 표지 그림이 잘 준비되고 있습니다. 어떤 책이 완성될지 기대가 됩니다.

• 이번 세션 미술은 스케치 배우기를 합니다. 미국에서 유명한 책을 바탕으로 누구나 배울 수 있는 스케치 방법을 연습해 보는 시간입니다. 오늘은 그림 거꾸로 그리기를 했습니다. 익숙한 구도가 아닌 뇌를 자극하는 방식을 통해 그리는 기술입니다. 재미있는 결과물들이 나왔습니다.

• 오늘은 움직이는 인물 그리기 연습을 했습니다. 이번 세션에서 히어로들은 기본적인 소묘의 방법을 '베티 에드워즈'의 그리기 방식을 따라 배웁니다.

• 오늘은 '배티 에드워즈'의 그리기 기법 중 오토매틱 드로잉을 해 봤습니다. 무작위로 선을 그린 후 그 안에서 의미 있는 모양을 찾아 그리는 방법입니다.

• 오늘은 음영(negative space)으로 공간감 표현하기 작업을 했습니다. 이제 히어로들은 밖으로 나가 스케치를 할 예정입니다.

• 오늘 미술은 계속해서 스케치를 하였습니다. 특히 오늘은 안 쓰던 손, 손가락을 사용해서 그림 그리기를 했습니다. 베티 에드워즈 그림 그리기 연습 마지막 시간이었습니다. 멋진 히어로들입니다!

❖ 연극교육

역사연극

마지막 생각모임은 영화의 한 장면으로 계백 장군이 가족을 죽이는 장면을 실감나게 표현한 장면을 봤습니다. 그러면서 계백 장군 부인이 처한 상황을 통해 그녀의 그림자와 그것을 다르게 바라보는 융의 그림자 이론 작업을 해 봤습니다. 히어로들에게 부인의 그림자를 물어보니, 욕을 한다, 불친절하다, 화가 많다, 고집이 세다, 괄괄하다, 과격하다, 존중이 없다, 짜증을 낸다, 대구를 한다 등의 대답을 했습니다. 우리가 짧은 시간에 사람의 그림자를 알기는 힘들지만, 이해를 위해 더 나아가 봤습니다. 이번에는 이 모습을 좋게 표현하면 어떤지 물었습니다. 강인하다, 상황판단이 빠르다, 의지가 강하다, 독립적이다, 보호 본능이 있다, 내 생각을 잘 표현한다 등이 나왔습니다. 우리가 어떤 인물을 이해할 때 그 외면과 그 안에 있는 좋은 의미를 함께 이해해야 한다는 점을 생각해 봤습니다.

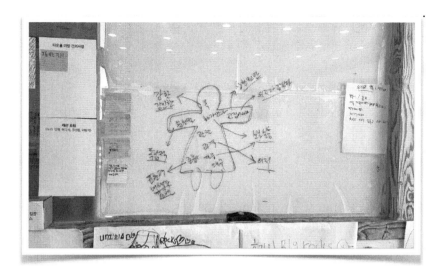

이제 히어로들은 대본을 작성했습니다. 구글 독스를 열고 같은 파일을 동시에 편집하는 방식입니다. 정말 오랜 시간 갑론을박 하며 대본을 완성했습니다. 짧은 연극이지만 모든 구성요소를 갖춘 3장면으로 구성된 멋진 대본이 완성되었습니다. 놀라운 점은 함께 같은 문서를 보면서 편집하는데, 처음에는 서로 막무가내로 내용을 쓰면서 뒤죽박죽 엉망이 되었지만, 곧장 순서와 규칙을 정하고 돌아가면서 대사를 쓰면서 스스로 완벽히 동기부여가 되었다는 점입니다. **의도적 교육** Intentional Education 이란, 이렇게 어떠한 도전과제를 해결하기 위한 배경을 준비해 줌으로써 학생들이 길을 찾아갈 동기를 부여하는 방식입니다. 오늘 대본은 완벽한 의도적 교육의 결과였습니다.

영어연극

오늘 독서 시간은 '애국지사 소설 쓰기', '나의 과학자 소개' 등 바쁜 일을 하면서 보냈습니다. 오후에는 마지막 **도전과제** Quest 인 영어연극 준비를 했습니다. 히어로들이 이번 세션에 본 '인터스텔라'라는 영화의 한 장면을 정해서 대본을 연습했습니다. 대본과 실제 영화 대사가 달라서 리딩을 하고 영화를 보면서 고치고 영화를 다시 보면서 최종 리딩을 했습니다. 히어로들은 토론을 통해 영화가 워낙 어두운 톤이고, 정한 장면이 우주에서의 장면이라 별도의 연기 없이 영상을 틀어놓고 대사를 하면서 녹화하는 방식으로 변경했습니다.

2.6.앎을 위한 배움, Learning to Learn

❖ 컴퓨터 기반 학습 <"Hole in the Wall">

온라인 학습 도구들이 발달한 미국과 달리 한국에서는 선택지가 많이 없습니다. 다행히 칸 아카데미나 토도 영어, 수학 등 몇몇 한국어로 제공되는 앱들을 기반으로 수업을 할 수 있었습니다. 새로 온 히어로들이 칸 아카데미와 토도 영어에 매우 짧은 시간에 결과를 내는 것을 보고 많은 생각을 하게 됩니다. 이것을 성취의 도구로 인정할 것인지, 그리고 이것이 현실적인 시험에 도움이 되는지 등인데요. 미국에서는 정말 무리 없이 다들 학력 인정을 받고 좋은 대학을 가지만 한국은 어떨지 고민이 됩니다.

<천아학교>의 장점은 선생님 없이도 어느 곳에서나 핵심 과목들을 공부할 수 있다는 점인데요. 크롬북을 가지고 도서관에서 수업을 시작했습니다. 아침 루틴인 삶의 6기둥 훈련을 한 후 모두 각자 선택한 웹기반 학습 툴들로 공부를 시작했습니다. Khan Academy, IXL, 깨봉수학, EBS 등에서 기초 과목들을 세션 초의 목표에 따라 수행합니다. 수행 결과에 따라서 (예를 들면, Khan Acedemy는 방정식 같은 주제를 100% 수행하면) 배지를 주고 기록을 하게 됩니다. 오늘은 특별히 탐정에 관한 책과 읽고 싶은 책들을 고르는 시간도 가졌습니다.

❖ 정답은 없다

• Core Skills를 진행하면서 큰 난관에 빠졌습니다. 바로 EBS 교재들과 그에 따른 강의를 하려다 보니 기존 학교에서 점수를 받는데 도움이 되는 책과

강의 위주였기 때문입니다. EBS 교재를 사고 문제를 풀다보니, 아이들은 다시 혼란에 빠졌습니다. 검정고시 준비를 위해 한국식 학제 공부를 해야 하지만, 하려다 보니 너무 많은 양을 소화해야 하고 학교와의 스케줄이 겹치기 때문이었습니다. 물론 학교에서 하는 Kahn Academy 나 IXL 같은 교재도 문제 위주로 구성되어 있습니다. 하지만, 한국의 경우 커리큘럼에 따른 학습 목표의 달성을 시험 점수로 확인하려고 하고, 이 때문에 넓은 주제에서 문제를 내고 풀이하고 더 심화하고 풀이하고 이런 패턴으로 가기 때문에, 주제에 집중하는 프로그램들과 전혀 교육 목표에서 맞지 않기 때문입니다.

예를 들면, 어떠한 주제를 공부하려 할 때, BBC 의 교육 관련 컨텐츠들을 보면 주제 자체에 집중해서, 질문하고 답하고, 실험하고 문제 풀고, 이런 식으로 주제를 다면적으로 이해하려 합니다. 때문에, 많은 분야의 많은 지식을 다루지 않습니다. 그러나 실험 (물론 화면을 통해 보지만)을 통해 경험한 것은 문제 및 질문을 통한 적용으로 유기적으로 연결되어 있고, 이것으로 어떠한 지식을 배우는 방식 및 절차를 알려주기 때문에 교육방송을 보는 동안에도 **암묵지** Tacit Knowledge 를 형성할 수 있습니다. 그러나 한국 교육 방송의 경우 많은 것을 압축해서 알려주려 하고 문제를 통해 암기하는 방식이기 때문에 어떤 주제를 공부하기에 적합하지 않았습니다.

글쓰기의 경우도 마찬가지였습니다. 한번은 아이들이 생활문 같은 일반적인 개인 기록을 서론-본론-결론에 따라 쓰도록 배우려고 자료를 찾았는데요. EBS 자료 중 커리큘럼에서 자유로운 교재들 정도에서 그런 자료를 찾기는 했으나, 바로 적용하기에는 무리였습니다. 강의 중심 교재였기 때문입니다. 이 경우에도 BBC 자료가 도움이 되었습니다. BBC의 Bitesize에 가서 "How to write introduction body conclusion?" 을 치자, 다음과 같은 화면이 나왔고 간단한 writing 프로젝트를 만들 수 있었습니다.

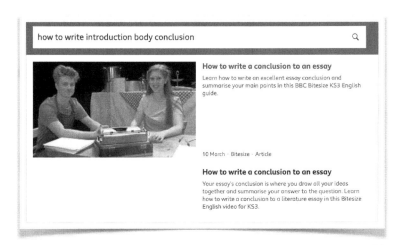

- 저는 히어로들이 전통 교육으로 돌아가지 않기 위해서 특단의 조치를 취했습니다. 학교에서는 검정고시 및 시험공부를 하지 않기로 한 것입니다. 그리고 과목을 일단 최소화 했습니다. EBS 중에서 흥미있고 계속하고자 하는 과목은 허용하되 주제 중심의 교육을 하고, 모든 것을 다 가르치려 하기보다는 한 주제를 공부하는 다양한 방식을 실행을 통해 학습 (Learning by Doing) 하고자 했습니다. 따라서 아이들이 (주도적으로 스스로 컴퓨터 프로그램을 통해) 학습하고 있는 내용들이더라도 관찰하고 그것과 연관된 토론이나 활동을 하기로 했습니다.

- 어제 결정한대로, 일단 학습 내용을 줄이고 과목별로 양을 조절하기로 했습니다. 결과적으로 오늘은 학습 기록지인 Journey Tracker 에 좋은 결과를 남겼네요. 표준화된 시험을 준비할 때 학생들은 조급해지고, 21세기 UNESCO 가 선정한 학습의 핵심 요소인 "Learning by Doing 및 Learning by Being" 이 일어날 수 없다는 점을 확인하고 있습니다.

❖ 자기주도학습

<천천히 아름다운 학교>는 학생들이 학습의 주체가 되어 자기 주도적인 학습을 하도록 유도하고, 독립적이고 자기 주도적인 학습자가 되도록 하

는 도전기반학습 프로젝트 중심의 학교입니다. 각각의 **도전과제** Quest 는 모든 학생이 이해할 수 있게 주어지며, 이 도전을 받아들인 히어로들은 각자의 **최선** Excellence 을 다해 결과를 내고 동료들의 평가를 받습니다.

<천천히 아름다운 학교>에서 학생들이 배울 수 있는 주요 교훈은 다음과 같습니다.

- **자기 인식:** <천천히 아름다운 학교>는 학생들이 자신의 강점, 약점, 관심사를 깊이 이해하도록 유도합니다. 다양한 프로젝트와 도전을 통해 학생들은 자신의 열정을 발견하고, 인생의 목적과 방향을 찾을 수 있습니다.
- **독립성과 자기 주도성:** <천천히 아름다운 학교>는 학생들에게 자기 주도적인 학습을 하도록 자유와 책임을 부여합니다. 자신의 목표를 설정하고, 시간을 관리하며, 자신의 교육에 대한 결정을 내리는 것을 통해 학생들은 성공적인 자기 주도적인 학습자가 되기 위해 필요한 기술과 습관을 개발할 수 있습니다.
- **협력과 팀워크:** <천천히 아름다운 학교>는 협력과 팀워크를 성공적인 학습의 필수 요소로 강조합니다. 그룹 프로젝트와 도전 과제를 통해 동료와 함께 일하는 것을 통해 학생들은 소통, 공감, 충돌 해결 등 중요한 대인 관계 기술을 개발할 수 있습니다.
- **창의성과 혁신:** <천천히 아름다운 학교>는 학생들이 문제에 대한 창의적인 해결책을 생각하고 발견하는 능력을 발전시키도록 유도합니다. 디자인, 프로토타입 제작, 반복 등을 요구하는 도전 기반 프로젝트 중심의 학습을 통해 학생들은 창의성과 혁신성을 발전시킬 수 있습니다.
- **기업가 정신과 리더십:** <천천히 아름다운 학교>는 학생들이 기업가와 리더로 생각하도록 유도합니다. 실제 세계적인 프로젝트와 도전을 통해 학생들은 기회를 발견하고, 위험을 감수하며, 다른 사람들을 이끄는 데 필요한 기술과 마인드셋을 발전시킬 수 있습니다.

도구들

❖ Core Skills

Core Skills 시간의 핵심 목표는 선생님 없이 온라인 위주의 학습을 하면서도 선생님과 함께하는 효과를 내는 것입니다. 이미 미국에서 온라인 학습은 오랜 역사를 가지고 있고, 효과도 입증이 되었습니다. 다만, 현실적인 커리큘럼과 어떻게 조화를 이룰것이냐가 숙제인데요. 미국 액턴 아카데미에서는 학교 학습의 결과를 일반 성적표로 옮기는 작업을 하기도 합니다. 미국에서는 대학 입시에 액톤 아카데미의 포트폴리오들을 제출하면 매우 만족한다고 하는데요. 한국은 아직 한계가 있어 보입니다. 태재대학 같은 새로운 종류의 대학들이 생기고 있어서 지켜봐야겠습니다.

새로운 히어로들에게 새로운 공부 틀을 소개하는 것은 힘든 일입니다. 익숙하지는 않지만 칸 아카데미와, Duolingo 그리고 EBS AI 등을 통해 일단 국어, 영어, 수학을 커버했습니다. 시간이 가면서 다른 학습 툴을 소개하고, 자신에게 맞는 학습 방식을 찾아야 할 것 같습니다. 일단 칸이나 듀오링고는 누구나 금방 따라 할 수 있는 좋은 도구인 듯합니다. 미국의 경우 액턴 아카데미의 소개로 많은 툴을 알고 있는데, 한국어 버전이 없어서 당장 소개하기에는 무리가 있네요.

웹 기반 학습의 장점은 각자가 하고 싶은 만큼, 실력에 맞게 공부할 수 있다는 점입니다. 히어로들은 학년도 바꾸고 단원도 바꾸면서 수준을 맞춰 보기도 하며 수학, 영어, 국어의 순서로 학습을 했습니다. 모두 영어가 가장 약하기 때문에 가장 많은 시간을 들여서 공부했습니다.

오늘은 세션 첫날로 이번 세션의 목표를 정하는 날입니다. 각자 지난 세션을 기준으로 목표를 재설정 했습니다. 검정고시가 다음 달에 있는데도 학교에서는 원래 계획만 진행하고 검정고시는 집에서 공부하겠다는 히어로가 있어 대견합니다. 히어로들은 목표를 설정하고 스스로 달성하는데 이미 익숙합니다.

❖ 지폐, 포인트

• 학교 운영을 위한 준비가 **도전과제** Quest 로 진행되었습니다. 상품을 사고 가격을 책정하고 화폐를 발행하고 바코드를 만들어서 상품을 진열하는 과정을 진행했습니다.

매점 운영을 중간 정산하는 시간도 가졌네요. 그동안 나온 매점 판매 대금을 원화로 환전하는 시간을 가졌습니다. 현재 환율로 해서, 25,720원이 나왔습니다. 이것은 선생님이 환전을 해주고, 선생님은 이 돈을 은행장인 히어로를 통해 은행에 맡깁니다. 앞으로 원화를 보유할 수 있는 방법을 찾아보기로 했습니다. 원화로는 새로운 물건을 삽니다.

• 오늘은 어제 히어로들이 스스로 구입한 매점 상품을 진열하는 시간을 가졌습니다. 스스로 바코드와 가격을 매기는 작업을 지난번의 매점 엑셀 파일을 통해 진행했습니다.

• 오늘은 히어로들이 기다리던 포인트 정산의 날입니다. 이번 세션에 얻은 포인트들을 합산하고 내가 완성한 포트폴리오를 확인받은 후 포인트에 해당하는 학교 화폐 (Slow Bucks)를 받아갑니다.

❖ DEAR (Drop Everything and Read)

• 오늘은 새로운 히어로들과 함께, 다시 책을 읽는 습관을 강조하는 시간을 가졌습니다. 요즘 학생들은 책을 읽는다고는 하지만 깊은 독서를 하는 경우가 없습니다. 미국에 액턴에 있을 때, 아이들을 책으로 끌어들이기 위해서 어떤 책이든 본인이 고른 책을 읽게 하고 그것에 대한 배지를 주거나, 읽은 숫자를 서로 비교하게 하는 일이 있었습니다. 그때 저녁에 자기 전까지 해리포터 1권을 읽는 것을 보면서 일시적인가 싶었는데, 한 번 깊이 빠지고 나서는 매일 1권씩 읽는 것을 본 적이 있습니다. 이것이 한 때가 되지 않게 하기 위해서 지켜주는 것이 중요할 텐데요. 당시 액턴 아카데미의 특징은 집중적으로 함께 책을 읽는 시간을 가지는 것 (DEAR, Drop Everything and Read)이었던 것 같습니다. 그러나 어느 순간 컴퓨터나 게임에 빠지게 되면 책은 읽는 시늉만 내는 것 같습니다. 히어로들이 책을 읽도록 포인트 제도를 운영하면서 다시 책에 빠지는 모습을 기대해 봅니다.

• 히어로들은 11시반부터 12시까지 독서 시간을 가집니다. 독서는 배지 계획과도 연관되지만 무엇보다 스스로 책을 읽는 습관을 기르기 위한 중요한 동기부여를 하는 시간입니다. 이번 세션 히어로들은 ′나의 과학자′를 발견하는 **도전과제 Quest** 를 하는데요. 이번 Quest는 특히 배지 플랜과 연관이 됩니다. <천아학교>의 과학은 교과서의 챕터별로 이론을 배우는 방식이 아닙니다. 과학자를 선정하고 그 과학자의 삶과 이론을 통해 과학 교과서에 흩어져 있는 이론들을 인물 안에 통합하는 과정을 거칩니다. 그리고 거기로부터 다양한 실험과 Quest 에 접목하는 과정을 거칩니다. 예를 들면, 이번 ′나의 과학자′ Quest는 잘 알려져 있는 Rube Goldberg 만들기를 합니다. (광고에서 자주 쓰이는 기계가 다음 기계로 연결되어 마지막에 어떤 재미있는 결과를 낳는 과정) 여기에 내가 선정한 과학자의 이론이 어떻게 적용되는지 발표하면서 과학자의 이론을 적용해 봅니다.

❖ 인물중심 과학교육

• 히어로들은 독서 시간에 계속해서 나의 과학자를 탐구하고 있습니다. 이번 세션에 히어로들은 패러다임을 바꾼 과학자들에 대한 연구를 하고 그중 핵

심적인 패러다임을 바꾼 '나의 과학자'를 찾고 있습니다. 나의 과학자에 대한 연구와 발표가 있을 예정입니다. 인물 중심의 과학 교육이 좋은 이유는 그 과학자의 이론을 교과서들을 꿰뚫어서 볼 수 있을 뿐만 아니라, 그 사고 과정이나 연구 과정을 따라갈 수 있기 때문입니다.

1. 인간이 우주에 대해 질문하다 - 코페르니쿠스의 '천체 회전에 관하여'
2. 자연현상은 신의 의지가 아니다 - 뉴턴의 '프린키피아'
3. 물질에 대한 새로운 이해가 시작되다 - 라부아지에의 '화학원론'과 돌턴의 '화학의 신세계'
4. 엔트로피는 절대로 감소하지 않는다 - 클라우지우스의 '열의 동력에 관하여'
5. 우리는 신의 창조물이 아니다 - 다윈의 '종의 기원'
6. 현대문명의 근본인 전기가 나타나다 - 맥스웰의 '전자기론'
7. 현대과학의 문을 열어젖히다 - 아인쉬타인이 '상대성이론'
8. 원자보다 작은 세계를 이해하다 - 슈뢰딩거의 '파동역학'
9. 우주의 기원을 밝히다 - 가모브의 빅뱅이론
10. 유전정보의 비밀을 풀다 - 윗슨과 크릭의 '핵산의 분자구조 - DNA의 구조'

• 히어로들은 오늘도 '나의 과학자'를 찾고 있습니다. 패러다임을 바꾼 과학자들을 역사순으로 정리하고 그들이 이룬 업적을 기록하는 시간을 가졌습니다. '나의 과학자'는 배지 플랜의 중요한 부분으로 이번 세션을 통해 어떻게 배지를 획득하는지 직접 해보고 있습니다. 배지 플랜은 수업과 겹치기도 하고 아니기도 하지만, 배지를 획득하기 위해서는 과학자에 대한 발표, 보고서 작성, 실험 발표를 한 후 추가로 결과물을 전시하고 다른 히어로들에게 비평을 받는 과정이 필요합니다.

스티븐 호킹 연구 (출처: 과학자들이 들려주는 과학이야기)

구분	학년	단원	연계되는 개념 및 원리
초등학교	4학년 1학기	별자리를 찾아서	별자리
	5학년 2학기	태양의 가족	태양계
중학교	2학년	지구와 별	우주과학
	3학년	태양계의 운동	태양계

구분	학년	단원	연계되는 개념 및 원리
고등학교	1학년	지구	태양계와 은하
	2학년	신비한 우주	천체, 우주
	3학년	천체와 우주	우주의 팽창

• 오늘은 히어로들이 나의 과학자를 선택하고, 그의 이론에 대한 리포트를 쓰기 시작하는 날입니다. 한 히어로는 아인슈타인을 다른 히어로는 라부아지에를 선택했습니다. 히어로들에게는 아래 그림과 같은 수십장의 레포트 형식이 주어졌습니다. 나의 과학자에 대해서 배우면서, 히어로들은 루브 골드버그 기계에 이론을 적용해 보기도 하고 자신의 과학자를 소개하고 히어로들로부터 비평을 받는 시간을 가집니다. 특별히 이번 나의 과학자 Quest는 배지 계획의 중요한 부분이기도 합니다. 앞으로 이런 나의 과학자 활동을 여러 번 해야 합니다.

본 도서 9쪽

첫 번째 수업 01 속력이란 무엇일까요?

❶ 다음은 속력을 구하는 공식입니다. 빈칸에 알맞은 말을 넣고, 그 공식을 이용해서 다음의 속력을 구해 보세요.

① 속력 = (   ) ÷ (   )
② 어떤 자동차가 3시간 동안 60km를 갔다면 자동차의 속력은 얼마일까요?

❖ 서로 가르쳐 주기

히어로들은 Core Skills 시간에 매우 바쁩니다. 언제든 서로가 궁금한 것들을 가르쳐 주기 때문인데요. 오늘 히어로들은 단순한 세 자릿수와 두 자릿수 곱셈을 어떻게 하면 더 쉽게 할 수 있는지 서로 가르쳐 주는 시간을 가졌습니다.

❖ 저널링

• 이번 세션 히어로들은 '파리의 노트르담' 소설을 읽고 있습니다. 소설과 다르게 영화는 이 내용을 편집하고 콰지모토를 중심으로 엮어냅니다. 오늘은 소설의 1장과 만화영화 '노트르담의 꼽추'의 해당 장면을 비교하는 시간을 가졌습니다. 소설과 영화의 스토리 전개가 다르기 때문에 차이점이 많았습니다. 각각 다른 배경, 인물, 스토리의 차이점을 찾고 그 이유를 설명하는 시간을 가졌습니다. 그리고 같은점을 찾고 왜 이 부분은 영화에도 남아있는지 토론해 봤습니다.

마지막 생각모임은 빅토르 위고의 '노틀담의 꼽추'에 대한 설명을 듣고 토론하는 시간이었습니다. 질문은 **"만약 빅토르 위고가 15C에 태어나서 15C의 배경으로 '파리의 노트르담'을 썼다면 어떤 내용이었을까?"**였습니다. 히어로들은 즐거운 상상을 해보며 토론을 했습니다. 소크라테스식 토론의 장점은 다양한 가정을 통해 생각의 틀을 바꿔보고, 다시 묻고 더 자세히 물으면서 히어로들의 생각을 섬세하게 다듬어 갈 수 있다는 점입니다. 히어로들이 하루하루 성장하는 것이 보이네요!

• 히어로들은 오늘도 모여서 소설의 한 장면을 크게 읽고, 해당 장면을 영화로 봤습니다. 이번에는 영화의 내용이 매우 달랐습니다. 이것을 바탕으로 '왜 영화는 내용이 다를까?', '어떤 부분은 원작을 따랐을까?', '영화의 특징은 무엇일까?' 등의 질문으로 생각을 정리했습니다. 그리고 영화와 책을 비교하는 활동지를 완성한 후, 이 내용을 바탕으로 지난 번부터 써온 **"영화는 왜 책과 다를까?"**라는 주제의 글을 한 번 더 수정했습니다. 다음은 동일한 주제로 쓴 영문 기사들을 읽어보고 토론한 후 최종 Journal을 완성하게 됩니다.

• 오늘 마지막 생각모임은 '노틀담의 꼽추' 연극을 잠시 보았습니다. 그리고 연극, 영화, 소설의 차이점에 대해서 생각해 보는 시간을 가졌습니다. 히어로들은 자기 생각을 계속해서 쏟아냈습니다. 칠판이 부족할 정도네요.

• 히어로들은 요즘 너무 바쁩니다. 야외 활동이 많아서, Core Skills 기본 학습 계획 (수학, 영어, 국어 여러 프로그램) 목표를 미리 달성해야 하고, 내적

동기와 외적동기에 대한 토론 후 생각한 점을 저널로 써야 합니다. 그리고, 어제 진행한 일제 강점기 이해하기 결과로 일제 강점기 역사를 설명하는 저널도 써야 하고, 나의 과학자 보고서도 써야 합니다. 이를 위해 아침부터 시간 배분에 대해서 함께 고민했습니다.

- 오늘은 도서관 방문의 날입니다. 히어로들은 도서관에 가기 전에 특별한 미션을 받았습니다. 바로 도서관 책을 찾아서 ′인류 최고의 발명은 무엇일까?′에 답을 하는 겁니다. 도서관에서 히어로들은 각자 분주하게 움직였습니다. 그리고 본인의 관심사에 맞는 책을 선택해서 연구를 시작했습니다. 이번 리서치 프로그램은 다음 주에 발표와 저널 작성의 시작점이었습니다.

- 오늘은 지난 주 도서관에서 찾은 책을 바탕으로 파워포인트를 만들고 발표를 하는 시간을 가졌습니다. 주제는 ′인류 최고의 발명′이었습니다. 한 히어로는 '핸드폰'을, 다른 히어로는 ′도시′를 최고의 발명품으로 결정하고 설명하는 시간을 가졌습니다. 5장짜리 파워포인트 설명에 필요한 내용들을 미리 지정해 주었으나 각자의 핵심 내용이나 포인트들이 다 다르게 준비되었네요. 액턴에서는 학생들에게 ′실패할 자유′를 주는 것을 중요하게 생각했었고, 그 덕에 히어로들은 자유롭게 표현하는데 익숙합니다. 다만, 또 다른 한 편의 중요한 부분인 '**최선 Excellence**'에 대한 평가를 통해 실수와 실패를 보완해 가는 과정도 중요할 것입니다. 이를 위해 **비평 Critique** 이 중요한데요. 오늘의 비평도 꽤 무거웠습니다. 특히 철자의 실수나 설명하고자 하는 포인트와 맞지 않는 글과 내용 등이 지적되었습니다. 히어로들에게 'World Class' 발표 기술의 기준을 보여주기 위해 스티브 잡스가 아이폰을 처음 발표할 때의 클립을 잠시 봤습니다. 히어로들은 생각보다 쉽게 부족한 부분에 대해 설득당했네요. 스티브 잡스가 뛰어난 것은 부정할 수 없는 사실입니다. 히어로들은 오늘 정리된 내용으로 저널을 쓰고 배지를 신청합니다.

- 오늘은 지난 일주일 동안 경험한 일을 회고하는 형식으로 쓰는 시간입니다. 지난번에 봤던 회고하는 글쓰기 내용 중에서 각자 중요한 평가 요소를 뽑아 루브릭을 만들었습니다. 그러고 한 명씩 나와서 설명하는 시간을 가졌습니다. 이것을 기초로 이번 일주일을 회고하는 글을 썼습니다. 회고하는 글쓰기

의 핵심을 잘 짚었고, 흥미있는 글들을 썼습니다. 내일은 히어로들이 서로 글을 발표하고 비평하는 시간을 가집니다. 그리고 잘 알려진 글들을 통해 회고록의 주요한 요소들을 반영해 다시 써보는 시간을 가집니다. 아침에 토론했던 것처럼 내 글에 집중하다 보면, 본인들이 세운 주요한 기준을 빠뜨릴 수 있다는 점을 다시 언급하고자 합니다.

• 어제부터 계속된 설득하는 글쓰기입니다. 학교의 포스터로 만들려고 형식을 줬더니 나름 재미있는 포스터를 만들었습니다. 특히, 배운 내용 중 독자를 설득하기 위해서, 개인적인 친밀한 톤, 감성적인 단어, 서술적인 질문, 메시지 반복, 다른 의견 언급 등을 적용해 보았습니다. 모두 만족스러운 포스터를 만들었네요.

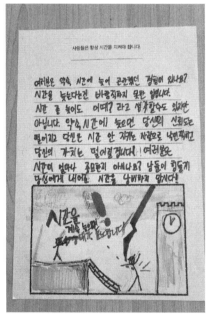

❖ 리서치

• 드디어 패러다임을 바꾼 과학자들에 대한 정리를 마쳤습니다. 히어로들이 각자 진행한 리서치를 통해 과학자들의 삶과 업적을 기록하는 시간을 마무

리했습니다. 이제 히어로들은 이 중에서 나의 과학자를 선정하고 더 깊이 그에 대한 탐구를 시작합니다. 히어로들은 협업에 익숙한데요. 구글 독스에 한 명이 내용을 정리하면 다른 한 명이 동일한 화면에 사진 등 추가 자료를 넣는 등 함께 결과를 만들어갑니다.

• 애국지사 소설 쓰기의 첫 번째 관문인 시대 이해하기 도전과제를 진행했습니다. 당시 시대 상황을 종이 카드로 주고, 역사를 설명하는 클립을 본 후 시간 순서대로 배열해 보는 과제입니다. 카드 붙이기를 완성한 히어로는 리서치를 통해 당시의 역사를 다른 히어로에게 설명해 주는 설명문을 썼습니다. 설명문이 완성되면 서로에게 역사를 설명해 주는 시간을 가집니다.

• 히어로들은 어제 결정한 나의 애국지사에 대한 리서치를 하고 그분의 인생에 대한 발표를 했습니다. 소설을 써야 하기 때문에 각 인물들의 깊은 삶의 이야기들을 들여다봐야 합니다.

• 오늘은 그 동안 연구한 백제 '경제/왕권강화/해외무역/군사력'에 대한 리서치 결과를 발표하는 날입니다. 히어로들은 각자 연구한 분야를 각자의 특성을 잘 발휘해서 발표했습니다. 발표 후에는 히어로들끼리 질문을 하고, 발표 내용을 비평하는 시간을 가졌습니다.

• 오늘 아침 질문은 어제에 이어서, '백제는 어떻게 흥했을까?' 였습니다. 어제 이야기가 나왔던 이슈들에 대해서 다시 상기해 봤습니다. 그러고 나서, 백제 역사에 대한 짧은 다큐멘터리를 봤습니다. 여기에 왕권 강화와 문화적인 강성을 덧붙였습니다. 특히 성왕이 종교를 중심으로 부여로 이전한 부분과 무왕이 문화를 진흥하는 정책을 편 부분을 이야기했습니다. 오늘 이 내용들을 중심으로 리서치를 시작하기로 했습니다.

• 이번 세션의 스피치 프로젝트가 본궤도에 올랐습니다. 오늘은 내가 정한 연설자 (위인)의 연설지로 가는 여행계획서 첫 단계로, 리서치를 작성합니다. 리서치를 다 작성한 히어로는 구글어스를 통해서 투어를 녹화하고 투어의 기본 그림을 그리게 됩니다. 갑자기 한 히어로가 구글어스 유럽 투어 모드로 가방 모자를 쓰고, 망토를 둘렀습니다. 영상을 녹화한다고 열심입니다.

• 오늘은 탐정활동 현장에서 발견된 자료들의 과학적인 분석을 마무리하는 날입니다. 지난 시간은 침의 PH에 대해서 연구해 보았고, 주스에 섞인 침이 주스를 어떻게 중화하는지, 그것이 범행과 연관성이 있는지 알아보았습니다.

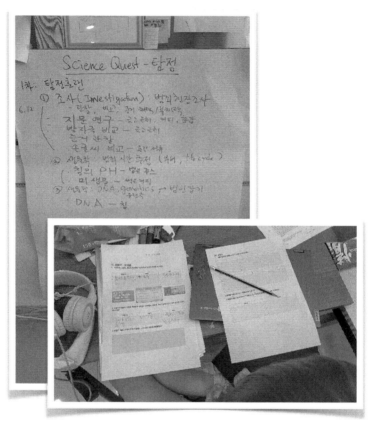

•오늘은 커피에서 발견된 곰팡이가 사건에 어떻게 연결되는지 알아보기 위해 곰팡이를 포함한 미생물 (박테리아, 효모 등)에 대해 알아보는 시간을 가졌습니다. 특별히 리서치를 한 후 정리하는 시간을 가졌는데, 항생제가 무좀에는 왜 안 듣는지 등 유익한 지식을 배웠습니다. 그리고 DNA에 대해서 배웠습니다. 주스에 섞인 침을 가지고 DNA 검사를 했다는 가정하에, DNA란 무엇이고 DNA가 어떻게 생겼고, 어떻게 복제되는지, 그리고 어떻게 범인을 찾

226

을 수 있는지 등을 연구했습니다. 특히 DNA의 단백질 복제 과정을 컴퓨터 게임으로 흥미롭게 경험해 봤습니다. DNA 구조 만들기 등 시간이 없어서 못한 부분은 내일 해야 할 것 같습니다. 어려운 내용을 정말 열심히 해냈습니다.

- 오늘은 어제 시작했던 스피치를 위한 리서치를 마무리하고 각자 첫번째 연설 초안을 만들었습니다. 한 히어로는 계속 대상이 되는 인물을 바꿨는데요, 이유는 본인이 좋아하는 머랭과 마카롱을 만든 사람 사이에 고민이 계속되었기 때문입니다. 결국 마카롱으로 정했네요. 오늘은 시간을 더 가지고 각자 완성한 초안을 스피치로 표현하는 시간을 가졌습니다. 그리고 각자의 스피치 녹화본을 다시 보고 고쳐야 할 점들을 발견했는데요. 한 히어로가 본인의 표현력에 어떤 문제가 있는지 정확하게 발견하는 것을 보고 놀라기도 했습니다!

❖ 긴 글 쓰기

- 이번 세션은 이번 주 수요일까지입니다. 이제 히어로들은 배움 발표회를 준비합니다. 이를 위해서 가장 급선무는 쓰던 추리소설을 마무리하는 일입니다. 이번 세션은 정말 많은 **도전과제 Quest** 가 있었습니다. 이것들을 모두 모아서 하나의 소설로 만드는 것이 이번 세션의 목표입니다. 히어로들은 범죄현장 감식, 주변지역 탐색, 인과관계 연구, 범죄 심리 연구 등을 통해 실제 우리

주변에서 있을 법한 소설을 쓰고 있습니다. 오늘 아침에는 이 추리 소설을 쓸 때 가장 중요한 것이 무엇인지 알아봤습니다.

　각 히어로들은 자기 소설에서 중요하게 생각한 것들을 3개씩 썼습니다. 그리고 그것을 정리하니 '흥미', '이해', '인과관계', '그림' 등이 중요하다고 나왔습니다. 이 중 본인이 가장 중요하게 생각하는 것이 무엇이냐는 질문에, 첫 번째 히어로는 "결과가 예측불가" 해야 한다는 점을 꼽았습니다. 예측가능하면 긴 글이 무용지물이라는 의견이었습니다. 다른 히어로도 동의했습니다. 재미있게 쓰려면 결과를 예측하기 힘들어야 한다는 의견입니다. 하지만 다른 히어로는 이해가 더 중요하다고 했습니다. 이해가 안되게 쓰는 글은 아무리 똑똑해서 결과를 어렵게 만들어도 재미가 없다는 의견이었습니다. 마지막 히어로는 "흥미가 있어야" 한다고 했습니다. 흥미 있는 사건이 연속되어야 독자들이 책을 놓지 않는다는 것이었습니다. 오늘은 각자 중요하게 생각하는 점을 반영해서 소설 초안을 완성하기로 했습니다.

　• 오후에는 각자 쓴 소설을 잠시 읽어주고 비평을 하는 시간을 가졌습니다. 처음 쓰는 소설이라 여러 가지 단점이 있었지만, 히어로들은 따뜻한 비평을 잊지 않았습니다. 그리고 나서 아침에 발표한 내용에 더해서 루브릭 만들기를 했습니다. 추리소설을 쓸 때 평가요소를 각자 뽑아내는 것입니다. 히어로들은 유명한 추리 소설 작가들의 '추리소설을 잘 쓰는 방법'이라는 글을 읽

고 추리 소설을 평가할 때 중요한 요소를 3개씩 뽑았습니다. 아침과는 또 다른 루브릭이 나왔습니다. 내용은 '재미가 있어야 한다', '논리가 명확해야 한다', '구성이 체계적이어야 한다', '캐릭터가 명확해야 한다'의 4 가지로 요약되었습니다.

• 오늘은 히어로들이 작가모드로 전환했습니다. 오늘까지 마무리되어야 책을 만들기 때문에 히어로들은 아침부터 바빴습니다. 완성된 책의 내용은 놀랄만큼 좋았습니다. 짧은 기간이었지만, 최선을 다한 흔적이 고스란히 책에 담겼습니다.

완성된 책의 표지를 만들었습니다. 표지를 묶어서 책으로 펴냈을 때의 뿌듯함은 느껴보지 못한 사람은 알지 못하죠. 무려 45페이지를 쓴 히어로도 있었습니다. 히어로들은 감격하기도 했고, 생각보다 감동이지는 않다는 의견도 있었습니다. 시간이 없어서 마무리가 아쉽다는 의견이었는데요. 다음번에는 긴 호흡으로 한 번 책을 써 보자는 의견도 나왔습니다. 작품은 내일 배움 발표회에서 공개됩니다.

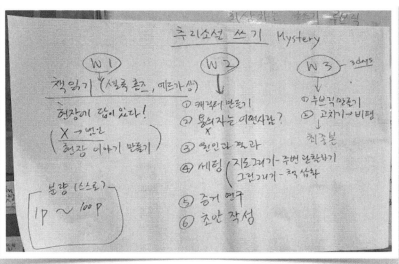

2.7.평가는 어떻게 할까?

❖ 루브릭

• 얼마 전에 검정 고시를 본 히어로에게, 미국의 표준화 시험을 보게 하고 한국과의 차이점을 찾아내는 시간을 가졌습니다. 점심을 먹으면서 가볍게 해봤는데요. 히어로의 생각은, '미국은 좀 더 평이하게 실생활과 연관된 문제가 많다', '한국처럼 어떤 이론이나 주제에 대한 답을 찾는 것보다, 생활에 도움이 되는 지식 위주로 나오는 것 같다', '좀 더 긴 문장이 많다', '쉽다' 등이었습니다. **제 개인적인 의견은 한국 표준 시험은 왜 이 답을 찾아야 하는지, 문제 자체의 필요성에 대해 의문이 생긴다면, 미국 문제의 경우 ´이렇게 당연한 건 왜 물어보지?´의 느낌이 강했습니다.** 특히, 문장의 뒷부분을 완성하는 선택지가 많았는데요. 문제 자체로 더 깊은 질문을 할 수 있는 내용이 많았습니다. 한국은 **"다음은 민주주의 선거의 어떤 원칙을 설명하는가?"**라는 문제의 지문에 대해 선거 원칙을 찾는 것이라면, 미국은 **"다음 중 축제를 준비하는데 가장 민주적인 과정으로 보이는 것은?"**이라고 묻고 상황을 제시하는 경우입니다. 선택지는 '선생님이 좋아하는 음료 종류를 택한 후, 학생들이 투표한다', '학생들이 음료의 종류를 제안하고, 투표를 통해 결정한다' 등 입니다. 민주주의 원칙을 몰라도 선택할 수 있는 답들입니다. 평가의 방향이 어떤 문제를, 문제가 어떤 사고를 하게 하는지 잘 알 수 있습니다.

• 내일부터 히어로들은 마지막 게임 발표를 위해 준비하는 시간을 가질 계획입니다. 이를 위해 오늘은 게임의 평가 요소들을 만드는 시간을 가졌습니다. 우선 일반적인 기성 게임들에 대한 평가 요소들을 소개했습니다. 그러고 나서 각자 최고라고 생각하는 게임을 생각하게 했습니다. 이 게임들을 히어로들이 만든 루브릭으로 평가하게 했는데요. 대부분 최고로 평가했습니다. 그런 다음 각자 서로의 게임을 평가한다면, 필수 요소는 무엇이고 옵션은 무엇인지 기록하게 했습니다. 아주 좋은 평가 척도가 나왔습니다. 그리고 나서, 눈을 감고 지금까지 개발한 또는 개발하려고 하는 자신의 게임을 상상해 보도록 했습니다. 저는 여기 적힌 평가 요소들을 하나씩 읽어주면서 어떤 부분이

부족한지 찾게 했습니다. 히어로들은 보완 요소들을 찾았고, 내일부터 적용해 보기로 했습니다.

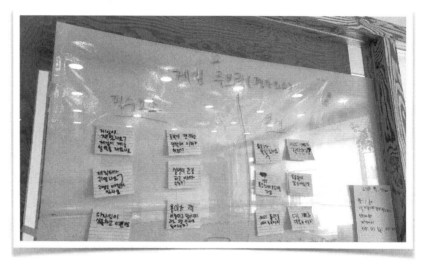

• 오늘은 연설에 대한 이론을 배우는 시간입니다. 연설의 3 요소인 **신뢰성** Ethos, **감성** Pathos, **논리** Logos 에 대한 이론을 보고, 이것을 마인드 맵으로 만들어 봤습니다. 그리고 각자 **신뢰성** Ethos, **감성** Pathos, **논리** Logos 에 대해서 앞에 나와서 소개하는 시간을 가졌습니다. 어려워 보이지만, 좋은 연설을 들을 때 느낄 수 있는 요소들입니다. 이것을 정리한 후 스피치를 평가할 수 있는 루브릭을 만들었습니다. 각자 스피치를 평가할 때 Ethos, Pathos, Logos 측면에서 가장 중요시하는 것들을 포스트잇에 적어서 나열해 봤습니다.

그러고 나서 김창옥 강사의 강의를 잠시 봤습니다. 히어로들은 매우 감탄했는데, 이유는 본인들이 적은 루브릭에서 하나도 어긋나지 않은 강연이었기 때문입니다. 정말 Ethos, Pathos, Logos 가 두루 갖춰진 내용이었습니다. 이것을 바탕으로 히어로들은 본격적으로 ′스피치 루브릭′을 작성했습니다. 이제 내일은 자신의 강의를 다시 보면서 이 루브릭을 적용해 볼 차례입니다.

• 오늘은 지난 시간 만든 스피치 루브릭을 문서로 완성하고, 이것을 바탕으로 각자 지난 번 스피치 한 영상을 보고 비평을 하는 시간을 가졌습니다. 들어가기 전에 비평의 4원칙과 비평의 절차를 다시 한번 생각해 보는 시간을 가졌습니다. 스피치가 아직 익숙하지 않기 때문에, 부족한 점이 많아서, 따뜻한 비평을 먼저 해 달라고 요청했습니다. 히어로들이 정말 정확한 지적들을 했습니다. 비평 용지에 다른 히어로 비평 내용과 나에 대한 비평에 대해 깨달은 점 등을 적고 생각을 나누는 시간을 가졌습니다. 그리고 지난 초안을 한 번 수정하는 시간을 가졌습니다.

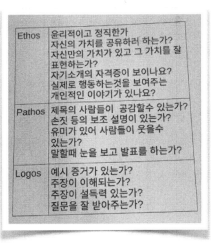

Ethos	윤리적이고 정직한가 자신의 가치를 공유하려 하는가? 자신만의 가치가 있고 그 가치를 잘 표현하는가? 자기소개의 자격증이 보이나요? 실제로 행동하는것을 보여주는 개인적인 이야기가 있나요?
Pathos	제목의 사람들이 공감할 수 있는가? 손짓 등의 보조 설명이 있는가? 유미가 있어 사람들이 웃을수 있는가? 말할때 눈을 보고 발표를 하는가?
Logos	예시 증거가 있는가? 주장이 이해되는가? 주장이 설득력 있는가? 질문을 잘 받아주는가?

• 글쓰기는 정말 어려운 작업입니다. 히어로들은 오늘도 최선을 다하고 있습니다. 오후에는 각자 쓴 소설을 잠시 읽어주고 비평을 하는 시간을 가졌습니다. 처음 쓰는 소설이라 여러가지 단점이 있었지만, 히어

로들은 따뜻한 비평을 잊지 않았습니다. 그리고 나서 아침에 발표한 내용에 더해서 루브릭 만들기를 했습니다. 추리 소설을 쓸 때 평가요소를 각자 뽑아내는 것입니다. 히어로들은 유명한 추리 소설 작가들의 '추리 소설을 잘 쓰는 방법'이라는 글을 읽고 추리소설을 평가할 때 중요한 요소를 3개씩 뽑았습니다. **아침과는 또 다른 루브릭이 나왔습니다. 내용은 '재미가 있어야 한다', '논리가 명확해야 한다', '구성이 체계적이어야 한다', '캐릭터가 명확해야 한다'의 4 가지로 요약**되었습니다.

• 어제 답사를 다녀오면서 히어로들은 스스로 계획을 짜고 실행해 봤는데요. 스스로 생각하는 여행 계획의 성공률 (계획 달성율)을 70% 정도로 판단했습니다. 실패의 이유는 방문지별 시간 계산 실패, 목적지 연구 부족 (실제와 다른 계획, 목적지 환경이 계획과 다름) 등을 들었습니다. 성공에 대해서는 행복한 하루였고 점심이 맛있었다는 의견이었습니다.

의견을 나눈 후 히어로들은 각자 여행계획의 루브릭을 짰습니다. 여행 계획을 평가할 때 중요한 요소들을 스스로 생각해 보는 시간입니다. 3가지 분류가 나왔는데요. 첫 번째는 사전 연구입니다. 사전에 현재에 대한 정확한 정보와 서로 가진 정보로 동의하는 과정을 가져야 한다는 의견입니다. 두 번째는 예산입니다. 예산을 충분히 가져가고 인당 필요 예산을 짰는지입니다. 세 번째는 계획입니다. 이 의견이 가장 많았는데요. 플랜 B가 있는지, 시간이 촉박하지 않은지, 필요하지 않은 짐은 없는지, 확정된 계획을 전체가 공유했는지, 여행을 위해 건강을 챙겼는지 (숙면, 필수약), 목적지를 너무 많이 정하지 않았는지, 소요시간을 확실히 계산했는지, 미리 날씨를 확인했는지, 모두가 만족할 만한 식사를 계획했는지 등을 확인해야 한다는 것이었습니다. 2주 후 다시 공주 여행을 갈 때는 이 루브릭을 중심으로 계획을 짜기로 했습니다.

❖ 비평

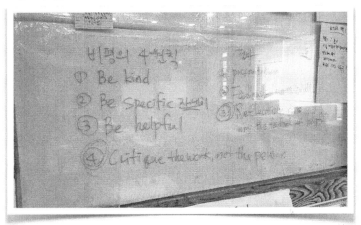

• 오후에 "지난 주에 가장 힘들었던 일"에 대해서 글을 쓰는 시간을 가졌습니다. 다 쓴 후 서로 자기의 글을 읽는 시간을 가졌습니다. 그리고 서로 상대방의 글을 비평하는 시간을 가졌습니다. 'xx의 글은 일상에 대한 이야기인데, 너무 딱딱하고 논리적이다.' 'xx의 글은 너무 필요 없는 말이 많고 짧다.' 음… 날카롭네요. <천아학교>에서는 **비평** Critique 을 중요시합니다. 이것은 상대방이 **최선** Excellence 을 다하고 있는지 확인해 주는 중요한 도구이기 때문입니다. 첫 비평 이후에 비평의 4가지 원칙을 공유했습니다. 1) Be Kind, 2) Be Specific, 3) Be helpful, 4) Critique the work, not the person. 그리고 비평의 절차도 다뤘습니다. 1) Presentation, 2) Feedback (Warm/Cold), 3) Reflection(how & why the feedback was helpful) 그리고, 다시 한번 서로의 글을 비평하는 시간을 가졌습니다.

• 오늘은 모두 스피치가 완성되었습니다. 오전에 잠시 스피치를 연습하고 서로 비평을 통해 도와주는 시간을 가졌습니다. 따뜻한 비평보다 차가운 비평에 익숙한 우리들이지만, 따뜻한 비평을 꼭 할 수 있도록 했습니다. 그리고 계속해서 연설문을 수정하는 시간을 가졌습니다.

비평 (Critique) 용지

1. 상대방에 대한 따뜻한 비평을 써 봅시다

이름	비평	상대방의 반응/깨달은 점

2. 상대방에 대한 차가운 비평을 써 봅시다

이름	비평	상대방의 반응/깨달은 점

3. 내가 받은 비평에 대해 생각해 봅시다

비평자	비평내용	깨달은 점

• 금요일 배움 발표회를 준비하기 위해서는 스피치 쓰는 시간이 부족했습니다. 히어로들은 오전 두 번째 시간부터 스피치를 쓰기 시작했습니다. 먼저 스피치를 정리한 세 히어로는 서로 스피치를 돌려 보면서 코멘트를 해 줬습니다. 그리고 정리하면서 한 히어로가 본인의 스피치를 모두 앞에서 테스트하는 시간을 가졌습니다. 히어로들은 스피치 후, 따뜻한 비평과 차가운 비평을 모두 내놓으며 히어로에게 필요한 양분을 공급해 주었습니다. 히어로들은 괜찮은 비평을 많이 해 주었습니다. <천아학교>에서 히어로들 간 **최선** Excellence 을 다 했는지 비평을 하고 서로에게 도움을 주는 것은 아주 중요한 과정입니다. **비평을 하는 기준은 매번 활동마다 평가기준을 세우거나, 세계 최고의 기준을 보거나 들은 후 세우게 됩니다. 우리의 비교 기준은 세계 최고의 결과물이나 기존의 히어로의 결과물 보다 더 나아졌는지입니다. 이것을 4 단계로 나누어 정기적으로 평가합니다. 비평에 더해, 히어로들은 동료를 360도로 평가하는 시간을 가집니다. 이것은 (점수나 레벨로 표시되는) 학교의 평가를 대신합니다. 그리고 히어로들의 각 Core Skills 는 정해진 배지계획 Badge Plan 을 통해 그리고 Khan Academy 등 온라인 학습의 레벨 합격을 통해 스스로 달성해 갑니다.**

• 오늘은 지난 일주일 동안 경험한 일을 회고하는 형식으로 쓰는 시간입니다. 지난번에 봤던 회고하는 글쓰기 내용 중에서 각자 중요한 평가요소를 뽑아 루브릭을 만들었습니다. 그리고 한 명씩 나와서 설명하는 시간을 가졌습니다. 이것을 기초로 이번 일주일을 회고하는 글을 썼습니다. 회고하는 글쓰기의 핵심을 잘 짚었고, 흥미있는 글들을 썼습니다. 내일은 히어로들이 서로 글을 발표하고 비평하는 시간을 가집니다. 그리고 잘 알려진 글들을 통해 회고록의 주요한 요소들을 반영해 다시 써보는 시간을 가집니다. 아침에 토론했던 것처럼 내 글에 집중하다 보면, 본인들이 세운 주요한 기준을 빠뜨릴 수 있다는 점을 다시 언급하고자 합니다.

• 이번 세션부터 글쓰기 시간의 명칭을 Writer's Workshop 으로 바꿨습니다. 히어로들이 각자 작가로서 서로를 대하는 시간으로 의미를 부여했습니다. 오늘은 어제 썼던 지난 일주일 방학 동안에 있었던 일을 다시 검토하는 시

간을 가졌습니다. 지난 세션에 사용했던 회상하는 글쓰기의 루브릭을 사용해서, 정말 잘 쓴 글을 평가해 봤습니다. 그리고 바로 어제 각자 쓴 글을 읽어보면서, 비평하는 시간을 가졌습니다. **최고의 샘플을 비교하고 나의 수준을 정하는 것, 그리고 그것을 달성하기 위해 최선 Excellence 을 다하는 것은 히어로들이 <천아학교>와 또 다른 히어로들과 한 약속입니다.** 히어로들은 비평을 할 때 힘들어 하는데, 본인이 쓴 초안이 처음에는 정말 잘 썼다는 생각을 하게 되고 여러 의미를 부여하기 때문입니다. 그러나 최고의 샘플을 보면서 비평을 하게 되면, 너무 아깝지만 기존의 표현들을 많이 고치게 됩니다. 오늘 새로 쓴 결과물은 어제와 완전히 달랐습니다. 이러한 경험을 통해 히어로들은 스스로 성장하는 경험을 합니다.

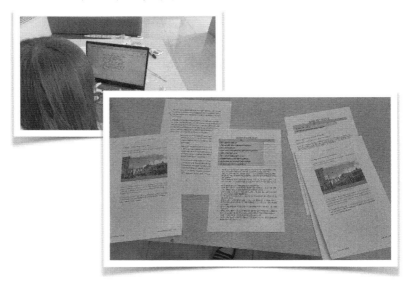

❖ 포인트

히어로들은 Core Skills, 프로젝트, 독서를 통해서 포인트를 받습니다. 이 포인트를 쌓으면, 학년 인정과 함께 배지를 받는데요. 이와 함께 또 하나의 즐거움이 있습니다. 바로 포인트에 해당하는 학교 지폐를 받는 것입니다. 이 지폐로 아이들은 학교 매점에서 물건을 사거나, 아니면 각자 최근에 스스로 만든 상점에서 물건을 사기도 합니다. 히어로들의 자기 상점은 이제 유행이 돼 버렸습니다. 모두 작은 상점에 간식이나 문구류를 가져와 학교 지폐를 받고 팔고 있네요. 때문에 지폐를 대량으로 찍어내게 되었습니다. 앞으로 돈의 흐름과 물가에 대해서 그리고 사업에 대해서 별도로 공부할 시간을 만들 예정입니다.

• 히어로들은 프로젝트와 Core Skills 를 완료하면 스스로 확인하고 포인트를 계산해서 옵니다. 그러면 포인트에 해당하는 학교 지폐 (Slow Bucks)를 줍니다. 이번 주에 한 히어로는 Core Skills 기준이 너무 어려워서 수정했습니다. 이번 주에는 Core Skills를 완료하고 더 많은 포인트를 받겠다고 벼르고 있습니다.

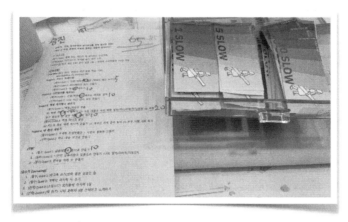

❖자기 주도 학습

〈천아학교〉에서는 각 세션이 시작될 때 2가지 목표를 짜야합니다. 하나는 Core Skills 라고 불리는 기초 과목에 대한 컴퓨터 기반 학습의 목표를 짜는 겁니다. 이 목표는 학교의 더 큰 계획이자 커리큘럼과 같은 '배지 플랜'과 연결됩니다.

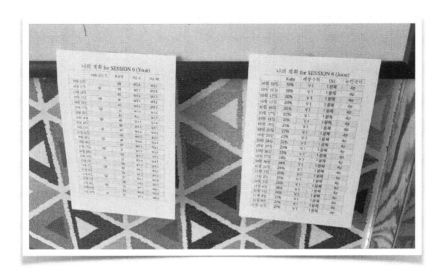

배지 플랜은 커리큘럼이라고 하기보다는 〈천아학교〉의 "Learning to Learn, Learning to Do, Learning to Be"를 구체화 한 각 학년이 마무리될 때 마스터 해야 하는 내용을 정리한 것 입니다. 이것은 Core Skills와 연결되기도 하고, 오후의 **도전과제** Quest 와 연결되기도 하지만 기본적으로 각자 계획을 짜고 하나씩 성취한 후 배지를 받는 방식입니다. 때문에 **Core Skills 와 Quest 그리고 배지 플랜은 유기적으로 연결되어 있지만, 동시에 별도로 진행됩니다.**

그리고 여기에 각 세션의 Quest 계획이 추가되는데요. 이번 세션은 학습계획 짜기, 나의 과학자, 애국지사 소설 쓰기, 영어연극, 내 회사 세우기의 5가지 Quest 가 진행됩니다. 이 Quest를 수행하면 각자는 포인트를 받기도 하고, 그중 일부를 동료들에게 평가받은 후 배지 플랜에 적용하기도 합니다.

(2학기) 주제: 히어로들의 동기 부여를 위해 필요한 것은?
(세션 7) 주제: 패러다임을 바꾼 과학자

[세션 Book] 과학자가 들려주는 과학 이야기
[야외수업] 현충원 방문 / 조세박물관 방문 / 국립중앙과학관 방문
[세션 Points] 최고 240 ~ 최저 150

1. **Planning My Journey**
   - (필수) 스스로 세우는 공부 계획! (20)
   - (필수) 토론대회 - 히어로에게 동기를 부여하는 것은? (10)

2. **나의 과학자**
   - (필수) 패러다임을 바꾼 과학자 (10)
   - (필수) Rube Goldberg 기계 만들기 (10)
   - (선택) 나의 과학자 표현하기 - 실험+프리젠테이션 (30)

3. **애국지사 소설 쓰기**
   - (필수) 영웅의 탄생 - 시대 이해하기 (10)
   - (필수) 인물 이해하기/인생 장면 만들기/전기의 구조 이해 (20)
   - (선택) 소설 완성 하기 (30)

4. **영어연극**
   - (필수) 연극으로 바꿀 영화 장면 선택 - 인물 연구 (10)
   - (필수) 영어 대사 공부하기 (10)
   - (필수) 연극 준비 및 공연(20)

5. **내 회사 세우기**
   - (필수) 인플레이션 환율 조정 (10)
   - (선택) 사업자 등록증 만들기 및 회사 정관 만들기 (30)

6. **(글쓰기)**
   - Quest 1: (회고록 쓰기) 방학 동안 있었던 일 (10)
   - Quest 2: (설득하는 글쓰기) 나의 과학자 (10)

7. **(미술)**
   - (6가지 미술연습) http://pprag.org.au/all-images-are-under-mit-licence-22/ (10)

8. **(학교운영)**
   - 헌법 만들기, Running Partner 선정, 팀 선정
   - 이번 세션의 구호, 부족회의 (매주 수요일)

결과적으로 한 학년을 올라가는 것은, 1년을 주기로 진행되지 않고 각자 배지 플랜을 달성한 순서대로 다음 레벨로 올라가게 됩니다. 즉, 1년에 여러 개의 레벨을 수행할 수도 있는 것입니다. 오늘부터 히어로들은 이번 세션동안 배지를 얼마나 받을지 계획을 세웁니다. 특별히 이번 세션은 더 심도 있게 배지 플랜을 시행하기 때문에, 이번 첫 주는 매우 중요한 주입니다.

❖ 배지 플랜

• 오늘은 그동안 성취한 내용들이 쌓여서 컴퓨터 프로그램의 큰 단원을 마치는 경우가 있었습니다. 미국 액턴 아카데미에서는 과목 및 분야별로 성취 수준에 따라 배지를 주고 성취도를 표시합니다. 그동안 한국에 맞는 과목을 정하느라 배지 수준을 정하지 못했는데, 이제 조금씩 정리가 되는 듯합니다. **배지 플랜을 통해 성취 수준을 표시하고, 더 나아가 한국식 학년이 아닌 성취 수준에 따른 진급을 진행해야 합니다.**

• <천아학교>는 별도의 커리큘럼이 없습니다. 수많은 정보를 교과서에 담기 어렵기 때문에, 큰 그림만 그리고 거기에 내용을 그때 그때 채워갑니다. **큰 그림은 다음 3가지로 나누어집니다.**

* **Quest**: 도전 기반 학습을 위한 과제들 (보통 한 세션에 3~4개) 로 이것은 배지를 얻기 위해 필요한 과정입니다. 어떤 Quest 는 큰 배지와 연관되고 어떤 Quest는 작은 배지와 연관됩니다.
* **Core Skills**: 국영수와 같은 기본 학습 과정입니다. 컴퓨터 기반 학습으로 진행되며, 매주 목표를 설정합니다. 배지를 얻기 위해서는 더 장기적인 계획이 필요합니다.
* **배지 Plan**: 한 학년을 마치기 위해 필요한 과정들은 배지로 표현됩니다. 이것을 위해, Quest와 Core Skills을 어떻게 성취할지 장기적인 계획을 짭니다. 보통 세션별로 짜지만, 월반을 위해서는 더 장기적인 계획도 짤 수 있습니다. 모든 계획은 학생 스스로 만듭니다.

히어로들은 이 중 세 번째인 장기 계획을 짜는 중입니다. 이번 연말까지 본인이 어떤 수준을 성취할지 계획하고 있습니다.

• **매주 월요일은 지난 주의 목표 달성 여부를 점검하고 이번 주 계획을 세우는 시간을 가집니다.** Core Skills의 경우 컴퓨터 기반 학습 내용이 섹션별로 양이 다를 경우 목표 달성이 어렵기 때문에 시간 단위 목표로 바꾸는 등 선생님과 자기 목표를 변경하는 협의를 합니다. 특히 이번 세션은 다양한 Quest 가 함께 진행되기 때문에 히어로들이 계획을 세심하게 짜기로 했습니다. 세션별로 선생님이 Quest의 순서와

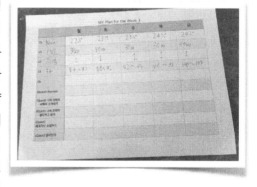

내용을 주도하기도 하지만, 대부분은 히어로들이 정해진 도전 과제에 대해 시간과 순서 및 방식을 정해서 진행합니다.

분야	뱃지 획득 방법				
	Level 1	Level 2	Level 3	Level 4	Level 5
수학	Khan Academy Level 1	Khan Academy Level 2	Khan Academy Level 3	Khan Academy Level 4	Khan Academy Level 5
읽기	Deep Books 4	Deep Books 4	Deep Books 4	Deep Books 4	Deep Books 4
쓰기	Writer's Workshop Master 2번 Journal 10 개	Writer's Workshop Master 2번 Journal 10 개	Writer's Workshop Master 2번 Journal 10 개	Writer's Workshop Master 2번 Journal 10 개	Writer's Workshop Master 2번 Journal 10 개
영어	Spelling + Duolingo + 역할극 3	Spelling + Duolingo + 역할극 3	Spelling + Duolingo + 역할극 3	Spelling + Duolingo + 역할극 3	Spelling + Duolingo + 역할극 3
나의 과학자	나의 과학자 발표 2 보고서 작성 5 과학 실험 만들기 2	나의 과학자 발표 2 보고서 작성 5 과학 실험 만들기 2	나의 과학자 발표 2 보고서 작성 5 과학 실험 만들기 2	나의 과학자 발표 2 보고서 작성 5 과학 실험 만들기 2	나의 과학자 발표 2 보고서 작성 5 과학 실험 만들기 2
퀘스트	퀘스트 점수 500	퀘스트 점수 500	퀘스트 점수 500	퀘스트 점수 500	퀘스트 점수 1000

분야	뱃지 획득 방법				
	Level 1	Level 2	Level 3	Level 4	Level 5
자아 성장 (Learning to Be)	**좋은 성격 뱃지** • 동료 히어로들의 좋은 성격을 칭찬하는 내용을 10개 칭찬 통에 넣으세요. 내 칭찬이 읽히면 자랑게시판에 게시하세요 **집중 학습자 뱃지** • 한 세션에 균형 잡힌 목표를 설정하세요 (자랑 게시판에 붙이고 적어도 3개의 동의 스티커 받기) • 우수하게 Core Skills 목표를 완수하세요 (자랑 게시판에 붙이고 적어도 3개의 동의 스티커 받기). • 다른 사람들이 방해하지 않아서, Slow Bucks를 벌금을 내지 않고 1 세션을 완수하세요 (최선 위원회의 최종 검증 받기). **프로젝트 학습자 기초 뱃지** • 1세션의 사진 책임자가 되어서 프로젝트 시간을 기록하세요 (자랑 게시판에 사진 10개 붙이기) • 1 세션 동안 '최선 위원회'에서 일하세요 (세션 끝 목표 게시판, 자랑 게시판 관리 완료) • 내가 하고싶은 프로젝트 계획을 쓰고 친구들의 의견을 받으세요. 자랑게시판 붙어서 3명의 동의를 받으세요. • 배움발표회 학습 전시를 계획하는 데 도움을 주세요. **문제 해결자 기초 뱃지** • Acton에서 개선되거나 간소화 될 수 있는 시스템을 식별하고 해결책을 자랑게시판에 올린 후, 동료 3명의 동의를 받으세요. • 타운 미팅을 주도하고 미팅 내용을 문서로 정리하세요. 정리된 내용을 회의록 파일에 넣어 주세요. • 허가를 받아 2개의 동료 간 충돌을 해결하고 프로세스에 대한 생각을 작성하세요 : 가장 큰 교훈, 가장 큰 도전과 다음 번에 다르게 할 것 등 **소크라테스 토론 학습자 기초 뱃지** • 적어도 10개의 토론에 참여한 내역을 추적하세요 (질문과 참여 내용을 기록하고 칭찬 게시판에 동의 3개 받기). • 그룹 토론에서 제외되지 않고 1 세션을 기록하세요 (최선 위원회에 의해 검증됨). • 소크라틱 토론을 세 번 주도하고 질문을 생각하고 선생님 또는 히어로와 미리 프로세스를 검토하세요. **리더 기초 뱃지** • Growing My Leadership Garden을 읽고 각 장의 끝에있는 모든 반성 활동을 리더십 저널에 완료하세요. • 이 작업이 완료되면, 책에서 배운 것을 연습하기 위해 스튜디오에서 추가적인 리더십 기회를 수행할 수 있습니다. • 6가지 삶의 기둥 2회 완료				

✛ Deep Books: 추천 도서 100 권 중 1권을 읽고, 책에 대한 발표 (영상, 그림, 글, PPT 모든 방법 가능) 후 소크라테스식 토론을 1번 이끈다 = 동료 평가 후 스티커 1개
✛ Writer's Workshop Master: 스스로 장르를 정해서 글을 쓰고, 2명의 동료, 1명의 선생님 리뷰를 마친 후 발표 = 동료 평가 후 스티커 1개
✛ 영어 역할극: 영어로 된 대본을 혼자 또는 여러명이 연극의 형식으로 공연 = 스티커 1개
✛ 나의 과학자: 과학자가 추천하는 과학이론 책을 읽고 발표 = 스티커 1개 / 보고서: 책의 내용을 바탕으로 질문에 답한 후 동료 평가 = 스티커 1개 / 과학실험만들기: 책을 바탕으로 실험을 만들고 히어
    로들과 직접 실험 = 스티커 1개

• 오늘은 이번 세션의 학습 계획을 짜는 날입니다. 각자 주요 과목 프로그램에 들어가 일자별로 계획을 짰습니다. 이제 스스로 목표를 짜고 달성하는 데 무척 익숙해진 히어로들입니다. 이 목표들이 모여서 배지 플랜을 달성하게 되고, 정해진 배지를 모으면 학년을 완료하게 됩니다. 특별히 이번 세션에는 배지 플랜을 처음 적용해 보는 시간을 가집니다.

• 오늘은 금요일입니다. 히어로들은 주간 Core Skills 목표 성취 여부를 포스트잇으로 게시판에 표시합니다. 만약 계획한 것보다 많이 진행하면, 금요일 오전은 자유 시간으로 Core Skills를 해도 되고 본인에게 필요한 시간으로 사용할 수 있습니다. 지난 주 **자유 시간** Free Zone 에 일찍 도착한 히어로는 주간 일정을 조금 조정하기로 했습니다. 매주 자신의 역량에 따라 스케줄을 스스로 조정해 나가고, 조정된 스케줄에 따라 Weekly Goals 보드에 표시합니다.

또 매주 금요일은 한 주의 목표를 점검하고 목표 성취 여부에 따른 포인트 및 학교 지폐 (Slow Bucks)를 받는 시간이 있습니다. 이번 주 목표를 꼼꼼히 함께 점검하고, 미달한 경우 다음 주 목표를 어떻게 조정할지 고민하는 시간을 가졌습니다. 이번 주는 한 히어로만 목표를 달성하였습니다. 각자 목표를 다시 점검하는 시간을 가졌습니다. 오늘까지 목표를 달성할 수 있는 히어로는 마지막까지 최선을 다하는 모습입니다.

이렇게 한 주씩 목표를 달성해 가는 이유는 <천아학교>의 배지 플랜을 달성하기 위해서입니다. 배지를 정해진 수만큼 얻게 되면 레벨이 올라가고, 초등 수준을 졸업하게 됩니다. **생각보다 배지 획득의 방법은 다양하고 어려운 과정입니다. 이것은 일반 초등학교의 커리큘럼이라고 볼 수도 있는데요. 차이점이 있다면, 일반 학교들은 모든 지식을 세분화해서 종합 백과사전식 커리큘럼을 만든다면, <천아학교>는 그러한 지식들을 통섭하는 과제들을 목**

표로 삼아서 그것을 달성했을 때 학교식 커리큘럼의 많은 부분이 커버되게 된다는 점입니다. 마치 한 과학자의 일생을 연구하면, 초·중·고등학교 과학 교과서의 여러 부분을 커버하는 것과 같습니다.

　그리고 중요한 점은 <천아학교>는 모든 지식을 커버하려고 노력하지 않습니다. 한 지식을 통섭적으로 이해하는 과정 중에 비판적 사고, 협업과 의사소통 능력, 창조적인 사고력이 키워지기를 기대합니다. 어떤 과제가 주어질 때 그것을 이해하고, 분석하고, 해결책을 제시하는 과정을 통해 어떤 과제가 주어져도 해결해 나가는 능력을 키우는 것입니다. 그럴 때에만 어떤 상황이 주어져도 상황을 파악하고, 협업하며 현실에 적용해서 해결책을 만들어 내는 능력을 키울 수 있습니다. 지식 위주의 교육은 끝났습니다. 이제 정답이 정해져 있지 않은 시대가 왔습니다. 지식은 언제든지 찾을 수 있지만, 지식을 현실 속에 해석하고 적용해 본 암묵지는 누구도 쉽게 얻을 수 없습니다. 이 시대는 그런 현실적인 능력을 갖춘 인재를 원합니다.

• 히어로들은 오늘까지 배지플랜을 만들었습니다. 어제에 이어 최종적으로 이번 세션에서 대략 5~6개의 배지를 받습니다. 한 레벨 (학년에 준함)을 마치기 위해 8개의 세션을 통과한다면 조금 적은 수준입니다. 히어로들은 다음 세션에 더 많은 배지를 따려고 계획 중입니다.

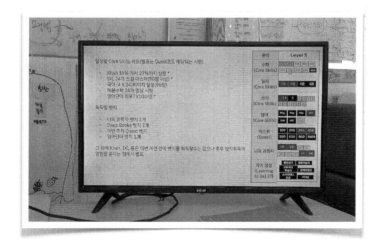

• <천아학교>의 핵심 프로세스 중 하나는 바로 배지 플랜입니다. 오늘 히어로들은 **"영화와 책은 왜 다를까?"**라는 주제로 멋진 글을 썼습니다. 배지를 받는 것은 히어로가 어떤 과정을 마스터했다는 표시이기도 하고, 학년이 없는 <천아학교>에서 다음 단계로 넘어가기 위한 증거가 됩니다. 예를 들면, 이번 글은 배지 중 'Writer's Workshop 저널 1편'입니다. **이것을 완료한 히어로는 '자랑 게시판'에 이것을 붙입니다. 그러면 다른 히어로들은 이 글을 읽고 여기에 코멘트를 해 주던지, 스티커를 붙여줍니다.** 스티커는 히어로의 수준에서 볼 때 '최선'을 다 했다는 동료의 인정입니다. '최선'을 다했는지 평가하는 기준은 아래 표와 같습니다. 그리고 각각의 배지에 대한 '루브릭'도 있습니다. 히어로들은 이것을 통해 마스터를 하는 것의 의미를 알게 되고, 다른 친구들이 최선을 다하도록 독려해 줄 수 있습니다.

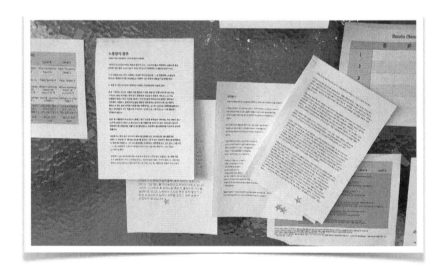

최선 수준	내 용	동료의 질문들
BEST WORK	누군가 어떤 일이나 학습을 처음 시도하는 경우 "최고의 작업"이라고 인증하겠습니까?	• 이것이 동료의 수준을 볼 때 최고의 작품이라는 데 동의하십니까? • 최상의 작업은 여러 번의 초안을 거친 후에 달성됩니다. 작업한 초안이 몇 개인지 물어보세요. • 이것에 얼마나 많은 시간을 보냈나요? • 결과물의 어떤 영역을 개선할 수 있는지 물어보세요.
SHOWS IMPROVEMENT	이전에 시도한 적이 있는 일이거나 기술이라면 지난번보다 나은가요?	• 개선을 보여주기 위해서는 두 가지 답변이 모두 필요합니다. • 이것은 개선이 명백합니까, 아니면 실제로 좀 더 개선점을 찾아볼 수 있습니까? • 이번 결과물과 지난 결과물을 비교하면서 더 나아졌다는 세세한 비평이 가능할까?
COMPARISON TO WORLD-CLASS STANDARDS	수준이 오르고 안정화될 때, 세계적 수준의 사례와 비교하면 어떤가요?	• 세계적 수준의 결과물과 비교해서 호의적으로 비교할 수 있는 상세한 비평이 있나요? • 그들의 세계적 수준의 예가 진정으로 세계적 수준의 예라고 볼 수 있나요?
WINNER OF A CONTEST	해당 결과물은 동료 투표로 또는 어떤 대회에서 "최고의" 결과로 선정되었습니까, 아니면 "공개 전시 가능"수준으로 승인되었습니까?	• 그들이 우승한 콘테스트가 있나요? 기록이 있습니까? • 그들은 같은 수준의 동료들과 경쟁하고 있습니까? 아니면 더 높은 수준과 경쟁하나요?

　　평가를 마치고 배지를 수여하게 되면, <천아학교>는 오픈 배지를 통해 배지를 수여합니다. 오픈 배지는 어디서나 인증이 가능한 전자 배지로 플랫폼을 통해 생성하면, 평생 보관하고 나의 성취 수준을 타인에게 증명할 수 있습니다.

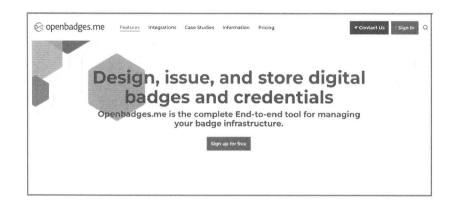

❖ 자랑게시판

• 오늘 히어로들은 여러 가지 일들을 진행했는데요. 한 히어로는 애국지사 소설을 쓰기 위한 일제 강점기가 시작된 시대 배경을 정리하는 저널링을 했습니다. 이번 주 내내 다듬은 글인데요. 히어로는 결과물을 자랑게시판에 붙이고 배지를 받기로 선택했습니다. 히어로들에게 배지 플랜은 개인적인 목표 설정 과정이고, 이것은 수업과 연계되어 있기도 그렇지 않기도 합니다. 학년이 올라갈수록 배지 플랜을 수행하는데 자유도가 더 높아집니다.

• 오늘 한 히어로는 지난 번 토론 대회의 주장을 글로 정리해서 자랑게시판에 붙였습니다. 벌써 별 한 개를 받았네요! 히어로들이 학업을 성취하기 위해서는 각 분야의 배지를 받아야 합니다. 배지를 받는 방법은 해당 분야의 요구 사항을 완성한 결과물을 자랑게시판에 붙이고 동료들의 스티커를 받고, 피드백을 받는 것입니다. 스티커를 충분히 받지 못하면, 피드백을 바탕으로 다시 작업을 해야 합니다. 이번 글은 Journal 배지 하나를 받기 위한 것으로, 동료 및 선생님의 스티커를 받아야 합니다.

❖ 배움 발표회 (Celebration of Learning)

• 이번 세션의 최종 목표인 게임 만들기를 위해, 시간을 충분히 가지고 만들고 있습니다. 각자 지난번 만든 게임들을 바탕으로 새로운 게임을 만들고 있습니다. **동료 간에 엄격한 평가와, 제삼자에게 전시하고 설명하는 시간을 가지면서 이번 세션 배운 것을 발표하는 시간을 가지려고 합니다. 이것을 우리는 배움 발표회라고 합니다.** 미국 액턴 아카데미에서는 이것을 Celebration of Learning 이라고 불렀습니다. 배움은 기본적으로 '축제'가 되어야 합니다. 모든 과정이 함께 즐겁고 함께 배우며 함께 세상에 드러나는 시간들이 되어야 합니다.

• 오늘은 배움 발표회를 하는 날입니다. 아침부터 히어로들은 배움발표회 준비에 들어갔습니다. 우선 배움 발표회는 4가지 주제로 진행되는데요. **세션 정리 영상, 이번 세션에 배운 점 발표, 청중 질문, 교실 투어**의 순서입니다. 아침부터 히어로들은 세션 정리 영상을 만드느라 분주했습니다. 이것도 하나의 프로젝트인데요. 이번 세션에 중요한 이슈들을 잡아서 설명하는 영상을 만들고, 배움발표회에서 상영하는 것입니다. 히어로들은 중요한 주제 순서를 정하고, 함께 대본을 쓰고 촬영에 들어갔습니다.

2.8. 학교의 운영

학생들은 학교 내에서 자치를 합니다. 때문에 학생들이 스스로 세우는 '**우리의 약속** Rules of Engagement', '**우리의 규칙** Community Standards', '**헌법** Constitution'은 매우 중요합니다. 학생들은 때로는 소설 파리 대왕에 나오는 혼란을 겪을 때도 있지만, 스스로 규칙을 적용하고 대표를 세우고 자치 회의를 하면서 스스로를 돌아보고 공동체를 만들어가는 영웅의 여행을 합니다.

<천천히 아름다운 학교>는 학생들이 인생 전반에 걸쳐 유용한 다양한 기술과 습관을 개발할 수 있는 독특한 학습 경험을 제공합니다. 이 학교에서는 학생들이 자기 주도적인 학습자가 되도록 유도하며, 자신의 강점과 약점을 파악하고, 자유와 책임을 부여하여 독립적이고 자기주도적인 학습을 할 수 있도록 합니다. 그리고 협력과 팀워크, 창의성과 혁신, 기업가 정신과 리더십 등 다양한 학습 목표를 달성할 수 있도록 지원합니다. 이러한 경험과 교육은 학생들이 인생의 여정에서 삶의 가치를 깨닫고, 미래를 준비하는 데 큰 도움이 될 것입니다.

히어로들은 정기적으로 학교를 점검하는 시간을 가집니다. 두 명의 히어로들이 미국에서 액턴 아카데미를 경험해 봤기 때문에, 학교에 지금 부족한 것이 무엇인지 많은 의견을 줬습니다. 오늘 아침의 주제는 '히어로가 만드는 공동체'입니다. 미국 액턴 아카데미도 시작할 때 학생 스스로 공동체를 세우도록 의도적으로 학생 중심으로 운영되기 때문에, 교수 행위가 필요한 부분 외에는 학교의 운영에 있어 학생이 주도권을 가집니다. 오늘 점검한 내용은 다음과 같습니다.

- Hero's Journey
  - ✓ 섬김의 리더쉽 배지 (Learning to Be)를 주기 위한 칭찬 스티커 (Character Trait) 설치 필요

- Productivity
  - ✓ Smart Goal (자기 학업 목표 설정 시스템) 과 배지 (승급 결정 지표), weekly point 목표 (slow bucks, 자유시간 부여 기준) 등과 연계가 부족하다. → 각 목표별 point 시스템 연결 강화
  - ✓ 동료 평가 (360 coaching) 자주 할 필요 있음

- Governance
  - ✓ Slow Bucks를 주 1회 포인트 점검을 통해 지급 필요 → 너무 적게 지급, 매점 가격 높음
  - ✓ Court, Townhall 시스템은 아직 인원이 적어 미루는 게 좋음 → 그러나 민원 box는 설치해서 운영해야 함
  - ✓ Bank & Market 은 구체적인 시스템을 히어로들이 고민해 보기로 함 → 지폐 발행권, 매점 상품 구매권 모두 히어로들이 가지길 원함

<천아학교>에는 **4개의 위원회 (최선, 사법, 재정, 청결) 와 경찰**이 있습니다. 현재 재정과 청결 위원회만 운영되지만, 차츰 늘어날 친구들을 위해서 간단한 조직표를 만들었습니다. 위원회는 순수히 히어로들로만 운영이 되고 각자 구성원들 간의 약속과 규칙을 정하고 학교의 운영을 관리해 갑니다. 차츰 그룹으로 묶어 서로 도와서 목표를 이루도록 만들어 갈 예정입니다.

　• 오늘은 이번 세션을 정리하고, 준비하는 시간을 가졌습니다. 특별히 이번 세션에는 학생 대표를 뽑고, 중요한 역할인 학급 운영을 맡깁니다. 핵심 역할은 부족회의 운영, 히어로들이 직접 만든 "나의 약속/우리의 약속/학교 규칙"을 지키지 않으면 학교 지폐 벌금 받기, 학교에 좋은 영향을 주는 학생에게 학교 지폐 상금 주기, 히어로들의 의견 듣기 등입니다. 이를 위해 이번 주에 선거 활동 기간을 줍니다. 벌써부터 선거 포스터를 만들기 시작했는데요. 특히 입후보한 히어로들이게 지폐관리를 맡기면서 다른 히어로들에게 표를 얻고 싶은 유혹을 이겨내는지 지켜볼 예정입니다. 이를 통해 이번 학기의 주제인 동기부여에 대해서도 알아보고자 합니다.

　• 히어로들은 갑자기 오늘부터 금요일의 반장 선거에 대한 선거모드로 들어갔습니다. 시간이 날 때마다 선거 포스터와 공약에 노래까지 만들어서 선거운동을 시작했습니다. 반장이 할일을 공유했는데, 어깨가 무거워지는 듯합니

다. 여기에 이번 학기의 주제인 **"히어로에게 동기부여하는 것은 무엇일까?"** 에 맞게 반장 후보들이 벌칙과 칭찬을 통해 학교 지폐를 주거나 뺏을 수 있는 권한을 주었습니다. 이것이 다른 히어로들에게 동기부여를 하는지, 또 반장이 되고자 하는 히어로들이 학교 지폐를 주면서 반장이 되려는 동기가 있는지 (뇌물?) 정직을 우선시하는지 알아보는 시간도 가집니다.

• 오늘은 선거가 있는 날입니다. 아침 토론은 너무나 중요한 내용으로 시작했습니다. 첫 번째 질문은 **"국가의 의사를 최종적으로 결정하는 권력은 누구에게 있는가?"** 였습니다. 예상대로 대통령이라는 답변이 나왔습니다. 시간을 조금

더 주자, 한 두 명이 '국민'이라는 답변을 했습니다. 먼저 '국가의 의사를 최종적으로 결정하는 권력'을 주권이라고 한다고 설명했습니다. 그리고 '주권'이라는 단어가 쓰인 중요한 구절이 기억나느냐고 물었습니다. 신기하게도 한 히어로가 헌법 1조를 읊었습니다. "대한민국의 주권은 국민에게 있고, 모든 권력은 국민으로부터 나온다." 따라서 국가가 나가야 할 방향은 왕이나 어떤 개인이 아닌 국민이 직접 결정하는 것이 맞다는 이야기를 했습니다. 그러나 이것이 가능할지 물었습니다. 히어로들은 '사람이 많아서 힘들다', '모든 사람이 결정할 방법이 없다' 등의 의견을 냈습니다. 여기서 스위스의 국민투표와 직접민주주의 등의 예를 보여주고, 우리는 대의 민주주의의 방식을 택했고 이를 위해 선거를 통해 대표를 선출한다는 이야기를 했습니다. 그러나, 국민의 뜻을 따라 민주주의를 이행해야 하기 때문에 늘 국민의 의견을 물어야 한다는 이야기를 했습니다.

반장의 할일

- 타운 미팅 주도
  - 미팅 주제 선정
  - 의견 조율
  - 대안 제시
- 캐릭터 칭찬 관리
  - 칭찬 통 관리
  - 칭찬 내용 읽어주기
- 우리의 약속/나의 약속/학교 규칙/학교 헌법 완성 및 공포, 수정
- 경찰
  - 학교 규칙 위반 (벌금) - 의견을 물어 동의하면 (국민투표)
  - 칭찬 벅스 주기 – 의견을 물어 동의하면 (국민투표)
- 청소관리
  - 청소 구역 지정 – 자기자리, 거리 (공동), 복도, 문주변, 식당주변, 쓰레기통
  - 청소 상태 확인
- 매점관리
  - 매점 관리인 지정
  - 은행장 지정 (세금, 벅스 관리)
  - 매점 물건 관리 (매점관리인)
- 규칙 위반자 고발
  - 고발내용 벌금 관리
  - 고발 대상자 반대 = 재판
  - 재판 관리

최선 위원장이 할일

- Weekly Goals 관리
- 나의 계획 관리
- Running Partner 관리
- 프로젝트 팀 선정 (2명, 3명, 4명 등)
- 자랑게시판 관리
  - 친구들 스티커 관리
  - 내가 한일 승인
- 뱃지 관리
  - 히어로 성취 검증
  - 뱃지 위원회 운영
    - 결과 검증
    - 뱃지 승인
  - 뱃지 현황 확인
- 프로젝트 기록 관리
  - 노션 업데이트 내용 관리
  - 노션 참여도 관리
    - 반장에게 벅스 요청

이제 중요한 질문입니다. 우리에게는 그러면 반장이 필요한지 물었습니다. 우리는 적은 숫자인데, 왜 반장이 필요한지 물었습니다. 한 히어로는 '효율적인 통제를 위해서 필요하다' 했습니다. 다른 히어로는 '우리의 약속을 지키지 않으면 단속하고 질서를 유지할 사람이 필요하다'는 의견입니다. '뜻을 모아주는 사람이 필요하다'는 의견도 있습니다. '책임을 지고 일하는 대표가 필요하다'는 의견도 있었습니다. 모두 의견을 하나씩 냈습니다. 그러면 반장에게 필요한 능력이 무엇인지 물었습니다. 뜻을 모으는 능력, 약속을 지키도록 관리, 리더십과 카리스마 등의 의견이 나왔습니다.

이번에 입후보한 반장 후보들의 공약을 듣고 질의응답을 하는 시간을 가졌습니다. 그리고 바로 투표를 했는데요. 멋진 반장이 선출되었습니다. 이미 공지한 반장에게 요구되는 업무를 함께 공유하고, 반장이 앞으로 <천아학교>의 미래를 위해 하고싶은 일들이 무엇인지 듣는 시간을 가졌습니다.

❖ 타운홀 미팅

- 오늘은 히어로들이 주관하는 첫 미팅이 진행되었습니다. 첫 미팅 안건들을 가지고 정말 난상 토론이 벌어졌습니다. 오늘의 안건은, '매점 관리인 지정', '은행장 지정', '청소관리 구역 지정', '규칙 위반 및 칭찬 화폐 주기의 시행 방법' 등이었습니다.
- 오늘은 한 주에 한 번 있는 미팅날입니다. 오늘의 안건은 '반장이 태도가 나쁜 히어로에게 벌금을 메기는 기준', '개인이 매점을 운영하는 기준' 등 이었습니다. 요즘 히어로들은 반장이 벌금을 매기는 권한을 남용하고 있다는 불만이 있습니다. 한 히어로는 모두가 관련된 문제나 분쟁은 다수결로 벌금여부를 결정하고, 두 명의 히어로가 서로 다투는 문제가 있을 경우에는 반장이 재판관의 입장으로 벌금을 매긴다는 의견을 냈습니다. 과반수의 동의로 의결이 되었습니다.

3. 도전기반학습은 어떻게 진행될까?

3.1.금동 대향로 만들기

1일 차 - 세션 준비

방학이 끝나고 새로운 세션이 시작되었습니다. 이번 학기와 세션의 큰 주제는 다음과 같습니다.

(2학기) 주제: 히어로들의 동기부여를 위해 필요한 것은?
(세션 6) 주제: 문명의 흥망은 어떻게 일어나나? (백제 이야기)

히어로들은 아침에 백제의 역사를 짧게 정리한 클립을 봤습니다. 그리고 문명은 어떻게 흥하고 망하는지에 대한 짧은 토론을 했습니다. 문명이 흥하는 조건으로 히어로들이 생각한 것은 왕이 똑똑하고 지혜로운지, 국가가 돈이 많은지, 사람을 모을 수 있는지였습니다. 더 깊이 들어가서 사람을 모을 수 있으려면 필요한 것을 물으니, 국가가 국민을 지켜줄 때, 복지가 좋으면, 종교나 언어 문화 등을 일으키면 된다는 답변입니다. 문명이 망하는 조건으로는 사람들이 흩어지면, 왕이 일을 안 하고 맘대로 행동하면, 나라에 힘이 없으면 등의 생각이 나왔습니다.

아이스 브레이킹

오랜 휴식 후 학교 공부에 적응하기 위해 히어로들의 아이스 브레이킹을 했습니다. 가위바위보 게임을 먼저 했는데요. 이번 세션의 백제왕을 뽑는 시간이었습니다. 가위바위보를 통해 이기면 한 신분이 상승하고, 지면 한 신분이 하락하는 과정을 통해 왕이 된 사람을 가리는 게임입니다. 왕-귀족-평민-노비 에서 점점 신분을 늘리면서 왕이 되기 어렵게 했더니 한

히어로가 왕으로 뽑혔습니다.

Core Skills

오늘은 이번 세션의 학습 계획을 짜는 날입니다. 각자 주요 과목 프로그램에 들어가 일자별로 계획을 짰습니다. 이제 스스로 목표를 짜고 달성하는데 무척 익숙해진 히어로들입니다. 이 목표들이 모여서 배지 플랜을 달성하게 되고, 정해진 배지를 모으면 학년을 완료하게 됩니다.

Quest-시간관리

오늘은 올해 초에 진행했던, 파레토 실험을 다시 진행했습니다. 시간 관리의 개념을 배우고, 우선순위가 얼마나 중요한지 배우는 시간입니다. 히어로들은 먼저 각자 통에 돌, 자갈, 모래, 물을 넣어서 가장 무겁게 만드는 게임을 했습니다. 지난 번 한 번 해봤던 히어로들도 방법을 잊어버린 듯합니다. 너무나 당연하게도 큰 돌을 먼저 넣은 히어로들이 승리했습니다. 교실로 와서 관련된 영상을 보면서, 히어로들

259

은 큰 돌을 먼저 넣는 것이 중요한 일을 먼저 하는 것의 비유임을 알게 되었습니다. 그리고, 나에게 큰 돌은 무엇인지 생각하는 시간을 가졌습니다.

이어서 히어로들은 각자의 큰 돌이 무엇이고, 작은 돌이 무엇인지 적어보는 시간을 가졌습니다. 그리고 큰돌과 관련된 일, 관련되지 않은 일들을 분리해 내고 나의 인생이라는 병에 이것들을 채워보는 시간을 가졌습니다. 큰 돌이 먼저라는 이론은 배웠지만, 실 생활에 적용할 수 있을까요? 올해 초 이 실험을 해 봤던 히어로들은 어렵다고 합니다. 때문에, 이번 세션에는 선택 Quest로 시간관리 보드 만들기를 진행하고자 합니다.

마무리 생각모임

이번 세션을 정리하고, 준비하는 시간을 가졌습니다. 특별히 이번 세션에는 학생 대표를 뽑고, 중요한 역할인 학급 운영을 맡깁니다. 핵심 역할은 부족회의 운영, 히어로들이 직접 만든 "나의 약속/우리의 약속/학교 규칙"을 지키지 않으면 학교 지폐 벌금 받기, 학교에 좋은 영향을 주는 학생에게 학교 지폐 상금 주기, 히어로들의 의견 듣기 등입니다. 이를 위해 이번 주에 선거 활동 기간을 줍니다. 벌써부터 선거 포스터를 만들기 시작했는데요. 특히 입후보한 히어로들에게 지폐관리를 맡기면서 다른 히어로들을 매수하고 싶은 유혹을 이겨내는지 지켜볼 예정입니다. 이를 통해 이번 학기의 주제인 동기부여에 대해서도 알아보고자 합니다.

(2학기) 주제: 히어로들의 동기부여를 위해 필요한 것은?
(세션 6) 주제: 문명의 부흥과 몰락은 어떻게 일어나나?

※ 참고내용
(필수) Quest: 함께 또는 개인이 꼭 해야하는 도전과제
(선택) Quest: 개인적으로 배지를 받기 위한 도전
(야외수업) 부여 방문 1일/ 공주 방문 1일 / 국세청 조세박물관 2시간 관람

[수업내용]
  Core Skills (필수 과목- 컴퓨터 개인 맞춤 학습 기반)
❖ Kahn Academy, IXL, duolingo, EBS
  Project 1: 아이스 브레이킹
❖ (필수) Quest 1: 가위 바위 보 게임 (백제의 왕은 누구?)
❖ (필수) Quest 2: 모티베이션 보드 만들기
❖ (필수) Quest 3: 레고탑 세우기
  Project 2: 시간관리를 배우자!
❖ (필수) Quest 1: 큰돌-작은돌로 배우는 파레토 법칙
❖ (선택) Quest 2: 나의 시간 관리 보드 만들기
  Project 3: 백제 역사에서 배우기
❖ (필수) Quest 1: 백제 역사의 부흥: (1) 백제 역사 순서 맞추기 (2) 금동 대향로 속의 백제 철학/역사/경제/정치/문화 (3) 백제 연구 발표회 (4) 부여 여행 계획 짜기
❖ (필수) Quest 2: 백제 역사의 멸망: (1) 지도와 표로 백제 역사책 만들기 (2) 계백의 선택 연극 놀이 (3) 공주 여행 계획 짜기
  Project 4: 내 회사 세우기
❖ (필수) Quest 1: 국세청 조세박물관 - 사업자 등록증 만들기
❖ (선택) Quest 2: 학교 세금 구성표 만들기

[미술]
❖ (필수) Quest 1: 금동대향로 종이로 만들기
❖ (필수) Quest 2: 나만의 금동대향로 찰흙으로 만들기 (나의 철학/이미지/이상은?)
❖ (필수) Quest 3: 연극용 백제 옷 만들기

[글쓰기 (Journaling)]
❖ (필수) Quest 1: (회고록 쓰기)방학 동안 있었던 일
❖ (필수) Quest 2: 계백의 마지막 시 쓰기
❖ (선택) Quest 3: (소설쓰기) 의자왕의 마지막 1일
❖ (선택) Quest 4: (책 읽기) 나의 과학자 3명 선택하고 소개하기

[학교운영] 학생이 직접 운영하는 학교
❖ 배지 플랜 만들기/세션 Core Skills 목표/ Running partner 선정, 팀 선정/ 수업 규칙 만들기
❖ 학교 헌법 세우기/ 대표 뽑기/ 이번 세션의 구호 선정/ 부족 회의 (매주 수요일)

2일 차

생각모임

오늘 아침은 백제 금동 대향로의 발견에 관한 짧은 영상을 보고, 유물 발견의 역사에 대한 이야기를 나눴습니다. 그리고 오늘의 질문은 **"역사를 이해하는데 유물은 왜 중요할까?"**였습니다. 첫 번째 히어로는 유물을 통해 역사적 시기를 알 수 있다는 답변을 했습니다. 정말 좋은 답변이었습니다. 더 자세히 설명해 달라는 요청에. 유물을 통해 시기 (연대)를 측정할 수 있고, 그것을 통해 역사적인 사건이나 당시 생활, 문명 수준 등을 알 수 있다는 답변이 나왔습니다. 다른 히어로는 물건을 무엇에 쓰는 것인지 연구할 수 있다고 했습니다. 당시 사용하는 물건의 사용 용도를 파악하면 무슨 도움이 되는지 묻자, 여러 히어로들이 문화나 종교, 당시의 외교나 왕의 모습을 알 수 있다는 대답을 했습니다. 그리고 유물이 현대를 사는 우리에게 어떤 도움이 되는지 물었습니다. 우리가 어디서 왔는지 알 수 있다는 답변이 나왔습니다. 그러면 어떤 도움 되느냐는 질문에 자부심이 생긴다, 가치를 알 수 있고, 지금의 열매를 알 수 있다는 답변이 나왔습니다. 그리고 제가 종합해 보면 우리 자신을 알 수 있지 않을까 하는 질문을 했습니다. 히어로들이 생각보다 주변 유적지나 유물에 대한 관심이 적었는데, 이제 유물이 우리에게 실제로 어떤 영향을 미칠 수 있는지 배우는 세션이 시작되었습니다.

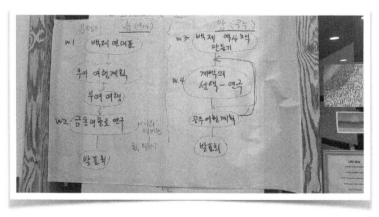

이번 세션의 과정을 큰 그림으로 설명했습니다. 문명의 흥망에 대해서 백제의 역사를 통해 배우는 과정입니다. 특별히 히어로들이 스스로 공부하고, 계획을 세우고 방문하는 과정과, 금동대향로를 나의 세계관으로 해석해서 다시 만들기, 계백의 선택에 대한 연극하기의 과정을 통해 몸으로 역사를 배우게 됩니다.

점심때 히어로들은 학교 바로 옆에 있는 백재시대 고분에 방문했습니다. 백제시대 호족의 무덤이 어떻게 생겼고, 당시 왕권이 약했다는 것이 무엇을 의미하는지 생각해 보는 시간을 가졌습니다.

Quest-금동대향로

오늘 오후는 종이로 금동 대향로를 만들어 봤습니다. 향로가 실제로 어떤 모양이고, 어떤 모양의 조각들이 들어가 있는지 실제 손으로 그려보고 만져보는 시간을 가졌습니다.

마무리 생각모임

오늘 생각 모임은 동기부여에 대한 이야기를 했습니다. 반장 선거에 입후보한 히어로들의 동기가 무엇인지 물었습니다. 학교의 정신을 지킨다. 학교를 변화시킨다 등의 공약을 이야기했습니다. 더 깊숙한 동기, 대표가 되고 대통령이 되고 싶은 동기는 무엇일까 물었습니다. 히어로들이 머뭇거리고, 어려워했습니다. 권력을 가지고자 하는 마음은 어떤지 물었습니다. 권력에 대한 부정적인 생각을 가진 히어로도 있었습니다. 하지만 권력에 대한 욕구는 자연스러운 것이라는 설명과 함께, 권력을 왜 가지려고 하는지가 더 중요하다는 이야기를 했습니다. 다시 히어로들에게 왜 반장이 되고 싶은지 물었습니다. 다행히도 히어로로서의 가치를 지키고 싶어서라는 답변이 나왔네요. 그러면 선거 과정이 어때야 하는지 물었습니다. 그리고 벌과 상을 줄 수 있는 권력을 줬는데, 이것은 반장 후보에게 그리고 히어로들에게 어떤 영향을 주는지 물었습니다. 계속 토론하면서 입후보한 히어로들은 벌과 상을 주는 것이 쉬운 것이 아니라는 생각을 하게 되었습니다. 이번 주와 더 나아가 이번 학기 동안 내가 무엇을 하게 되는 동기는 무엇인지 여러 가지 실험을 통해 알아보려고 합니다.

3일 차

생각모임

오늘은 삼국에 불교가 왕을 중심으로 국교화돼서 전래된 역사에 대한 영상과, 로마에서 기독교가 공인되고 국교화되는 영상을 비교해서 봤습니다. 그리고 질문을 했는데요. **"종교를 통치 수단으로 사용하는 것은 옳은가?"** 였습니다. 히어로 중 2명이 'No!' 라는 대답을 했는데요. 첫 번째 이유는 모두 믿게 하면, 원래 종교를 잃는다는 답변이었습니다. 너무 좋은 답변이었습니다. 종교가 강제화 되고 의지와 상관없이 믿게 되면, 종교의 순수성을 잃는다는 답변이었습니다. 그렇지만 영상에서 처럼 콘스탄티누스는 종교 자유를 주었고, 기독교인이 많아진 것에 대한 자연스러운 반응이니까 괜찮다는 반론도 나왔습니다. 그러나 점차 종교를 통치 수단으로 활용한 것에 대해서는 어떻게 생각하느냐고 다시 물었습니다. 한 히어로가 통치 수단으로만 쓰면 종교가 사람들의 자유를 억압하게 되므로 종교의 의미가 없다는 좋은 답변을 주었습니다. 종교가 권력화 될 수 있다는 의미였습니다. 금동 대향로를 통해 백제를 보면, 불교가 국교라도 도교, 민간 신앙의 모습이 향로에 들어있다, 이것은 어떤가 물었더니, 강제화하지 않는 것이 좋다는 의견이었습니다. 뜨거운 토론이었네요.

Core Skills

오늘 Core Skills 시간은 너무 시간이 없다는 요청에 길게 가졌습니다. 독서 시간까지 써서 스케줄을 맞추는 히어로들입니다! 스스로 목표를 세우고, 이루는 것 그리고 더 많이 공부하면 금요일 오전에 자유를 주는 것이 히어로들에게 큰 동기를 부여합니다.

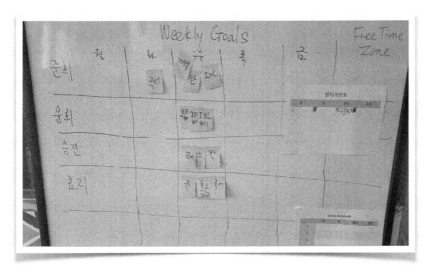

Quest-백제연대표

오후는 백제 연대표를 만드는 시간입니다. 히어로들은 먼저 함께 백제의 역사 흥망 그래프를 그리고 왕의 이름을 적어 넣었습니다.

그리고 나서 각자 시기별로 4묶음으로 정리된 글을 뽑아가서 자신만의 프리젠테이션을 만들었습니다. 아직 프리젠테이션이 익숙하지 않은 히어로도 있었지만, 모두 최선을 다하는 모습이었습니다.

드디어 발표시간. 시간이 꽤 걸렸지만, 각자 가져간 시대별 백제의 역사를 잘 정리했습니다. 발표를 하면서 백제 역사의 중요한 지점들을 잘 설명했는데요, 내일은 설명한 부분별로 중요한 사진, 그래프 등을 연대표에 정리하는 시간을 가집니다. 히어로들은 벌써부터 부여와 공주에 방문할 생각에 즐겁습니다. 하나하나 퍼즐을 맞추듯이 역사를 탐구해 간 후에 직접 여행 계획을 짜고 방문하는 과정은 정말 살아있는 역사 공부가 아닐까 싶습니다. 여기에 소크라테스식 토론 질문은 히어로들의 생각의 문을 활짝 열어줍니다. 모든 과정을 배움의 재료로 쓰는 '**의도적 교**

육 Intentional Education' 이라고 불리는 이 과정은 현재 미네르바 같은 유명한 새로운 시대의 교육을 하는 단체들의 핵심 구성 요소입니다.

4일 차

생각모임

오늘 히어로들은 정직에 관한 토론을 했습니다. 우선 재미있는 게임을 했는데요, 심리학자 김경일 교수님이 언급했던 시카고 대학의 정직성 실험인데요. 약간 변형해서, O,X가 든 쪽지를 뽑아서 혼자 보고, 5개의 과자를 O가 나오면 본인이 더 많이, X가 나오면 선생님이 더 많이 가지도록 분배하게 하는 게임이었습니다. 실험 후 해당 실험 영상을 잠시 봤습니다. 그리고 여러 가지 예를 들면서 질문했습니다. (상황을 모면하려는 거짓말 등) **"들키지 않은 거짓말은 괜찮을까?"** 히어로들은 격하게 반대했습니다. 한 히어로는 어차피 드러나고, 들키지 않는 거짓말은 없다는 의견이었습니다. 이 의견과 약간 다른 히어로가 있었습니다. 거짓말은 드러나지 않을 수 있는데, 어른이 되면 안 좋은 영향을 미친다는 의견이었습니다. 각자 찬반 토론을 약간 한 후, 그러면 **"착한 거짓말은 괜찮은가?"**에 대해서 물었습니다. 음식 맛이 없는데도, 맛있

267

다 칭찬하는 경우를 예로 들자 상대방을 돕는 것은 괜찮다고 답변했습니다. 이에 대한 반대 의견으로 거짓말보다 다른 칭찬할 것을 찾아서 칭찬해 줄수도 있다는 의견이 었었습니다. 거짓말은 어쨌든 안 좋다는 의견입니다. 그러자 원래 의견을 가진 히어로가 긍정적인 영향이 있는 경우로 조건을 제한했습니다. 다른 질문으로 칭찬하는 경우 말고, 다른 사람을 배려해서 내 생각을 말하지 않는 경우는 어떤지 물었습니다. 한 히어로는 어떤 경우든 나중에 진짜 거짓말로 발전한다는 의견과 그럼에도 적당히 하는 경우는 괜찮다고 했습니다. 이후에, 거짓말이 개인에게 미치는 영향에 대한 짧은 클립을 봤습니다. 거짓말은 남의 신뢰뿐 아니라, 나 자신에 대한 신뢰를 저버리는 행동이고 이것이 반복되면 자존감이 낮아진다는 내용이었습니다. 그리고 정직하기 위한 방법에 대한 토론을 했습니다. 히어로들은 각자 오늘 정직을 위해 할 일을 적고 실천하기로 했습니다.

Quest-백제연대표
오전 시간에 Core Skills 를 마친 히어로들은 백제 연대표 만들기를 마무리했습니다. 각자 조사한 내용과 맡은 시대에 대해서 최선을 다해 연구하고, 결과를 냈습니다. 서로 잘 만든 연대표에 칭찬 스티커를 붙이는 시간도 가졌습니다.

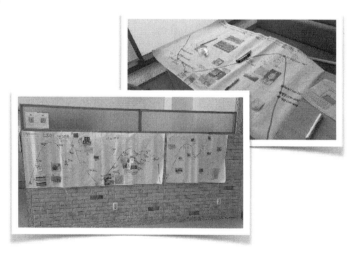

Quest-금동대향로

이제 히어로들은 찰흙으로 금동대향로 만들기를 시작합니다. 지난 번 종이로 만든 것과 다르게 이번에는 각자의 세계관을 담아서 만드는 작업입니다. 옛날 향로를 만든 장인이 어떤 생각을 했고, 어떤 세계관을 가지고 있었으며, 백제인의 이상향은 무엇이었는지 생각해 보는 시간을 가지고 동시에 동일한 과정으로 나의 향로를 만드는 과정입니다. 마지막 토론 시간도 함께 **"왜 옛날 사람들은 세계관을 물건에 표시했을까?"**에 대해 물었습니다. 매우 생소하고 어려운 질문입니다. 짧은 답변들을 받은 후, 오늘은 히어로들에게 세계관이 무엇이고 금동대향로에는 어떤 생각들이 담겨있는지 천천히 설명하는 시간으로 마무리했습니다. 그리고 내 금동대향로에는 어떤 세계관을 담을 것인지 이번 세션 현장답사와 활동들을 통해서 계속 생각해 보기로 했습니다.

히어로들의 반장 투표가 내일로 다가왔습니다. 그동안 틈틈이 선거운동을 했는데요. 각자의 공약이 솔직하고 담백했습니다. 내일 어떤 연설을 할지, 그리고 누가 뽑힐지 기대됩니다.

5일 차

생각모임

오늘은 선거가 있는 날입니다. 아침 토론은 너무나 중요한 내용으로 시작했습니다. 첫 번째 질문은 **"국가의 의사를 최종적으로 결정하는 권력은 누구에게 있는가?"**였습니다. 예상대로 대통령이라는 답변이 나왔습니다. 시간을 조금 더 주자, 한 두 명이 '국민'이라는 답변을 했습니다. 먼저 '국가의 의사를 최종적으로 결정하는 권력'을 주권이라고 한다고 설명했습니다. 그리고 '주권'이라는 단어가 쓰인 중요한 구절이 기억나느냐고 물었습니다. 신기하게도 한 히어로가 헌법 1조를 읊었습니다. "대한민국의 주권은 국민에게 있고, 모든 권력은 국민으로부터 나온다." 따라서 국가가 나가야 할 방향은 왕이나 어떤 개인이 아닌 국민이 직접 결정하는 것이 맞다는 이야기를 했습니다. 그러나 이것이 가능할지 물었습니다. 히어로들은 '사람이 많아서 힘들다', '모든 사람이 결정할 방법이 없다' 등의 의견을 냈습니다. 여기서 스위스의 국민투표와 직접 민주주의 등의 예를 보여주고, 우리는 대의 민주주의의 방식을 택했고 이를 위해 선거를 통해 대표를 선출한다는 이야기를 했습니다. 그러나, 국민의 뜻을 따라 민주주의를 이행해야 하기 때문에 늘 국민의 의견을 물어야 한다는 이야기를 했습니다.

이제 중요한 질문입니다. 우리에게는 그러면 반장이 필요한지 물었습니다. 우리는 적은 숫자인데, 왜 반장이 필요한지 물었습니다. 한 히어로는 '효율적인 통제를 위해서 필요하다' 라고 했습니다. 다른 히어로는 '우리의 약속을 지키지 않으면 단속하고 질서를 유지할 사람이 필요하다'는 의견입니다. '뜻을 모아주는 사람이 필요하다'는 의견도 있습니다. '책임을 지고 일하는 대표가 필요하다'는 의견도 있었습니다. 모두 의견을 하나씩 냈습니다. 그러면 반장에게 필요한 능력이 무엇인지 물었습니다. 뜻을 모으는 능력, 약속을 지키도록 관리, 리더십과 카리스마 등의 의견이 나왔습니다.

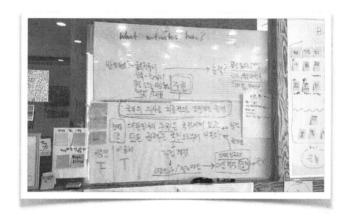

반장선거

이번에 입후보한 반장 후보들의 공약을 듣고 질의응답을 하는 시간을 가졌습니다. 그리고 바로 투표를 했는데요. 멋진 반장이 선출되었습니다. 이미 공지한 반장에게 요구되는 업무를 함께 공유하고, 반장이 앞으로 <천아학교>의 미래를 위해 하고싶은 일들이 무엇인지 듣는 시간을 가졌습니다.

Quest-백제여행계획 세우기

히어로들은 오후에 아주 바빴습니다. 두 팀으로 나눠 백제 여행 계획을 세우는 대회를 했기 때문입니다. 두 명씩 짝이 되어 계획을 세우고, 발표하는 시간을 가졌습니다. 결과는 부모님들이 계획서를 보고 뽑아 주십니다.

360도 동료평가

오늘은 처음으로 그동안 함께 공부했던 동료들을 평가하는 시간을 가졌습니다. <천아학교>에서 일종의 시험입니다. 각자 **최선** Excellence 을 다하도록 독려하고 세계 최고의 기준, 알려진 리더들의 이론 및 해결모델, 동료들과의 협업을 통해 나의 결과물들을 평가하는 방식으로, 점수가 아닌 성장 자체를 목적으로 삼는 교육입니다. 히어로들은 자기 주변 2명에 대해 그의 학교에서의 삶과 학습방법 그리고 필요한 점을 점검해 주는 시간을 가졌습니다.

6일 차

백제스케치

오늘 오전에는 백제의 역사를 훑어보는 다큐멘터리를 보고, 백제에 대한 인상을 그림으로 그리는 시간을 가졌습니다. 영상의 많은 내용 중 본인에게 인상 깊은 내용에 대해 각자의 생각을 정리하여 그림을 그리고 설명했습니다.

Core Skills

오늘은 Core Skills 일주일 계획을 세우는 날입니다. 각자 지난 주 세운 계획에 부족한 부분을 보강하는 시간을 가졌습니다. 제일 어려운 부분은 늘 자기 페이스에 맞는 계획을 세우는 것입니다. 각자의 학습 프로그램은 수준에 맞게 설정되기 때문에, 자꾸 틀리면 수준이 변경됩니다. 이 때문에 선생님 없이도 각자 학습을 지속할 수 있습니다. 다만, 너무 과하게 계획을 세우거나 너무 적게 세우는 경우가 없도록 매주 조정하는 시간을 가지고 선생님과 협의한 후에 일과를 시작합니다.

Quest-백제퀴즈대회

그동안 백제에 대해 여러 활동을 했지만, 현지 답사를 가기 전 부족한 지식을 채워주는 시간을 가졌습니다. 상품을 걸고 O,X 퀴즈와 주관식 퀴즈를 풀었는데, 본인이 조사를 담당했던 시기의 역사는 너무 잘 알고 다른 시기는 잘 모르는 경우도 있었습니다. 전반적으로 프로젝트를 꼼꼼히 수행한 히어로가 많은 지식을 가지고 있었습니다.

퀴즈가 끝난 후 승리한 히어로가 백제 역사를 처음부터 설명해 주는 시간을 가졌습니다. 백제연대표 속에 숨겨놓은 이야기들을 모두 풀어내면서, 각자 이번 Quest에 이해한 것들을 정리하는 시간이었습니다.

Quest-백제여행계획

히어로들이 스스로 짠 최종 일정이 나왔습니다. 지난 금요일 계획짜기 대회를 하면서 선정된 팀의 계획에 부족한 부분을 채워 넣는 시간을 30분 가졌습니다. 이번 여행은 계획 그대로 갑니다. 히어로들이 짠 계획에 어떤 부분이 문제가 있더라도, 실패를 통해 배우는 시간을 가지는 것이 목적입니다. 여행의 세세한 시간과 일정을 짜는 것은 쉬운 일이 아닙니다. 하지만, 누군가 짜준 계획으로는 그런 세세함을 배울 수 없습니다. 히어로들은 스스로 계획을 짜고 실패하고, 그 실패의 원인을 발견해 가면서 몸으로 여행을 계획하는 방법을 배웁니다.

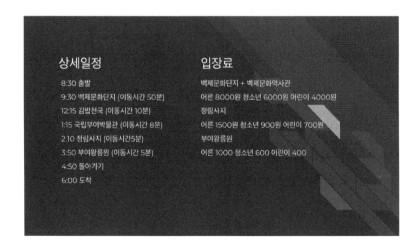

상세일정

8:30 출발
9:30 백제문화단지 (이동시간 50분)
12:15 김밥천국 (이동시간 10분)
1:15 국립부여박물관 (이동시간 8분)
2:10 정림사지 (이동시간 5분)
3:50 부여왕릉원 (이동시간 5분)
4:50 돌아가기
6:00 도착

입장료

백제문화단지 + 백제문화역사관
어른 8000원 청소년 6000원 어린이 4000원
정림사지
어른 1500원 청소년 900원 어린이 700원
부여왕릉원
어른 1000 청소년 600 어린이 400

Quest-백제옷만들기

오후에는 백제 옷 만들기를 했습니다. 백제의 멸망을 다루면서, 계백에 관한 연극을 할 예정이기 때문입니다. 옷의 역할에 대해서, 특히 백제 시대 옷의 특별한 구별에 대해서 설명하고, 백제의 의복 양식과 옷의 각 부분의 명칭을 배우고, 본인이 원하는 천을 고르는 시간을 가졌습니다.

7일 차

백제 문화 답사

오늘은 그동안 배웠던 백제를 직접 만나는 날입니다. 어제 완성된 일정을 따라가는 하루였습니다. 히어로들이 만든 일정을 열심히 따라가다 보니 너무 힘든 계획이었다는 걸 알게 되었습니다. 너무 더워지자 많이 걸어야 하는 능산리 고분 방문 일정은 생략하게 되었습니다. 히어로들은 다음 공주 방문은 좀 더 세심하게 계획을 짜기로 의견을 모았습니다.

오늘의 주제는 두 가지였는데요. 하나는 **"대통령이 나을까 왕이 나을까?"** 였습니다. 히어로들은 당연히 왕이 낫다는 의견을 냈습니다. 그러나 답사를 하는 중에 왕들의 고뇌와 수고 그리고 실패를 보면서 너무 힘든 일이라는 것을 깨닫게 되었습니다. 하지만 돌아오는 길에 대부분의 히어로들은 그래도 왕이 낫다는 의견을 냈습니다. 다른 것보다 왕이 한 번 돼보고 싶은 생각이 백제 여행 중에 커진 것 같습니다.

다음 질문은 **"백제가 흥한 이유는 무엇일까?"** 였습니다. 한 히어로가 왕의 힘이 세서 그렇다고 했습니다. 아주 좋은 답이었습니다. 그 히어로는 무령왕이 백제의 곳곳을 왕족들로 다스리게 한 것을 생각했습니다. 그리고 왕이 명령했을 때 세금을 내고 궁궐을 짓고 하는 일이 일어날 수 있었다는 생각을 했습니다. 다른 히어로는 돈이 많아서 그렇다고 했습니다. 왜 돈이 많았을까? 물으니 '전쟁을 잘해서?'라는 답변이 나왔습니다. 아무래도 첫 번째 답변과 서로 통하는 부분이 있지 않을까 하는 질문과 함께, 여러 연결고리를 생각해봤습니다. 마지막 히어로는 힘이 세서 그렇다고 답했습니다. 좋은 답이었습니다. 군사를 통제할 수 있는 능력이 갖춰지면서 백제가 국가로서의 기능을 할 수 있었다는 이야기를 해 봤습니다. 이번주 방문 내용을 정리하면서, 백제가 흥할 수 있었던 여러 가지 이유들을 자세히 연구해 보기로 했습니다.

8일 차

생각모임

오늘 아침 질문은 어제에 이어서, '백제는 어떻게 흥했을까?' 였습니다. 어제 이야기가 나왔던 이슈들에 대해서 다시 상기해 봤습니다. 그러고 나서, 백제 역사에 대한 짧은 다큐멘터리를 봤습니다. 여기에 왕권 강화와 문화적인 강성을 덧붙였습니다. 특히 성왕이 종교를 중심으로 부여로 이전한 부분과 무왕이 문화를 진흥하는 정책을 편 부분을 이야기했습니다. 오늘 이 내용들을 중심으로 리서치를 시작하기로 했습니다.

루브릭 만들기

어제 답사를 다녀오면서 히어로들은 스스로 계획을 짜고 실행해 봤는데요. 스스로 생각하는 여행계획의 성공률 (계획 달성률)을 70% 정도로 판단했습니다. 실패의 이유는 방문지별 시간 계산 실패, 목적지 연구 부족 (실제와 다른 계획, 목적지 환경이 계획과 다름) 등을 들었습니다. 성공에 대해서는 행복한 하루였고 점심이 맛있었다는 의견이었습니다.

의견을 나눈 후 히어로들은 각자 여행계획의 루브릭을 짰습니다. 여행 계획을 평가할 때 중요한 요소들을 스스로 생각해 보는 시간입니다. 3가지 분류가 나왔는데요. 첫 번째는 사전 연구입니다. 사전에 현재에 대한 정확한 정보와 서로 가진 정보로 동의하는 과정을 가져야 한다는 의견입니다. 두 번째는 예산입니다. 예산을 충분히 가져가고 인당 필요 예산을 짰는지입니다. 세 번째는 계획입니다. 의견이 가장 많았는데요. 플랜 B가 있는지, 시간

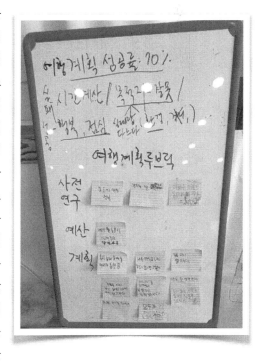

이 촉박하지 않은지, 필요하지 않은 짐은 없는지, 확정된 계획을 전체가 공유했는지, 여행을 위해 건강을 챙겼는지 (숙면, 필수약), 목적지를 너무 많이 정

하지 않았는지, 소요 시간을 확실히 계산했는지, 미리 날씨를 확인했는지, 모두가 만족할 만한 식사를 계획했는지였습니다. 2주 후 공주 여행을 갈 때는 이 루브릭을 중심으로 계획을 짜기로 했습니다.

Quest-역사리서치

이제 히어로들은 백제는 어떻게 '흥'했는지 알아보기 위해 리서치를 통해 레포트를 쓰게 됩니다. 오늘은 리서치를 직접 해 봤습니다. 두 가지 종류의 문제를 준비했는데요. 단답형 답을 찾는 문제와 답을 생각하는 문제입니다. 10개의 문제를 주고 리서치 대회를 했는데요. 답을 인터넷에서 찾고 맞추는 방식입니다. 하나씩 답을 찾아가면서 히어로들에게 강조한 점은 단답형 답은 키워드나 주요 아이디어 중심으로 여러 곳을 찾아들어가서 맞춰야 하고, 답을 생각해야 하는 경우는 구체적인 문장을 만들어 검색을 해야 한다는 점이었습니다. 히어로들은 '성왕이 백제를 천도할 때 백성들의 반대를 어떻게 설득했는가?'와 같은 생각하는 문제를 어려워했지만 정답을 모두 찾아냈습니다.

다음으로 히어로들은 아침에 토론한 백제가 '흥'한 이유에 대해서 각자 자기가 답변한 분야에 대해 질문을 시작했습니다. 백제가 어떻게 힘이 세졌는지에 대해서 연구하는 히어로는, '백제의 군사는 어떻게 많아졌나?', '백제는 어

떻게 돈이 많아졌을까?', '백제의 철무기는 언제 만들어졌을까?', '인구는 어떻게 많아졌을까?' 등의 질문을 만들었습니다. 리서치의 기본 단계를 히어로들은 최선을 다해 수행했습니다.

타운홀 미팅

오늘은 히어로들이 주관하는 첫 미팅이 진행되었습니다. 첫 미팅 안건들을 가지고 정말 난상 토론이 벌어졌습니다. 오늘의 안건은, '매점 관리인 지정', '은행장 지정', '청소관리 구역 지정', '규칙 위반 및 칭찬 화폐 주기의 시행 방법' 등이었습니다.

279

9일 차

생각모임

오늘은 나만의 금동대향로를 만들기 위한 중요한 질문입니다. 세계관에 대해 알아보았는데요. 우선 금동대향로에 드러난 백제인의 세계관을 짧게 알아보았습니다. 그리고 세계관이 세상을 바라보는 안경과 같다는 설명을 했습니다. 생로병사에 대한 예를 들어보았는데요. 출생과 나이 드는 것, 병이 걸리는 것과 죽는 것에 대한 각자의 시각을 물었습니다. 그리고 나의 세계관의 기초를 물었습니다. 주로 환경, 부모님, 경험, 교육 종교에 의해 영향을 받았다고 하네요. 그러면 내 세계관은 직관의 영향을 많이 받는지, 이성의 영향을 많이 받는지 물었습니다. 조금 어려운 질문이라 예를 들었네요. 히어로들은 반반인 것 같다고 했습니다. 더 나아가 나의 세계관은 개방적인지 배타적인지 물었습니다. 여기에는 선뜻 답을 하지 못했습니다. 오늘 금동대향로를 만들 때 각자의 세계관을 담은 작품을 만들기 위해 필요한 것들을 생각해 봤습니다.

지폐의 수요가 많아지면서 새로운 지폐를 발행하게 되었습니다. 은행장인 히어로가 디자인을 새롭게 바꾸면서 히어로들이 자진해서 모두 프린터기 앞에서 발행식을 가졌습니다.

Quest-금동대향로 만들기

금동대향로에는 세상에 없는 동물과 있는 동물이 섞여있습니다. 이것은 민간 신앙과 여러 종교의 영향을 받은 것으로 보입니다. 오늘은 금동대향로를 만든 사람이 어떤 생각으로 신기한 동물들을 그렸는지 생각해 보는 시간입니다. 히어로들은 성경에 있는 신비한 동물들의 묘사를 듣고 그려보는 시간을 가졌습니다. 금동대향로를 만든 장인도 어떠한 글을 읽고 신비한 동물들을 만들지 않았을까 상상해 봤습니다. 그리고 나서 찰흙으로 금동대향로를 만드는 작업을 시작했습니다. 오늘은 대를 만들고 철사를 연결한 후 찰흙으로 기본 뼈대를 만드는 작업을 했습니다.

마무리 생각모임

마지막 모임도 계속해서 세계관에 대한 생각을 해 보았습니다. 세계관에 관한 영어 영상을 본 후, 영상에 나온 질문들을 해 보았습니다. 'Does God exist?', 'How did everything begin', 'Who am I', 'Why am I here?' 이 중 가장 마지막 질문을 심도있게 다루었습니다. 다른 학교나 교육기관에 갈 수 있는데 왜 여기에 와 있는지, 그 이유가 무엇인지에 대해서 생각해 보는 시간을 주었습니다. 히어로들은 '미래로 가려고', '세상을 변화시키려고', '히어로의 여행을 하려고', '히어로가 되려고', '약속을 지키려고' 등의 대답을 해 주었습니다. 이런 히어로의 대답이 얼마나 가치 있는 것인지에 대해서 이야기했습니다. 그리고 그것이 히어로들의 세계관과 어떻게 연결되어 있는지 이야기해 봤습니다.

10일 차

생각모임

오늘은 다음 주에 있을 연극을 위해 우리 자신을 이해하는 시간을 가졌습니다. 질문은 '나는 나의 어두움을 바라봐야 (직면해야) 할까?'였습니다. 히어로들에게 나의 어두움은 단점, 나쁜 성격, 불만족, 열등감 등이 될 수 있다는 점을 공유하고, 심리학자 융이 제시한 그림자 이론을 설명했습니다. 사람이 빛을 향해 나아가면 그림자가 생기기 마련인데, 이것이 다른 사람에게 발견되면 오히려 싫어하게 되는 경우가 있다. 그 안에 있는 나를 발견하고 화해하는 것이 중요하다는 내용이었습니다. 이어서 질문에 대한 토론을 했습니다. 한 히어로는 나의 어두움을 찾아야 한다고 했습니다. 이것을 무시하면 내 모습을 무시하는 것이고 그러면 마음대로 살게 된다고 했습니다. 놀라운 답변이라서 다시 설명해 달라고 했네요. 이 의견에 동의하는 히어로는 나의 어두운 면을 무시하면 내가 버려지게 되고 더 어두워진다고 했습니다. 다른 히어로도 동의하면서 어두움을 찾아야 고칠 수 있다. 어두움과 반대되는 일을 하면 (예, 의존적이면 독립적인 일) 된다고 했습니다. 한 히어로는 이에 반대했는데, 그러다가 고쳐지지 않으면 좌절하게 된다는 생각이었습니다. 심리학자들의 대화 같았습니다. 오히려 제가 놀랐다고 고백했습니다.

히어로들은 프로젝트와 Core Skills 를 완료하면 스스로 확인하고 포인트를 계산해서 옵니다. 그러면 포인트에 해당하는 학교 지폐 (Slow Bucks)를 줍니다. 이번 주에 한 히어로는 Core Skills 기준이 너무 어려워서 수정했습니다. 이번 주에는 Core Skills를 완료하고 더 많은 포인트를 받겠다고 벼르고 있습니다.

Quest-연극

연극을 준비하기 위해 나의 내면을 연구하는 시간을 가졌습니다. 그림자 작업을 해 봤는데요. 밖에서 내 그림자를 그려봤습니다. 그리고 내가 생각하는 내 안의 그림자들을 적어 봤습니다. 히어로들은 욕심, 얄밉게 구는 것, 시비를 건다, 싫어하는 사람이 많다, 고집이 세다 등등 자신에 대한 단점을 많이 썼습니다. 그리고 여기서 이러한 그림자 중에서 내가 오히려 밝게 표현할 수 있는 것이 있는지 고민했습니다. 욕심은 하고 싶은 것이 많다, 시비를 건다는 자존감이 높다, 싫어하는 사람이 많다는 좋은 친구를 사귀고 싶다, 고집이 세다는 생각이 완고하다 등으로 바꿨습니다. 그리고 앞에 나와서 발표하는 시간을 가졌습니다. 간단하게 살펴보았지만, 히어로들 안에 그림자의 원인을 살피는 것이 쉽지 않고 숨겨진 이유들을 발견하는 일을 계속해야 한다는 점을 함께 이야기했습니다.

Quest-백제옷만들기

오늘도 백제 옷 만들기를 계속했습니다. 드디어 각자 치수를 재고 천을 몸에 맞게 자르는 작업을 시작했습니다. 히어로들은 손으로 직접 옷을 만들면서 백제인의 생활상을 몸으로 체험했습니다.

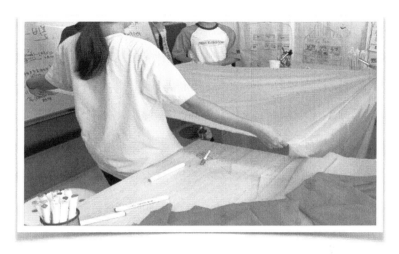

생각모임

연극 교육을 위해 '깃털쌤의 이야기가 있는 교육연극 수업'을 참고했습니다. 도전 기반 학습의 많은 내용이 담긴 좋은 책입니다. 마지막 생각모임은 영화의 한 장면으로 계백 장군이 가족을 죽이는 장면을 실감 나게 표현한 장면을 봤습니다. 그러면서 계백 장군 부인이 처한 상황을 통해 그녀의 그림자와 그것을 다르게 바라보는 작업을 해 봤습니다. 히어로들에게 부인의 그림자를 물어보니, 욕을 한다, 불친절하다, 화가 많다, 고집이 세다, 괄괄하다, 과격하다, 존중이 없다, 짜증을 낸다, 대꾸를 한다 등의 대답을 했습니다. 우리가 짧은 시간에 사람의 그림자를 알기는 힘들지만, 이해를 위해 더 나아가 봤습니다. 이번에는 이 모습을 좋게 표현하면 어떤지 물었습니다. 강인하다, 상황 판단이 빠르다, 의지가 강하다, 독립적이다, 보호 본능이 있다, 내 생각을 잘 표현한다 등이 나왔습니다. 우리가 어떤 인물을 이해할 때 그 외면과 그 안에 있는 좋은 의미를 함께 이해해야 한다는 점을 생각해 봤습니다.

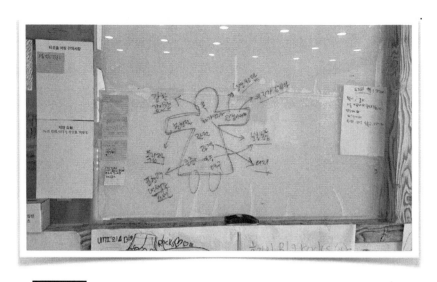

11일 차

생각모임

오늘 아침은 2학기의 주제인 '무엇이 히어로에게 동기를 부여하나?'라는 질문에 대해 토론했습니다. 우선 새끼 갈매기가 파도를 무서워하다가 용기를 내는 동기부여에 대한 영상을 봤습니다. 그리고 이 새끼 갈매기가 하기 싫어하는 것이 무엇인지 물었습니다. 히어로들은 '파도에 들어가는 것'이라고 답했습니다. 그 이유를 물었을 때 무서워서, 싫어서라는 답변이 나왔습니다. 그러면 파도를 이겨내게 한 동기는 무엇이었는지 물었습니다. 용기, 도전, 배고픔, 호기심, 흥미라는 답변이 나왔습니다. 이어서 히어로들에게 이 상황을 적용해 봤습니다. 히어로들이 하기 싫어하는 것은 '공부, 수학, 청소, 피아노, 아침에 깨는 것, 학원'등이 나왔습니다. 이유는 귀찮아서, 재미없어서, 힘들어서 등이 있었습니다. 그러면 이런 파도를 이겨내기 위해 필요한 동기는 무엇인지 물었습니다. 히어로들은 좋은 선생님, 꺾이지 않는 마음, 성취감, 영웅의 여행, 돈, 칭찬, 삶의 목표 등을 꼽았습니다. 2학기 동안 우리는 나에게 그리고 서로에게 동기를 부여하는 것이 무엇인지 실험해 보기로 했습니다.

오늘 한 히어로는 대한민국 헌법을 보면서 학교 헌법의 개요를 짜는 시간을 가졌습니다. 헌법 작성이 지체되어서는 안되겠다는 의견이 적극적으로 반영되었습니다.

반장에게는 학교 지폐 벌금을 매기거나 상을 주는 권한이 있습니다. 이것이 서로 비난하는 소동의 계기가 되기도 하지만 동시에 반장의 권한을 시험하는 시간이 되기도 합니다. 히어로들은 반장이 스스로에게는 벌금을 부과하지 않는 것에 반발했고, 그럴 때마다 반장은 의견을 반영해 스스로에게 벌금을 부과하게 되었습니다. 만약, 누구라도 벌금에 불만이 있거나, 히어로 간 분쟁이 있는데 해결이 되지 않으면 재판을 청구할 수 있습니다. 그리고 학교 운영에 문제가 있는 사항은 히어로들의 회의에 건의를 할 수 있습니다.

오늘 히어로들은 학교 매점에 살 물건을 정했습니다. 불필요한 물건은 서로 조정했는데, 내일 어떤 물건을 사올지 궁금하네요.

Quest-금동대향로 만들기

오늘 히어로들은 계획보다 늦어지고 있는 것들 중에 급한 것을 선택해서 진행했습니다. 바로 금동대향로 만들기였는데요. 각자의 세계관을 담아서 만들기로 했는데, 아직 기초도 완성되지 않아서 모두 집중해서 만들어 봤습니다.

Quest-백제 옷 만들기

어제 이어서 오늘은 연극에 쓸 백제 옷 만들기를 했습니다. 이제 조금씩 옷 모양이 만들어져 갑니다. 바느질도 잘 해내는 히어로들입니다.

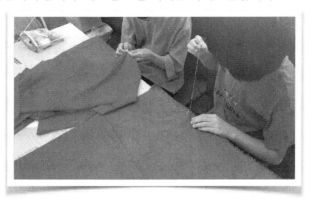

마무리 생각모임

오늘 마지막 모임은 각자 자신에게 동기를 부여하는 것이 무엇인지 발견하는 시간을 가졌습니다. 'Motivation 카드'를 가지고 본인에게 가장 동기를 부여하는 것부터 아닌 것 순서로 나열하는 시간을 가졌습니다. 그리고 각자 1,2,3위를 발표하고 설명하는 시간을 가졌습니다. 히어로들은 서로의 성격이 어떻게 다른지 이해하는 시간을 가졌습니다. 그리고 내일부터 나에게 동기부여를 하기 위한 방법, 다른 히어로가 동기부여를 받는 방법을 찾는 실험을 해 볼 겁니다.

12일 차

생각모임

오늘은 동기부여에 대한 질문입니다. 특별히 어제 내용에서 더 나아가 내재적/외재적 동기에 대해서 알아봤습니다. 헌혈을 할 때 돈으로 보상하면 헌혈 인구가 더 줄어든다는 연구가 있는데요. 오늘은 이 경우 왜 안 하게 될지 물었습니다. 어떤 히어로는 돈을 주니 의심이 생긴다. 불길하다는 이야기를 했습니다. 다른 히어로는 생명을 가볍게 여기는 것 같다는 의견입니다. 어떤 히어로는 돈을 많이 주면 하겠다는 생각도 있었습니다. 그래서 돈을 받는 것과 생명을 구하는 것 중에 어떤 것이 동기를 부여하는지 물었습니다. 그러고 나서 하나씩 다른 동기와 비교해 봤습니다. 동기에 어떤 종류의 우선순위가 있다는 것을 알게 되었습니다.

이 상황에서 히어로들은 어제의 동기 부여 카드를 받았습니다. 그러고 나에게 가장 동기를 부여하는 것에서부터 아닌 순서로 카드를 나열했습니다. 그러고 나서 여러가지 상황 (친구들과 아이돌 노래하기, 수학문제 10개 풀기 등)에 따라 동기를 부여하는 원인이 달라진다는 사실을 살펴봤습니다.

히어로들은 스스로 매점의 물건을 사서 가격을 매기고 진열까지 합니다. 엑셀에서 마진을 붙이는 작업까지 완벽하게 마무리했습니다.

오늘은 특별히 새로운 친구들이 왔습니다. 아이스 브레이킹을 위해 나에 대한 사실 5개 중 거짓인 것을 맞추는 게임을 했습니다. 히어로들이 너무나 즐거워합니다.

Quest-연극

히어로들은 백제 역사의 멸망에 대한 공부로 넘어가고 있습니다. 백제의 멸망을 배우기 위해 계백 장군에 대한 연극을 할 예정인데요. 오늘은 연극의 맛을 보기 위해 종이백에 물건을 넣고 그것을 사용하여 연극을 만드는 활동을 했습니다. 특히 대본을 준비를 하지 않도록 히어로들이 이미 알고 있는 성경의 이야기 중에서 추첨을 통해 이야기를 골랐습니다. 히어로들은 짧은 시간 동안 주어진 도구를 활용하여 재미있는 스킷 드라마를 만들었습니다. 너무 재미있어서 두 번이나 하게 되었네요. 연극을 마친 후에는 서로 상대에 대한 비평을 했는데요. 따뜻한 비평을 한 후에 차가운 비평을 해 봤습니다. '소품을 잘 활용했다', '연기가 좋다', '순발력이 있다' 등의 평가가 나왔습니다. 하지만 역시 짧은 시간에 하느라 부족한 부분도 있었는데요. '내용이 너무 빠르게 전개되었다', '스토리가 다르다', '핵심이 빠졌다' 등의 의견이 있었습니다.

처음해 보는 연극이었음에도, 히어로들은 순발력이 대단했습니다. 특히 이 시대에 우리에게 필요한 것은 다른 사람의 입장이 되어 그 사람을 이해하는 것인데, 연극이나 책 읽기는 그것을 할 수 있는 중요한 도구라는 점을 강조했습니다. 히어로들은 짧은 시간 동안 다른 사람과 함께 협력해서 문제를 해결할 수 있다는 점을 몸소 체험했습니다.

마무리 생각모임

마지막 모임도 나의 동기는 외재적인가 내재적인가를 알아보기 위해, 나에 대한 10가지 질문을 했습니다. 정말 신기하게도 나이 순서대로 외재적인 동기에서 내재적인 동기로 발달해 가는 것을 볼 수 있었습니다. 히어로들은 외재적인 동기 (상품, 돈, 인기, 경쟁) 등이 나쁜 것은 아니지만, 내재적인 동기 (호기심, 숙달, 자유, 목표달성) 등이 더 많은 성취를 준다는 점과 동기부여가 되지 않는 일에 대해서 외재적인 동기도 사용할 수 있음을 동기부여 카드를 통해 알아보았습니다.

13일 차

생각모임

오늘은 아침에 '경고음'이 울렸습니다. 히어로들끼리 미래의 꿈에 대해서 이야기하는 중에 '나는 분수에 맞게 평범하게 살 거야'라는 대화가 있었기 때문입니다. 아침 계획을 모두 정지하고 이 주제로 토론을 했습니다. '나의 분수는 뭘까?' 질문했습니다. 분수에 대해서 대략적인 생각이 있지만 모두 그냥 쓰고 있었습니다. '분수라는 단어의 뜻은?', '분수라는 단어는 좋은 단어인가?'를 물었습니다. 모두 잘 모르겠다고 답했습니다. 함께 '분수 또는 주제에 맞게 산다'는 말의 뜻을 찾아봤습니다. 분수는 '자기 신분에 맞는 한도'라는 뜻이 나왔습니다. 히어로들에게 나의 신분은 뭔지 물었습니다. 평민, 일반인, 자유인, 중산층이라는 답이 나왔습니다. 그러면 히어로들이 학교에서 우리 자신을 부르는 말은 무엇인지 물었습니다. '영웅, 히어로'가 나왔습니다. 그러면 나의 진짜 신분은 무엇인지 물었습니다. 여기서 부터 세계관에 대한 대화를 했습니다. 아래 그림을 칠판에 그리면서 세계관은 'what is real?'에 대한 답변이라는 점과 내 진짜 신분이 무엇이고, 그것이 사실이라면 내 신분에 맞는 한도가 무엇인지 대화해 봤습니다. 우리가 가진 세계관 안에서 '분수'라는 말이 맞지 않고, 그 이유는 우리에게는 한도가 없기 때문이라는 이야기를 나눴습니다. 우리가 히어로로 모인 이유는, '영웅의 여행을 통해 소명을 발견하고, 궁극적으로 세상을 바꾸는 것'이라는 점과 우리의 정체성은 다르다는 점을 강조했습니다.

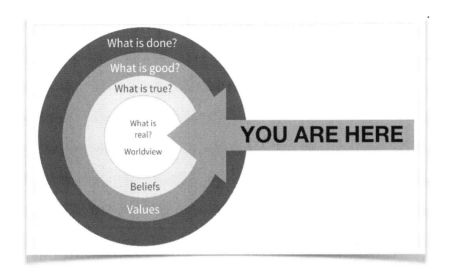

Quest-금동대향로 만들기

히어로들은 쉬는 시간에 금동대향로를 만들고 있습니다. 각자 기본 형태
를 완성해 가고 있습니다.

오후에 히어로들은 금동대향로 안에 있는 그림에 대한 게임을 했습니다.
한 히어로가 그림에 대한 묘사를 하면, 다른 히어로들이 그리고 가장 유사하

게 그린 히어로가 상품을 타게 되는 게임입니다. 히어로들은 이미 그림들을 계속 보고 있었기 때문에, 온몸으로 표현하는 동물들을 대부분 맞출 수 있었습니다. 하지만 정확하게 그리기는 어려웠습니다. 백제인들이 상상한 동물이었기 때문입니다. 이후에 히어로들은 내 금동대향로에 들어갈 그림을 그렸습니다. 주로 나의 세계관 속에서 이상향, 천국은 어떤 모습인지 찾는 시간이었습니다. 중세 시대 천국을 묘사한 그림부터 현대의 그림까지 다양한 소스를 리서치해 봤습니다.

Quest-리서치
이번 세션도 정말 바쁩니다. 히어로들은 각자 백제의 발흥에 대한 리서치를 하고 있습니다. 백제의 왕권강화/군사력/문물교류/경제에 대해서 리서치 결과를 가지고 PPT를 만들고 있습니다.

타운홀 미팅
오늘은 한 주에 한 번 있는 미팅날입니다. 오늘의 안건은 '반장이 태도가 나쁜 히어로에게 벌금을 매기는 기준', '개인이 매점을 운영하는 기준' 등 이었습니다. 요즘 히어로들은 반장이 벌금을 매기는 권한을 남용하고 있다는 불만이 있습니다. 한 히어로는 모두가 관련된 문제나 분쟁은 다수결로 벌금여부를 결정하고, 두 명의 히어로가 서로 다투는 문제가 있을 경우에는 반장이 재판관의 입장으로 벌금을 매긴다는 의견을 냈습니다. 과반수의 동의로 의결이 되었습니다.

14일 차

생각모임

오늘 아침 생각모임은 지난 금요일에 이어 세계관 지도를 보고 나를 발견하는 시간입니다. 간단히 세계관은 '무엇이 진짜일까?'에 대한, 믿음은 '무엇이 진리일까?'에 대한, 가치는 '무엇이 좋은지, 더 나은지'에 대한 것임을 간단히 설명했습니다. 그리고 오늘은 가치관에 대해서 알아봤습니다. 목표 성취를 중시하는 아이와 가치를 중시하는 아이 사이의 차이점을 말한 영상을 보고, 나에게 가치를 부여하는 것은 외부적인 목표인지 내부적인 동기인지 생각해 보는 시간을 가졌습니다. 그리고 나의 가치관을 형성하는 것은 더 고차원적인 가치들 (자유, 호기심, 용기, 인내, 감사, 사랑) 등임을 알아보고 실제 나의 행동에 가치관이 어떻게 영향을 미치는지 질문을 통해 알아봤습니다.

　　오늘은 히어로들이 함께 작성한 '우리의 규칙'에 서명을 하는 날입니다. 히어로들은 '나의 약속'을 만들었지만 우리가 함께 할 때 지켜야 할 규칙은 아직 만들지 않았습니다. 오늘 '우리의 규칙'을 만들고 서명하면서 히어로들 간의 관계에서 발생하는 문제들을 어떻게 해결할지 서로 약속하는 시간을 가졌습니다.

우리의 규칙

서로를 배려하고 존중한다

남을 비판하거나 저주, 따돌림, 조롱, 비꼬는말을 하지 않는다

싸움이 생길 경우, 상대방의 의견을 듣고 화해를 하는 등 완만하게 해결되도록
노력한다 만약 상황이 악화된다면 선생님에게 도움을 청한다

만약 상대방이 폭력을 쓸 경우 X표 등으로 최대한 쉽게 해결하도록 노력하고
비난을 줄인다

과한 논란을 만들어 악화된 상황을 만들지 않으려 노력한다

일을 할 때 최선을 다해 노력한다

서로를 아껴주고 힘들어 보일 때 앞장서 도운다

서로 간 기본적인 예의를 지킨다

상대에게 피해가 되는 행동은 하지 않으려 노력한다

언제나 서로를 칭찬하여 북돋아주려 노력한다

Quest-백제 역사 리서치

오늘은 그 동안 연구한 백제 '경제/왕권강화/해외무역/군사력'에 대한 리서치 결과를 발표하는 날입니다. 히어로들은 각자 연구한 분야를 각자의 특성

을 잘 발휘해서 발표했습니다. 발표 후에는 히어로들끼리 질문을 하고, 발표 내용을 비평하는 시간을 가졌습니다.

Quest-계백연극 및 편지 쓰기

　오늘은 드라마 계백에서 계백이 가족을 죽이고 전장에 나서는 장면을 봤습니다. 그러고 나서 계백이 사회적으로 개인적으로 어떠한 역할을 맡았는지 묻고, 더 들어가서 장군으로서 또 가장으로서 계백의 의무가 무엇이며 이것이 어떻게 충돌하는지 이야기해 봤습니다. 그리고 각자 내가 계백이라면 이 둘 중 어느 것이 더 중요할지 이야기해 봤습니다. 그러고 나서 히어로들은 잠시 계백이 되어서 가족을 죽이는 장면을 연기해 봤습니다. 히어로들 각자 모두 다른 선택을 했습니다. 가족을 죽인 경우, 상황을 피해 도망가는 경우, 오히려 의자왕을 죽이러 가는 경우가 있었습니다.

　히어로들은 마지막에 계백이 되어서 그가 전쟁에 나서기 전 누군가에게 편지를 쓰도록 했습니다. 히어로들은 왕에게, 아내에게, 병사들에게 편지를 썼습니다. 다른 사람의 입장이 되어 감정을 이입하는 것이 어렵지만, 히어로들은 각자 나름의 언어로 상황을 잘 표현했습니다. 아내에게 보내는 편지는 너무 감동적이라는 평도 받았습니다.

15일 차

비전만들기

오늘은 히어로들이 각자의 비전과 학교의 비전을 세우는 날입니다. 히어로들은 먼저 눈을 감고 학교를 졸업할 시점을 생각해 봤습니다. 편안한 상태에서 나의 졸업식을 상상해 봤습니다. 졸업식 연설에서 히어로들은 '나는 xx한 사람이 되었습니다'라는 고백을 하는 장면을 상상합니다. 그리고 나서 포스트 잇에 나는 어떤 사람이 되었는지를 썼습니다. '슬기로운', '지혜로운', '명랑한', '사랑스러운', '정직한', '활기찬', '공감하는' 등등 많은 형용사가 나왔습니다. 히어로들은 비슷한 의미인 단어끼리 다시 묶은 후, 각자 3개의 비전을 만들었습니다. 이후 히어로들은 학교의 비전을 만들었습니다 각자의 포스트 잇을 다 모은 후 반복되는 것을 빼고, 같은 단어끼리 묶어서 6개의 비전을 만들었습니다. 그리고 나서 3개의 비전으로 압축하는 시간을 가졌습니다. 오늘 정해진 <천아학교>의 비전은 '노력하고 성실한 사람', '공감하고 도와주는 사람', '활기차고 긍정적인 사람' 입니다.

Quest-금동대향로 만들기

  히어로들에게는 시간이 많지 않습니다. 이제 히어로들은 자신만의 향로를 만드는 마지막 단계에 있습니다. 그동안 고민했던 자신이 생각하는 이상향을 향로에 담기 시작했습니다. 금동대향로의 산이 멋있다고 생각하는 히어로는 산을 그대로 넣었습니다. 그리고 자신이 생각하는 천국의 모습을 담기 시작했습니다. 이제 어떤 결과물이 나올지 기대가 됩니다.

Quest-백제 옷 만들기

히어로들은 연극을 위한 백제 옷을 완성하는 단계에 있습니다. 이제 앞자락을 꾸미는 시간입니다. 간단히 만들어 봤지만, 히어로들은 이미 왕이 된 기분입니다.

핵심가치

마지막 모임은 핵심가치를 찾는 시간이었습니다. 아침에 정한 나의 비전을 달성하기 위해 나에게 필요한 것을 찾는 시간입니다. 각자 나의 비전을 위한 가치들을 명사형으로 정리했습니다. '최선', '성실', '감사', '행복', '노력', '긍정' 등이 나왔습니다. 이것 중에서 겹치는 것을 정리하고, 핵심적인 것으로 다시 정리한 후 기록하고 액자에 넣는 작업을 했습니다.

16일 차

핵심가치점검

오늘 아침은 학교의 핵심가치를 세우고, 각자 자신의 핵심가치를 관리하는 법을 배웠습니다. 먼저 학교의 핵심가치를 찾기 위해 히어로들이 정한 자신의 핵심가치들을 모았습니다. 그리고 여기서 같은 내용끼리 묶은 후 대표가 되는 단어들을 찾았습니다. 그리고 서로 협의를 통해 4가지만 고르는 시간을 가졌습니다. 결론은 '최선', '행복', '사랑', '긍정'이었습니다. 그리고 나서 히어로들은 자신의 가치를 관리하는 방법을 알려주는 영상을 봤습니다. 이것을 따라 각자 가장 소홀히 하고 있는 가치를 찾아서 이 가치를 더욱 높이기 위한 방법을 찾고 실천과제를 만들었습니다. 앞으로 매주 자신의 가치를 확인하는 시간을 가집니다.

Quest-연극 만들기

히어로들은 이번 주까지 한 세션을 마쳐야 합니다. 시간이 없는 상황이라 오늘은 연극을 준비했습니다. 먼저 드라마 계백을 보고 계백과 계백의 아내가 어떤 사람일지 상상해 봤습니다. 그리고 상상을 바탕으로 이들의 성격, 특징, 태도 등을 써 보는 시간을 가졌습니다. 이후 각각 계백과 아내 역할을 맡은 히어로들이 내가 생각하는 이 사람의 캐릭터를 쭉 써 봤습니다. 내 캐릭터를 이해하는 시간이었습니다. '깃털쌤의 이야기가 있는 교육연극 수업'이라는 책이 큰 도움이 되었습니다.

이제 히어로들은 대본을 작성했습니다. 구글 독스를 열고 같은 파일을 동시에 편집하는 방식입니다. 정말 오랜 시간 갑론을박 하며 대본을 완성했습니다. 짧은 연극이지만 모든 구성요소를 갖춘 3장면으로 구성된 멋진 대본이 완성되었습니다. 놀라운 점은 함께 같은 문서를 보면서 편집하는데, 처음에는 서로 막무가내로 내용을 쓰면서 뒤죽박죽 엉망이 되었지만, 곧장 순서와 규칙을 정하고 돌아가면서 대사를 쓰면서 스스로 완벽히 동기부여가 되었다는 점입니다. **의도적 교육** Intentional Education 이란, 이렇게 어떠한 도전과제를 해결하기 위한 배경을 준비해 줌으로써 학생들이 길을 찾아갈 동기를 부여하는 방식입니다. 오늘 대본은 완벽한 의도적 교육의 결과였습니다.

Quest-금동대향로만들기

금동대향로의 영롱한 자태가 드러나는 순간입니다. 히어로들은 각자 자신의 세계관을 담은 향로를 완성해 가고 있습니다. 첫 번째 완성품이 너무 아름답습니다.

Quest-대본리딩

히어로들은 시간을 내서 대본 리딩 시간을 가졌습니다. 스스로 만들어낸 결과에 대해 애정과 애착이 생기는 것 같습니다. 짧은 연극이지만 모두 만족스러워합니다.

계백인터뷰

오늘 마지막 생각모임은 계백의 인터뷰로 진행했습니다. 계백 역할의 히어로가 인터뷰를 했습니다. '왜 아내를 죽였나?', '가족이 불쌍하지 않나?' 등의 질문이 나오다가, '만약 전쟁에서 이기면 어떻게 할 거냐? 재혼할 거냐?' 라는 날카로운 질문이 던져졌습니다. 재혼한다고 답하자, 모두 믿을 수 없다는 반응이었습니다. 바로 가족을 죽인 일에 찬성하는지 물었습니다. 찬성하지 않는 히어로와 중립인 히어로가 반반이었습니다. 히어로들은 황산벌의 계백 아내와, 드라마 계백의 계백 아내의 너무 다른 역할에 대해 의아해 하고 있었습니다. 합리적인 경우의 수를 함께 이야기해 보았습니다. 계백이 가족을 살린 경우, 계백이 가족을 살릴 수 있지만 (승리를 위해 또는 자기 이름을 위해) 죽인 경우, 계백의 아내가 백제를 위해 죽여달라고 한 경우, 계백의 아내가 살려고 부모님과 도망간 경우를 두고 각각의 상황을 따져보고 드라마나 영화가 왜 2가지 내용으로 만들어졌는지 토론해 봤습니다.

17일 차

생각모임

오늘 아침은 마지막으로 백제의 멸망에 대한 내용을 토론했습니다. 오늘의 질문은 **"내가 의자왕이었다면? 백제를 살릴 수 있었을까?"** 라는 질문으로 토론을 했습니다. 먼저 백제 역사에서 의자왕의 마지막에 대한 영상을 보았습니다. 그리고 질문을 했습니다. 히어로들은 잘 모르겠다. 변수가 많아서 답을 못하겠다고 했습니다. 그래서 의자왕 당시 상황을 다시 한번 이야기해 봤습니다. 의자왕이 왕권에 집착하다가 귀족을 오히려 천대해고 충신까지도 쳐냈고, 간신이나 부인의 말을 듣고 행동했다는 점 등을 이야기했습니다. 그러고 나서 히어로들은 '귀족들을 대우하도록 계획을 바꾼다', '당나라를 설득하고 화친을 맺는다', '신라와 고구려를 잘 활용한다', '부여융을 계속 태자로 한다', '정보력을 중시한다' 등의 의견이 나왔습니다. 그리고 모두 국가가 망하는 데는 이유가 있다는 생각을 공유했습니다.

Quest-금동대향로 만들기
히어로들은 금동대향로를 마무리 했습니다. 모두 할 수 있는 최선을 다해 향로의 모습을 다듬어 봤습니다. 아름다운 향로들이 완성되었습니다.

Quest-연극연습
오늘 히어로들은 아침부터 집중모드였습니다. 연극 대본을 수정하고, 무대와 음향효과를 다듬고, 마지막 연습에 몰두했습니다. 짧은 대본이지만 힘을 다해서 연습했습니다. 내일 공연이 기대됩니다.

배움 발표회 Celebration of Leaarning

오늘은 배움 발표회 날입니다. 히어로들은 한 세션 동안 배운 내용을 가족과 이웃을 초청해 발표하는 시간을 가집니다. 이번 세션은 금동 대향로를 만들고, 백제 역사를 연구하고, 나의 세계관을 탐구하였고, 또 백제에 대한 연극을 준비했습니다. 오늘 방문한 손님을 위해 히어로들은 준비한 연극을 발표했습니다. 준비한 내용을 최선을 다해 발표했습니다. 그리고 나서 히어로들은 손님 앞에서 질의응답 시간을 가졌습니다. 이번 세션 히어로들은 백제의 역사와 문화를 몸으로 느끼며 나의 정체성을 깊이 생각해 보는 시간을 가졌습니다.